KB174696

인체의 구조와 기능에서 본

병태생리 2 소화기질환

visual map

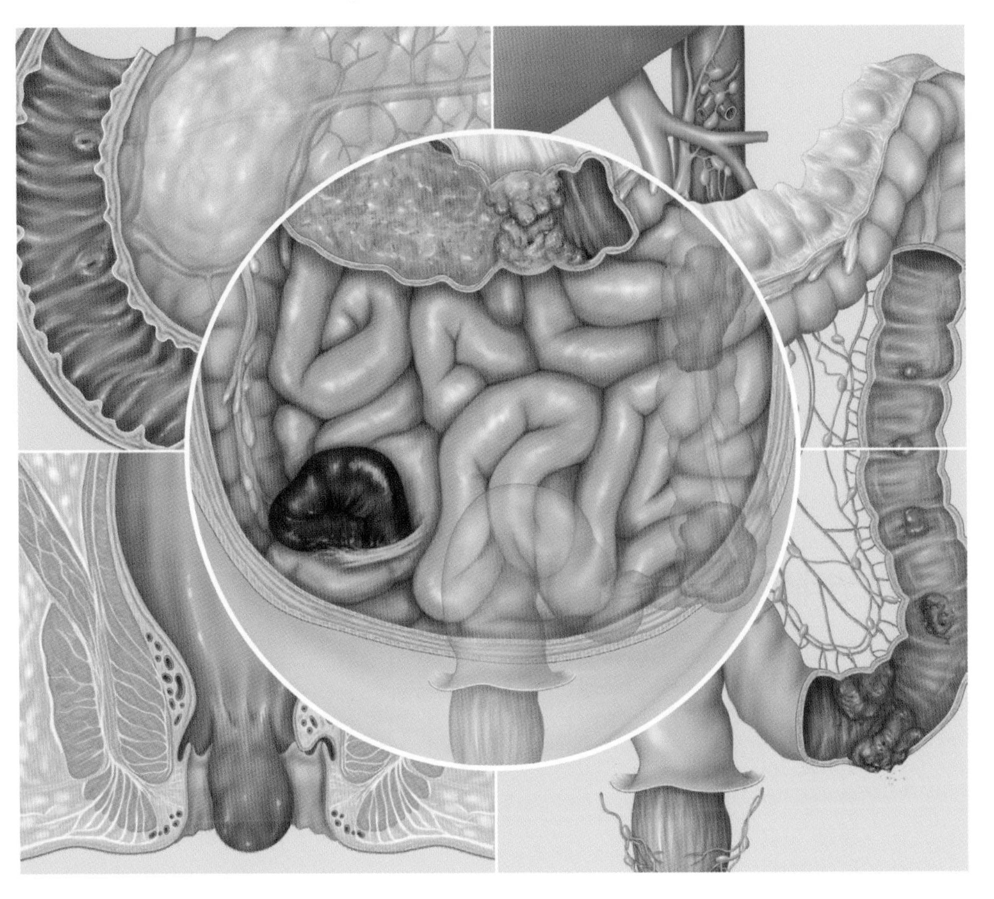

편집

佐藤千史

도쿄의과치과대학대학원 보건위생학연구과 교수·건강정보분석학

井上智子

도쿄의과치과대학대학원 보건위생학연구과 교수·첨단침습완화케어간호학

군자출판사

주의

본서에 기재되어 있는 치료법이나 환자케어에 관해서 출판시점의 최신 정보에 근거하여, 정확을 기하도록, 저자, 편집자 및 출판사는 각각 최선의 노력을 기울였습니다. 그러나 의학, 의료의 진보로 기재된 내용이 모든 점에서 정확하고 완전하다고 보증할 수는 없습니다.

따라서 활용시에는 항상 최신 데이터에 입각하여, 본서에 기재된 내용이 정확한지, 독자 스스로 세심한 주의를 기울일 것을 요청드립니다. 본서 기재의 치료법·의약품이 그 후의 의학연구 및 의료의 진보에 따라서 본서 발행 후에 변경된 경우, 그 치료법·의약품에 의한 불의의 사고에 관해서, 저자, 편집자 및 출판사는 그 책임을 지지 않습니다.

주식회사 의학서원

본서에 기술된 사회보험, 법규, 약제 등은 일본의 경우이므로 국내와 일치하지 않을 수도 있음을 참고하시기 바랍니다.

군자출판사

인체의 구조와 기능에서 본
병태생리 2 소화기질환

첫째판 1쇄 인쇄 2014년 1월 5일
첫째판 1쇄 발행 2014년 1월 10일
첫째판 2쇄 발행 2015년 4월 27일

지 은 이 佐藤千史 · 井上智子
발 행 인 장주연
출판·기획 한수인
편집디자인 정미영
표지디자인 전선아
발 행 처 군자출판사
등록 제4-139호(1991.6.24)
본사 (110-717) 서울시 종로구 인의동 112-1 동원회관 BD 6층
전화 (02)762-9194/9195 팩스 (02)764-0209
홈페이지 | www.koonja.co.kr

人体の構造と機能からみた 病態生理ビジュアルマップ [2] 消化器疾患
ISBN 978-4-260-00977-5 編集：佐藤 千史・井上 智子

ISBN 978-89-6278-822-8
ISBN 978-89-6278-820-4 (세트)
정가 25,000원 / 125,000원 (세트)

서두에

여러분이 개개의 “병”에 관하여 어떤 이미지를 가지고 있는지 떠올려 보자. 예를 들어 폐암의 경우, 기도에 종양이 생기고 그것이 기침이나 호흡곤란으로 진행되는데, 이것은 비교적 이미지를 그리기 쉬운 편이다. 그렇다면 간경변, 파종성혈관내응고, 신증후군, 류마티스 관절염 등의 경우는 어떨까?

본서는 병태생리를 필두로 하여, 주요 질환의 병태·진단·치료·환자의 케어포인트를 주로 간호사·간호학생·코메디컬 스태프 대상으로 해설한 것이다.

동일한 취지의 서적이 이미 몇 가지 시중에 나와 있지만, 본서는 특히 ‘병태의 이미지를 전달하는 것’, ‘병태와 증상·진단·치료·환자케어의 지식이 연결되는 것’에 역점을 두고 있다.

‘병태의 이미지’에 관해서는 병태의 원인, 병변, 증상, 경과까지의 흐름을 한 눈에 알 수 있도록, 가시적인 일러스트를 사용하여 이미지화를 시도하고 있다. 그리고 그 이미지가 증상·진단·치료·환자케어의 이해에 직결되도록 구성하고 있다. 각 분야에서 두각을 나타내는 전문가들이 최신내용을 반영해서 집필해 주신 점도 본서의 큰 장점일 것이다.

병태생리란, 사람의 체내에서 어떤 변화가 일어나면서 건강이 손상되는지에 관한 “story”를 설명한 것이다. 이 스토리를 이해할 수 있으면, ‘왜 이 증상이 나타나는가’, ‘왜 이 검사치를 주시해야 하는가’, ‘왜 이 약을 적용하는가’에 대한 진단·치료의 의미, 인과관계를 이해할 수 있게 된다.

본서가 여러분의 일상의 학습, 임상현장에서의 관찰이나 정보수집, 케어 포인트나 치료를 이해하는 데에 도움이 된다면 크게 기쁠 것이다.

마지막으로, 본서의 간행취지에 찬성해 주시고, 각각 바쁘신 중에도 본서의 집필에 시간을 할애하여 편집자들의 의도를 상회하는 내용을 제공해 주신 집필진 선생님들께 진심으로 감사를 드리는 바이다.

2010년 9월

편집자를 대표하여 佐藤千史

편집 · 집필자 일람

편집

佐藤　千史　도쿄의과치과대학대학원 보건위생학연구과교수·건강정보분석학

井上　智子　도쿄의과치과대학대학원 보건위생학연구과교수·첨단침습완화케어간호학

집필

의학해설

有井　滋樹　도쿄의과치과대학대학원 의치학 종합연구과 교수·간담췌·종합외과학

泉　並木　무사시노(武藏野) 적십자병원 소화기과부장

榎本　信幸　야마나시(山梨)대학대학원 의학공학종합연구부 교수·임상의학계 (내과학강좌 제1교실)

遠藤　健　일본적십자사 의료센터 대장항문외과부장

河野　辰幸　도쿄의과치과대학대학원 의치학종합연구과 교수·식도·일반외과학

北村　敬利　Kitamura 클리닉원장

工藤　篤　도쿄의과치과대학대학원 의치학종합연구과 조교·간담췌·종합외과학

久山　泰　테이쿄(帝京)대학의학부 교수·내과학

黑崎　雅之　무사시노(武藏野) 적십자병원 소화기과부 부장

清水　紀香　도쿄의과치과대학대학원 의치학종합연구과·종양외과학

杉原　健一　도쿄의과치과대학대학원 의치학종합연구과 교수·종양외과학

關田　吉久　시키(志木)시립 시민병원외과의장

竹下　公矢　국제의료복지대학 아타미(熱海)병원 교수·소화기외과

田中　智大　무사시노(武藏野) 적십자병원소화기과

長堀　正和　도쿄의과치과대학교수·소화기내과

中村　典明　도쿄의과치과대학대학원 의치학종합연구과 교수·간담췌·종합외과학

船越　顯博　독립행정법인 국제병원기구 큐슈(九州)암센터소화기·췌장내과의장

細川　貴範　무사시노(武藏野) 적십자병원소화기과

宮坂　京子　도쿄가정대학 영양학과 교수

山本　貴嗣　테이쿄(帝京)대학의학부 강사·내과학

渡辺　守　도쿄의과치과대학대학원 의치학종합연구과 교수·소화기병태학

환자케어해설

明石　惠子　나고야(名古屋)시립대학 간호학부간호학과 교수·클리티컬케어간호학

石川　紀子　센바(千葉)현 위생단기대학강사·소아간호학

小西美ゆき　효고(兵庫)의료대학간호학부 강사·요양지원간호학

佐藤　正美　츠쿠바(筑波)대학대학원 인간종합과학연구과 준교수·성인간호학

壓村　雅子　도카이(東海)대학 건강과학부 간호학과 강사·성인간호학

高比良祥子　나가사키(長崎)현립대학 간호영양학부 간호학과 강사·성인간호학

竹井　留美　코마키(小牧)시민병원

前川　厚子　나고야(名古屋)대학의학부 보건학과간호학전공 교수·지역재택간호학

三浦美奈子　도쿄여자의과대학 간호학부 조교·성인간호학

矢富有見子　도쿄의과치과대학대학원 보건위생학연구과 박사후기과정·첨단침습완화케어간호학

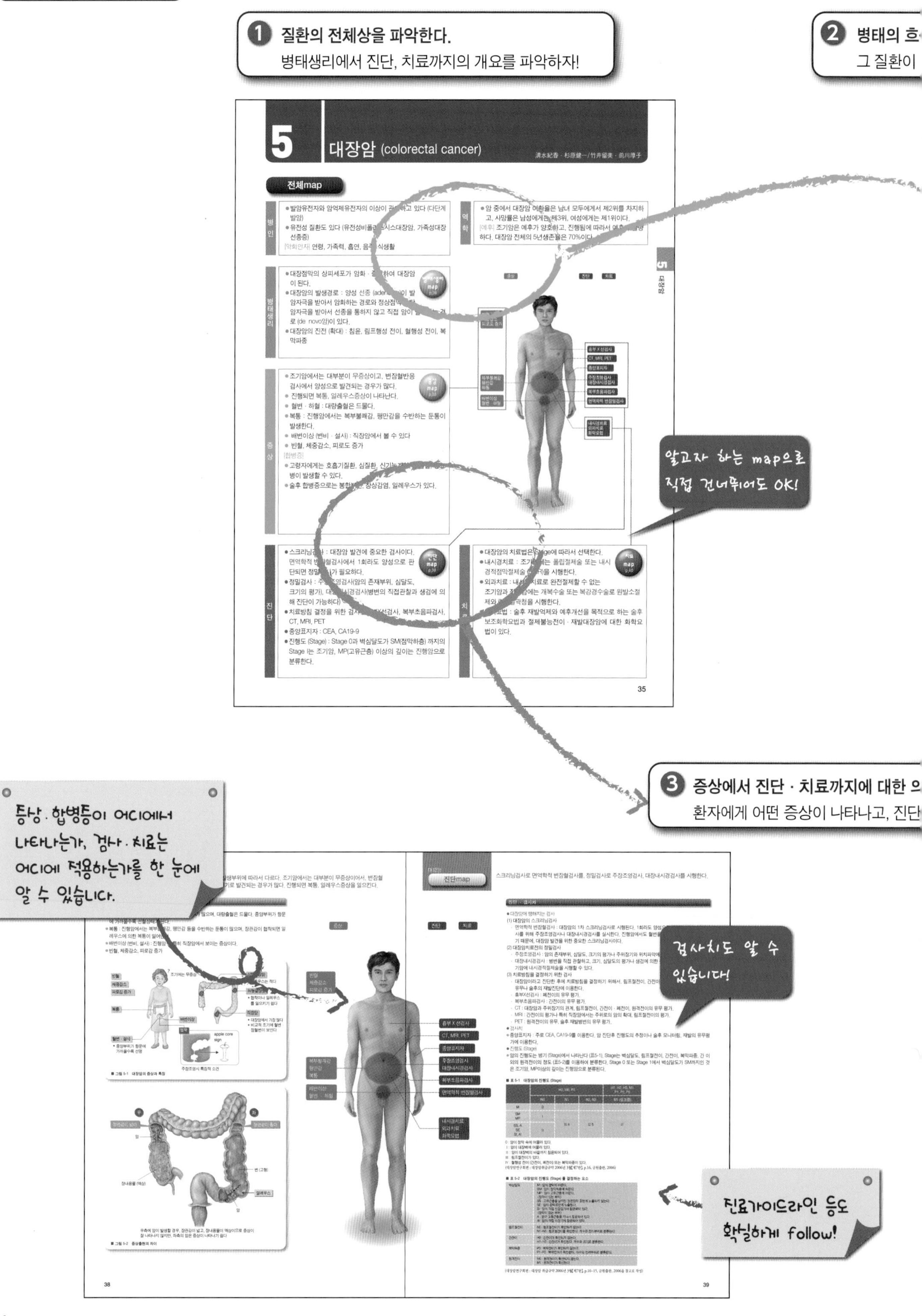

1 질환의 전체상을 파악한다.
병태생리에서 진단, 치료까지의 개요를 파악하자!
2 병태의 흐
그 질환이
5 대장암 (colorectal cancer)
전체map
알고자 하는 map으로 직접 건너뛰어도 OK!
3 증상에서 진단 · 치료까지에 대한 의
환자에게 어떤 증상이 나타나고, 진단
증상 · 합병증이 어디에서 나타나는가, 검사 · 치료는 어디에 적용하는가를 한 눈에 알 수 있습니다.
진단map
검사치도 알 수 있습니다!
진료가이드라인 등도 확실하게 follow!

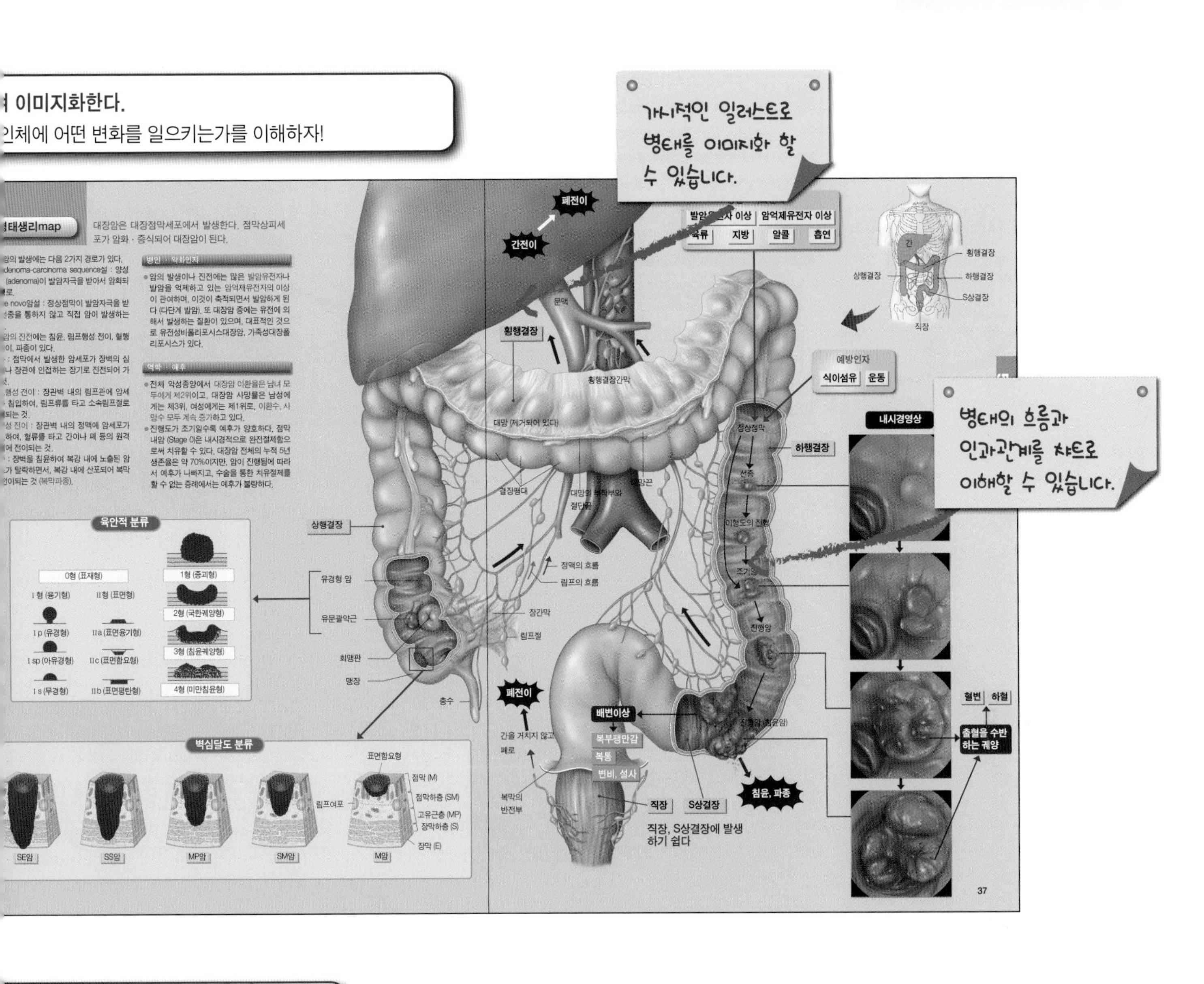
이미지화한다.
인체에 어떤 변화를 일으키는가를 이해하자!
가시적인 일러스트로 병태를 이미지화 할 수 있습니다.
태생리map
대장암은 대장점막세포에서 발생한다. 점막상피세포가 암화 · 증식되어 대장암이 된다.
폐전이
간전이
발암억제유전자 이상
암억제유전자 이상
육류
지방
알콜
흡연
횡행결장
상행결장
하행결장
S상결장
직장
예방인자
식이섬유
운동
병태의 흐름과 인과관계를 차트로 이해할 수 있습니다.
내시경영상
정상점막
선종
이형도의 진행
조기암
진행암
육안적 분류
0형 (표재형)
1형 (종괴형)
2형 (국한궤양형)
3형 (침윤궤양형)
4형 (미만침윤형)
벽심달도 분류
SE암
SS암
MP암
SM암
M암
배변이상
복부팽만감
복통
변비, 설사
침윤, 파종
혈변
하혈
출혈을 수반하는 궤양
직장, S상결장에 발생하기 쉽다
37

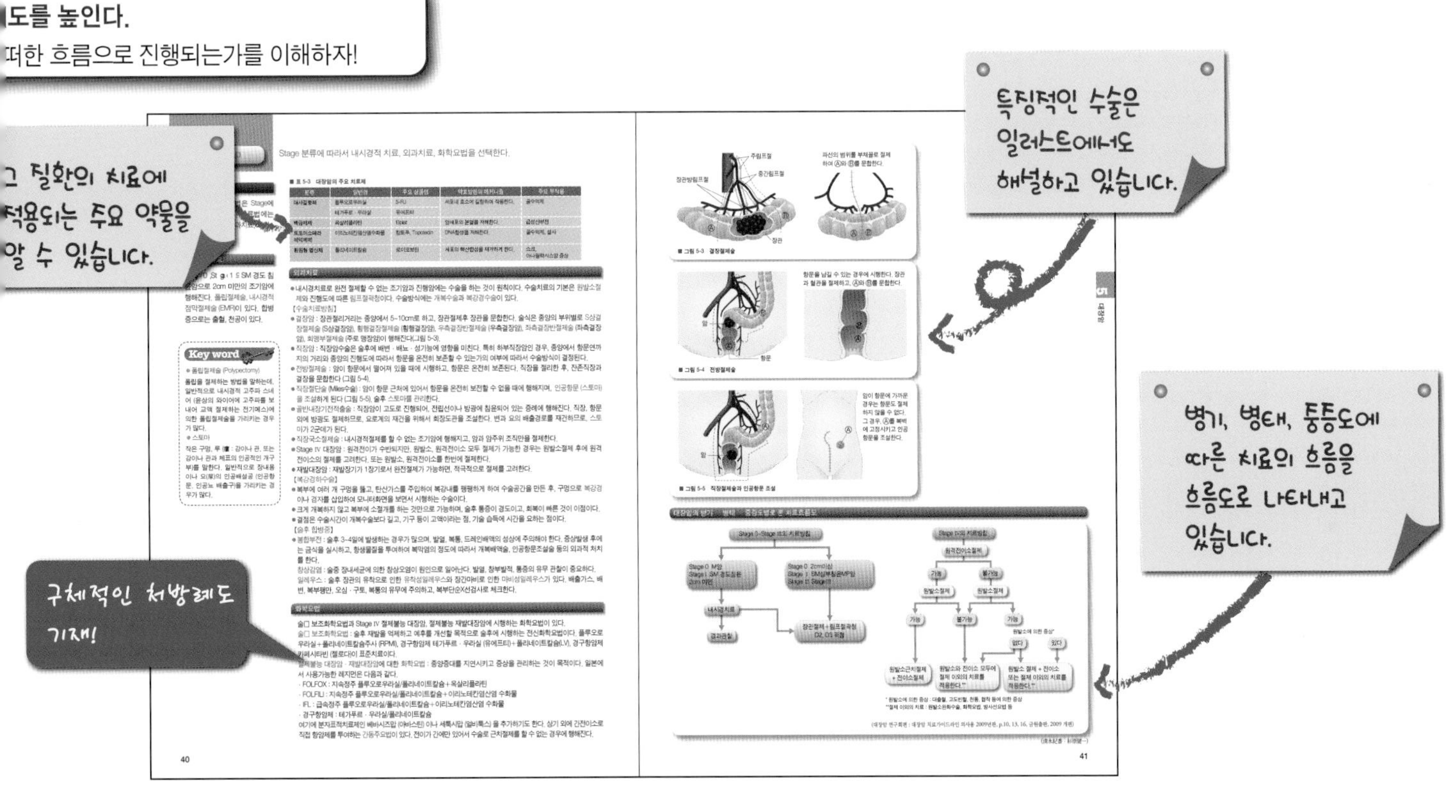
도를 높인다.
떠한 흐름으로 진행되는가를 이해하자!
특징적인 수술은 일러스트에서도 해설하고 있습니다.
그 질환의 치료에 적용되는 주요 약물을 알 수 있습니다.
병기, 병태, 중증도에 따른 치료의 흐름을 흐름도로 나타내고 있습니다.
구체적인 처방례도 기재!
Stage 분류에 따라서 내시경적 치료, 외과치료, 화학요법을 선택한다.
Key word
40
41

4 환자의 케어 포인트를 파악한다.
병태생리, 진단 · 치료의 흐름과 관련지어 이해하자!

스테이지에 따른 케어 포인트가 응축되어 있습니다.

여러 곳에 도설을 마련하여 이해를 돕고 있습니다

입원 중뿐 아니라, 퇴원 후도 확인하는 케어 포인트가 있습니다.

대장암

환자케어

대장암수술에 수반하여 스토마조설술이 행해지는 경우에는, 스토마 관련 합병증의 예방과 셀프케어에 대한 지지가 중요하다.

병기 · 병태 · 중증도에 따른 케어

【술전】 초기에는 무증상으로 경과하는 경우가 많으며, 진행됨에 따라 부위에 따라서 다른 증상이 나타나므로, 병소와 증상을 파악하여 그에 적절한 케어를 제공해야 한다. 또 빈혈이 나타나거나 전신의 영양상태가 저하되면, 술후 합병증의 위험성이 높아진다는 점에서, 술전의 전신관리에 대한 케어가 필요하다. 통과장애가 심한 경우는 금식이나 수액관리 등의 치료가 행해지므로, 치료에 대한 환자의 불안이나 스트레스를 파악하고, 치료의 중요성을 이해할 수 있도록 지지해야 한다. 스토마조설이 예정되어 있는 경우는 술전부터 스토마수용에 적합한 지지를 시작한다.

【술후】 전신마취나 개복술과 관련된 술후 합병증에 추가하여, 직장암 수술 후에는 배뇨 · 배변장애 등의 합병증이 발생할 가능성이 높아서, 장애의 수용에 대한 심리적 케어나 QOL향상에 대한 지지도 중요하다. 스토마조설술이 행해진 경우는 합병증이나 스토마의 수용을 촉구하도록 지지해야 한다.

【회복기】 스토마를 조설한 경우, 배설경로의 변경이나 라이프스타일의 변경, 스토마관리 등으로 인해 환자가 느끼는 불안은 끝이 없다. 환자 · 가족의 기분을 충분히 고려하고, 퇴원 후의 생활에 자신감을 가질 수 있도록 지지한다. 가족의 협력체제를 배려함과 더불어, 사회자원의 활용을 검토한다.

케어의 포인트

【술전】

신체에 대한 케어

- 빈혈로 인한 전도의 위험이나 피로감이 증가하는 상태를 고려하여 셀프케어를 지지한다.
- 암에 의한 통과장애의 정도를 이해하고, 경구섭취 상황과 복부증상을 관찰한다. 통과장애가 심한 경우는 환자 · 가족에게 식사제한에 관한 이해를 촉구하고, 적절한 치료행동을 취할 수 있도록 지지한다.
- 빈혈악화나 영양상태 저하 등, 술전부터 실시하는 치료의 필요성에 관하여 설명하고, 적절한 치료행동을 촉구한다.
- 술전 처치인 설사제 복용이나 장관세척의 필요성과 주의사항을 설명하고, 처치에 의한 고통뿐 아니라 중증 상태에 대해서도 예방적인 행동을 취할 수 있도록 지지한다.
- 스토마조설술이 예정된 경우는 환자의 생활배경을 고려한 스토마 사이트 마킹이 필요하다.

【술후】

술후 합병증의 조기발견, 조기치료에 대한 지지

- 수술방식에 따라서 합병증이 다르므로 합병증을 이해하고 관찰 포인트를 파악하여 적절한 지지로 연결해 간다.
- 스토마의 합병증인 상처입기 쉬운 스토마에는 술후용 장비를 부착하고, 관찰이 용이한 투명한 채변주머니를 사용하는 등의 연구를 시행한다. 또 장비교환 시에 스토마 주변을 주의깊게 관찰하는 등 합병증의 조기발견에 힘쓴다.

스토마관리에 관한 지지

- 영구스토마 조설인 경우는 사회자원의 활용을 위해 신체장애자 수첩의 신청수속을 하도록 설명한다.
- 스토마의 장비교환에 관해서는 환자의 상황에 맞추어 단계적으로 설명하고, 가족의 협력을 구할 수 있도록 돕는다.
- 스토마관리에 가족이 안고 있는 생각에 공감하면서, 가족에 대한 케어를 고려하며 지지한다.

환자 · 가족의 심리 · 사회적 문제에 대한 지지

- 암을 선고받은 환자 · 가족의 심리 · 사회적인 문제를 파악한다.
- 스토마조설을 선고받은 환자 · 가족을 술전부터 퇴원 후의 생활에 맞추어 계속적인 시점에서 지지한다.
- 배변관리가 불량한 경우는 배변에 관한 수치심이나 고통이 고려되므로, 환자의 자존심을 존중하면서 대한다.
- 스토마를 보유하면서 신체상(body image)의 변화나 라이프스타일의 재구축이 부득이하게 발생하고, 불안이 증대된다. 구체적인 이미지화가 가능하도록 설명하여, 불안을 해소할 수 있도록 지지한다.

퇴원지도 · 요양지도

- 스토마를 보유한 경우, 퇴원 후의 생활을 예측하기 어려운 불안한 상황에 놓이게 된다. 환자가 스토마를 보유한 생활에 익숙해지도록 입원 중의 외출체험 등을 통해 퇴원 후의 생활을 상정하여 지지를 제공한다.
- 퇴원후 상담을 위해서, 스토마 전문외래나 환자모임 등의 지지체제를 소개한다.
- 입원 전과 비슷한 생활을 영위하기 위하여 사회와의 접점을 계속 유지하도록 하고, QOL향상을 목표로 지지한다.
- 환자모임 등을 소개하고, 같은 질환이나 장애를 안고 있는 환자끼리 고민 등의 [illegible] 서로 표출하는 모임 등, 생활에 대해 배우는 장으로서 활용할 수 있도록 정보를 제공한다.
- 재발의 조기발견을 위해서, 정기적인 외래진찰이나 검사의 필요성을 지도한다.
- 보조화학요법이 행해지는 경우, 퇴원 후도 계속되는 치료나 전이에 대한 불안 등으로 인해 환자 · 가족은 여러 걱정을 하게된다. 환자 · 가족이 치료나 앞으로의 생활에 대해 의욕을 높일 수 있도록하는 지지가 필요하다.

(竹井留美 · 前川厚子)

스토마 위치결정의 원칙과 포인트

※ 표준체형인 경우
- 배꼽보다 낮은 위치
- 복직근을 관통하는 위치
- 복부지방층의 정점
- 피부의 주름이나 반흔, 상전장골극 근처를 피한 위치
- 환자 자신이 볼 수 있어서 셀프케어가 용이한 위치
- 주위에 스토마 장비의 면판을 붙이는 평면을 확보할 수 있는 위치
- 허리선보다 아래 위치로서, 벨트나 하의의 고무밴드과 겹치지 않는 위치
- 체형, 직업이나 취미 등, 환자개별 조건을 고려한 위치

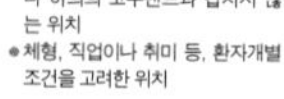

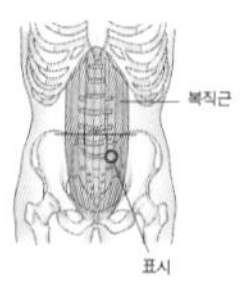

상기의 원칙과 포인트를 고려하여 위치를 결정, 표시한다

■ 그림 5-6 스토마 사이트 마킹

42

병태생리map에 관하여

일러스트 중에서 병인, 악화인자, 병변, 증상 등에 관하여, 그 관련성을 화살표로 나타내고 있다. 원칙적으로「병변」은 하늘색 또는 보라색 (2차적 병변 또는 장애 결과) 박스로,「증상」은 황녹색 박스로 색깔별로 나누고 있다. 붉은색 박스는 특히 중요한 병변·장애를 나타낸다.

[기재 예시]

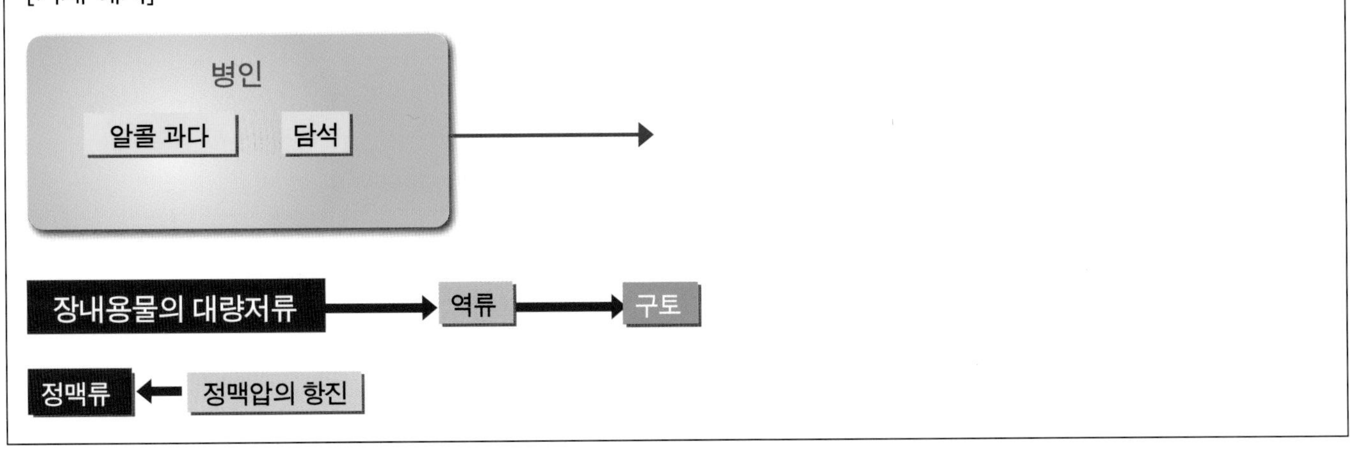

약물요법에 관하여

각 질환의 처방례를 제시하고 있다. 처방례는 원칙적으로, 약제명 (상품명), 제형, 규격단위, 투여량, 용법을 기재하고, 마지막에 화살표로 분류명을 나타내고 있다. 투여량은 1일량이며, 용법의「分○」는 1일량을 ○회로 나누어 투여(복용)한다는 의미이다.

[기재 예시]

지스로맥스정 (250mg) 2정 分1 3일간 ←마크롤라이드계 항균제

병태생리 2 소화기질환 visual map

1 역류성식도염 (위식도역류질환; gastroesophageal reflux disease, GERD)

山本貴嗣 · 久山 泰 / 三浦美奈子

전체map

병인

- 식도열공헤르니아 등으로 인한 (하부식도괄약근 : LES) 위내압의 저하, 위산분비의 항진, 식도 · 위운동기능이상

[악화인자] 생활습관, 복강내압의 상승, 자극물, 약제

역학

- 서구에 많다 (10~20% 정도).
- 일본에서도 증가경향 (16% 정도)을 보이며, 50세 이상의 여성에게 호발한다.

[예후] 양호. 복용을 중지하면 재발한다. 바레트식도가 발생하는 경우에는 식도암의 발병률이 높게 나타난다.

병태생리

- 식도와 위의 이행부에 있는 역류방지기구 (LES)의 작용이 손상되어, 위산이나 위내용물이 식도로 역류되어 있는 병태로서, 식도에 염증이 생긴다.
- 일과성 LES압 이완이 식도염의 발생에 관여한다.
- 위식도역류에 수반하는 불쾌한 증상이나 신체소견을 나타내는 병태를 총칭하여 위식도역류질환 (GERD)이라고 한다. 내시경검사에서 식도염이 확인되지 않는데도 증상이 있으면 비미란성GERD (NERD)라고 한다.

증상 | 합병증 | 진단 | 치료

- 치아침식 / 위산과다증
- 천식, 기침 / 목의 통증
- 가슴쓰림 / 흉통
- 빈혈 / 영양불량

- 질문지법
- 호기시험법
- 모니터링 내시경검사 / 식도내 pH / 생검 / 내압측정법
- 혈액검사

- 생활지도
- 약물요법 / 내시경치료 / 외과요법

증상

- 가슴쓰림, 위산과다증 (p.4 참조), 흉통이 주증상
- 기침, 목의 통증 (인두염), 천식, 치아침식

[합병증]

- 구강 · 인두 · 호흡기증상
- 빈혈, 영양불량
- 부비강염, 폐섬유증, 반복성중이염, 수면무호흡증후군

진단

- 증상에 따른 진단 : 위식도역류에 의한 증상이 일정 빈도 이상 확인된다면 증상만으로 진단을 결정한다(경도인 경우는 주 2회, 중등도인 경우는 주 1회 이상).
- 질문지법 (QUEST문진, F scale) : 증상을 객관적으로 평가한다.
- 내시경검사 : 식도위접합부에서 종주하는 점막손상을 확인한다. 개정 LA분류로 평가한다.
- 내시경하생검 : 염증의 정확한 평가에 유용하다.
- 식도내 pH모니터링 : 위산역류의 정도와 빈도 검사에 유용
- 운동기능평가검사 (내압측정법, 호흡시험법) : 식도나 위의 운동기능저하가 원인이라고 생각될 때에 적용한다.

치료

- 생활지도
- 약물요법 : 산분비억제제 (프로톤펌프억제제, 히스타민 H_2수용체길항제)가 유효하다. 급성기에 염증이 심한 경우는 점막보호제를 사용하고, 식도위운동기능 저하 시에는 소화관기능개선제를 사용한다.
- 내시경치료 : LES압의 상승을 목적으로 한다.
- 외과요법 : 중증 합병증을 수반하는 경우나 약제저항성인 경우에는 분문형성술 (Toupet법, Nissen법)을 시행한다.

병태생리map

역류성식도염은 위산이나 위내용물이 식도로 역류함으로써 발생하는 병태이다.

- 일반인의 경우에는 식도와 위의 이행부에 있는 역류방지기구 (하부식도괄약근 : lower esophageal sphincter : LES)가 위산이나 위내용물의 식도로의 역류를 방지하고 있다. 이 작용이 손상되어 역류가 일어나면, 식도에 염증이 생긴다.
- 지금까지의 연구에 따르면, 일과성 LES압 이완이라는 생리현상 (위가 신전되었을 때에 생기는 LES의 일시적인 이완반응)이 식도염의 발생에 관여하는 것이 확실해졌다. 역류성식도염 증례에서는 이 현상이 높은 빈도로 발생하기 때문에 역류가 일어나기 쉽다.
- 최근에는 위식도 역류에 수반하는 불쾌한 증상이나 신체소견을 나타내는 병태를 총칭하여, 위식도역류질환(gastroesophageal reflux disease ; GERD)이라고 한다. 내시경검사에서 식도염이 없는데도 증상이 있으면 비미란성위식도역류질환(non-erosive GERD ; NERD)이라고 진단한다.

병인 · 악화인자

- 식도열공헤르니아 등으로 인한 LES압의 저하, 위산분비의 항진, 식도 · 위운동기능이상 등이 원인이 된다.
- 악화인자로 생활습관(흡연, 고지방식, 식사직후의 취침, 스트레스), 복강내압의 상승(비만, 과식, 변비, 힘쓰는 작업), 자극물(알콜, 커피, 향신료)의 섭취, 약제(항고혈압제, 천식치료제 기타)를 들 수 있다.

역학 · 예후

- 이전부터 서구에 많다고 하며, 유병률은 10~20% 정도이다.
- 일본에서도 증가하는 경향을 보이며, 최근 보고에서 서구와 거의 같은 정도 (16% 정도)로 나타났다. 그 원인으로 식생활의 서구화, 고령화, 발견율의 증가 등이 추측되고 있다. 또 50세이상의 여성에게 호발하는 경향이 있다.
- 대부분의 증례에서 생활지도나 약물치료가 효과적이며, 예후가 양호하다. 그러나 약물의 복용을 중지하면 재발하는 경우가 적지 않다.
- 염증 후의 변화로 바레트식도(Barrett's esophagus; 본래 식도상피가 원주상피로 바뀐 상태)가 생기면 식도암의 발생률이 높아진다는 점에서, 정기적인 경과관찰이 중요하다.

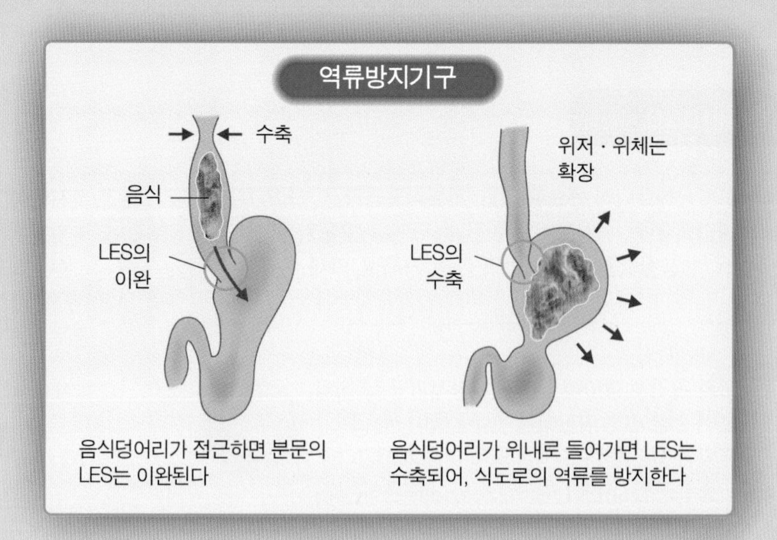

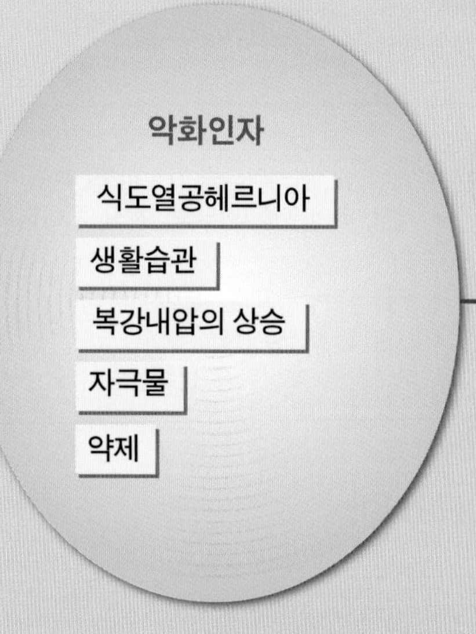

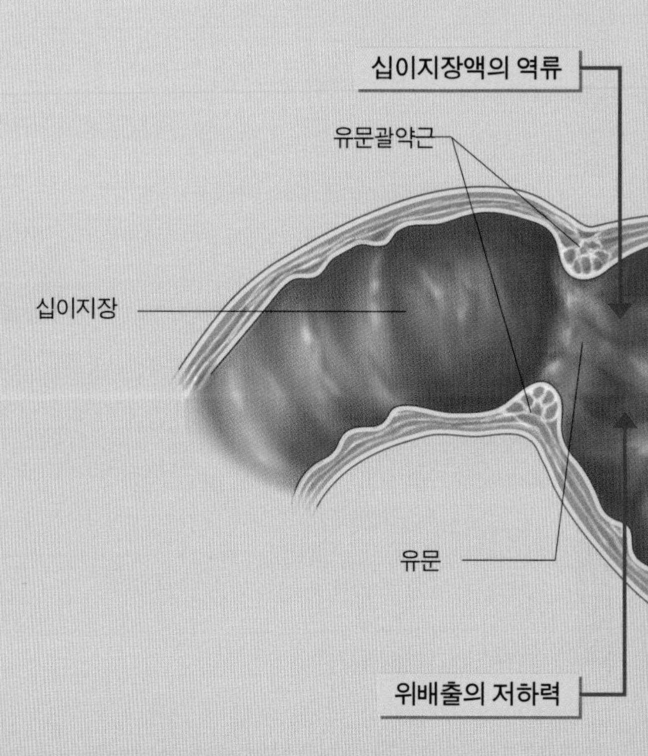

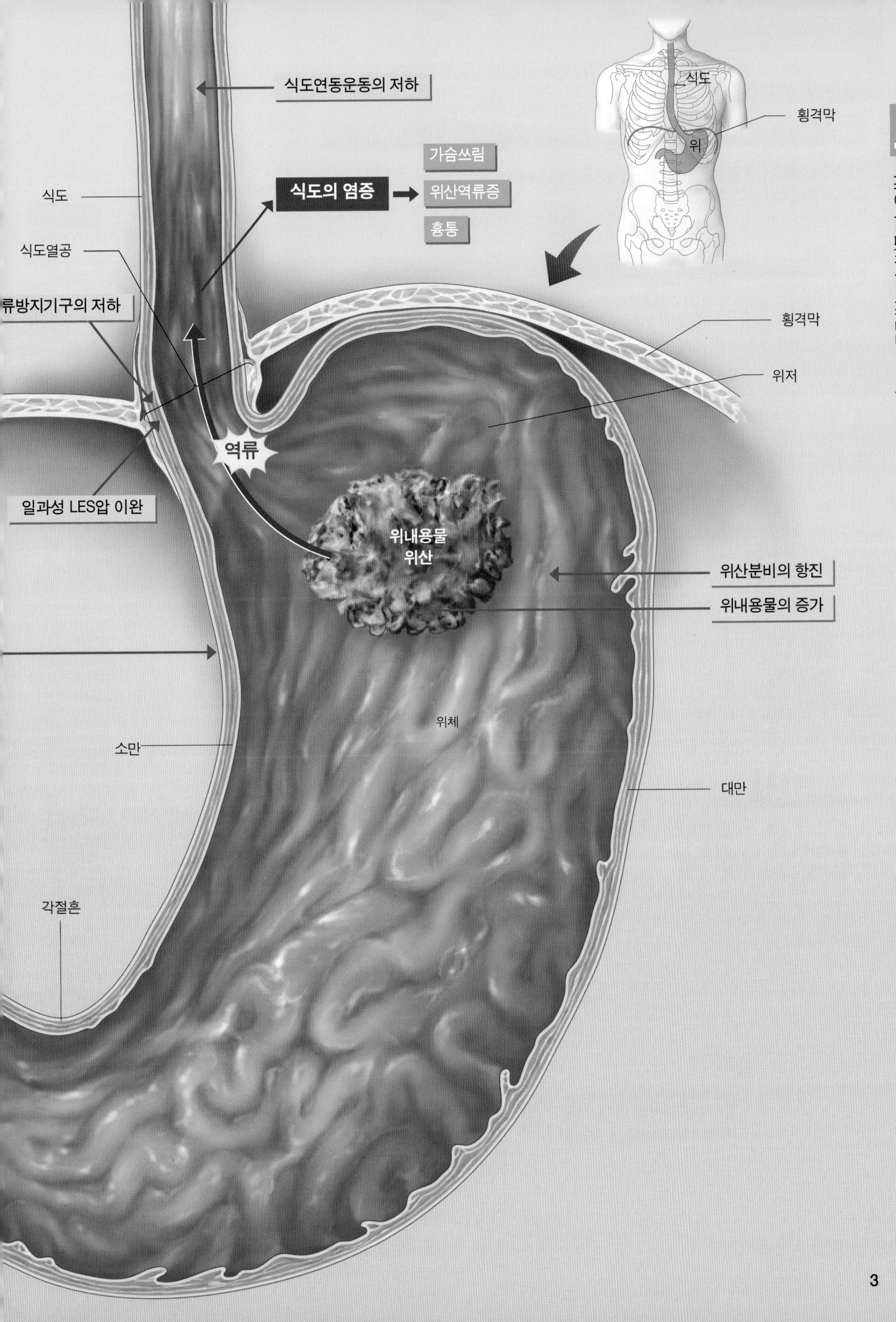
식도연동운동의 저하
식도
횡격막
위
가슴쓰림
식도
식도의 염증
위산역류증
흉통
식도열공
류방지기구의 저하
횡격막
위저
역류
일과성 LES압 이완
위내용물
위산
위산분비의 항진
위내용물의 증가
위체
소만
대만
각절흔

증상map

주증상은 가슴쓰림, 위산과다증, 흉통이다.

증상

- 가슴쓰림 (흉골 안쪽의 작열감), 위산과다증 (역류한 위내용물이 구강 또는 하인두에 도달한 감각), 흉통이 주된 증상이다.
- 식도외증상으로 기침, 목의 통증 (인두염), 천식, 치아침식 (그림1-2) 등이 있다.

증상

- 산역류가 식도에 머물지 않고, 구강에까지 영향을 미치는 경우에는 구강 · 인두 · 호흡기증상이 나타나기도 한다.
- 출혈이나 협착 때문에, 빈혈이나 영양부족이 발생하기도 한다.
- 식도외 질환으로, 부비강염, 폐섬유증, 반복성중이염, 수면무호흡증후군 등이 관련있다고 여겨진다.

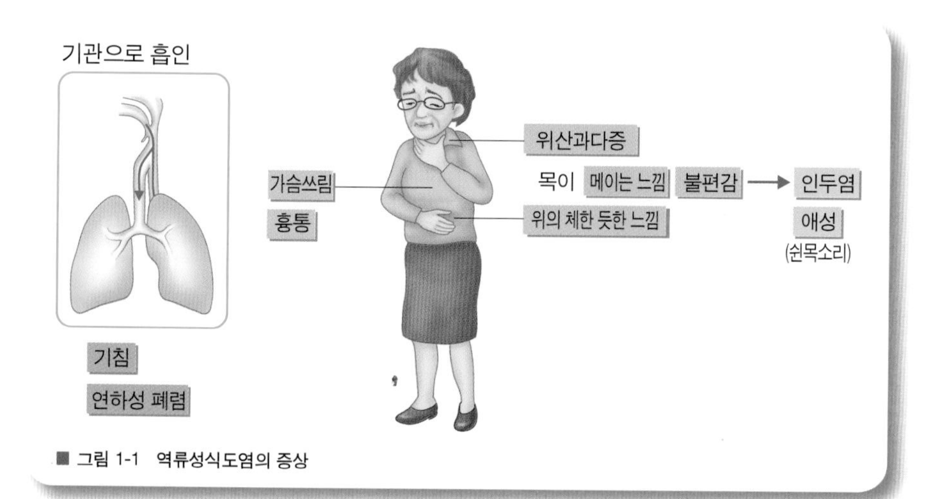

■ 그림 1-1 역류성식도염의 증상

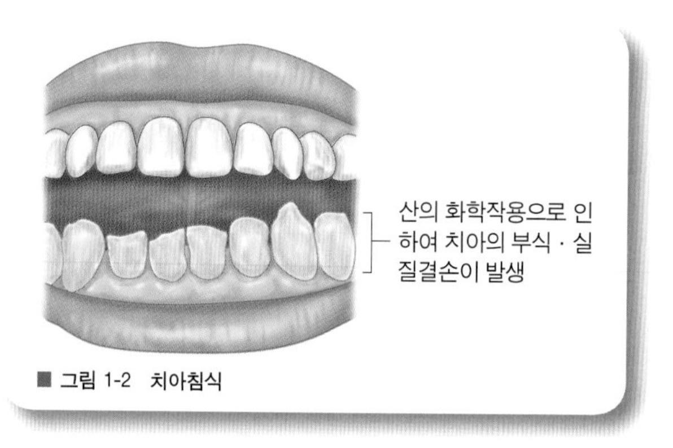

■ 그림 1-2 치아침식

Key word

- 수면무호흡증후군

10초 이상의 무호흡이 1시간의 수면 중에 5회 이상 출현하는 상태. 두통이나 주간에 경면경향 등이 나타난다.

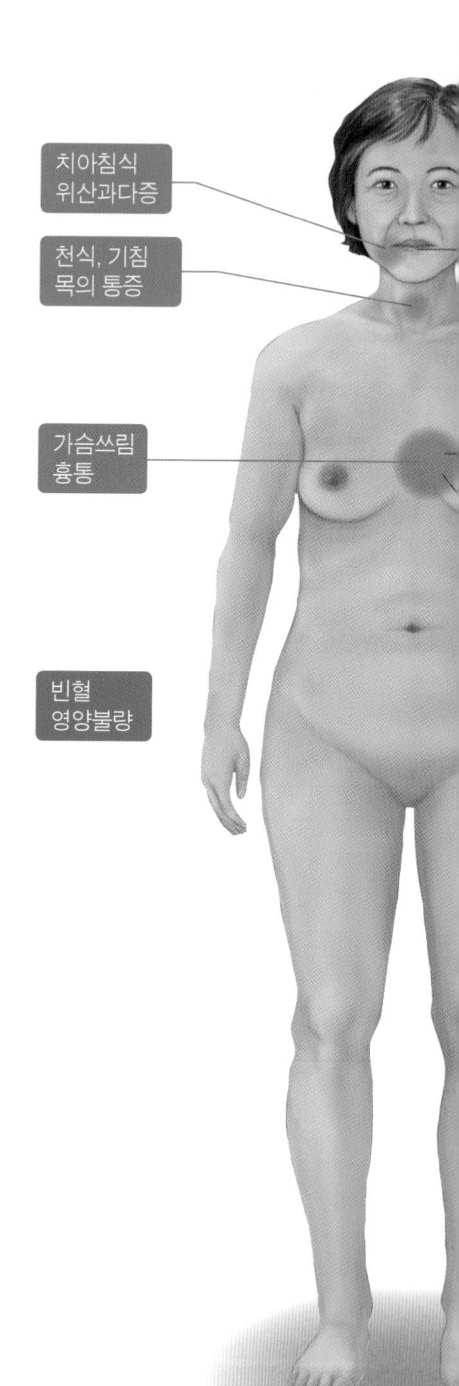

증상이 일정한 빈도 (경도인 경우 주 2회, 중등도인 경우 주 1회 이상) 로 확인되면 증상만으로 GERD라고 진단한다.

진단 / 치료

진단 · 검사치

- 2006년에 발표된 몬트리올 정의에 의하면, 위식도역류로 인한 증상이 일정한 빈도 (경도인 경우 주 2회, 중등도인 경우 주 1회 이상) 이상으로 확인되는 경우에는 증상만으로 GERD라고 진단한다.
- 증상을 객관적으로 평가하는 방법에 여러 가지 질문지법이 이용되고 있다 (QUEST 문진, F scale 등).
- 내시경검사에서는 식도위접합부에서 종주하는 점막손상 (발적, 미란, 궤양)을 확인한다. 그 평가에는 개정 LA 분류가 흔히 이용되고 있다(그림1-3). 또 내시경하의 생검 (조직검사)은 염증의 정확한 평가에 유용하다.
- 식도내 pH모니터링 (그림1-4)은 위산역류의 정도 및 빈도를 검사하는 유용한 검사이다. 그러나 피검자에게 고통이 있고, 또 검사시간이 긴 점을 고려하면, 무조건적인 시행보다는 대상자를 선별해 검사를 하는 것이 현실적이다.
- 식도나 위의 운동기능저하가 원인이라고 생각되는 증례에서는 운동기능을 평가하는 검사 (내압측정법이나 호기시험법 등)가 유용한 경우가 있다.
- 혈액검사에서 특이한 점은 없지만, 출혈로 인한 빈혈이나 식사섭취 부족으로 인한 영양불량상태가 나타나는 경우가 있다.

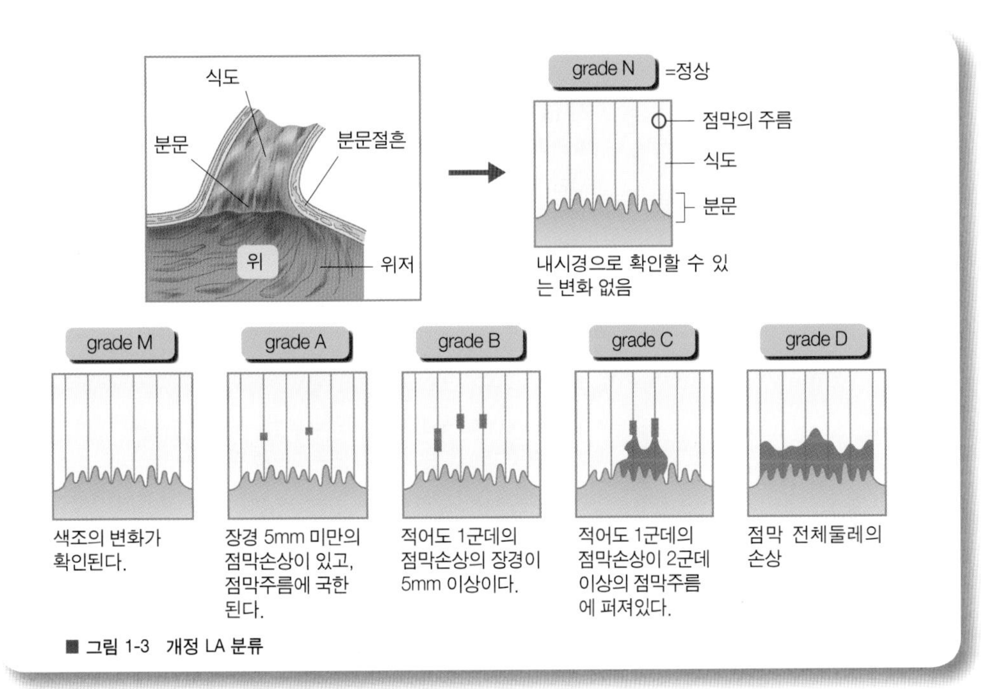

■ 그림 1-3 개정 LA 분류

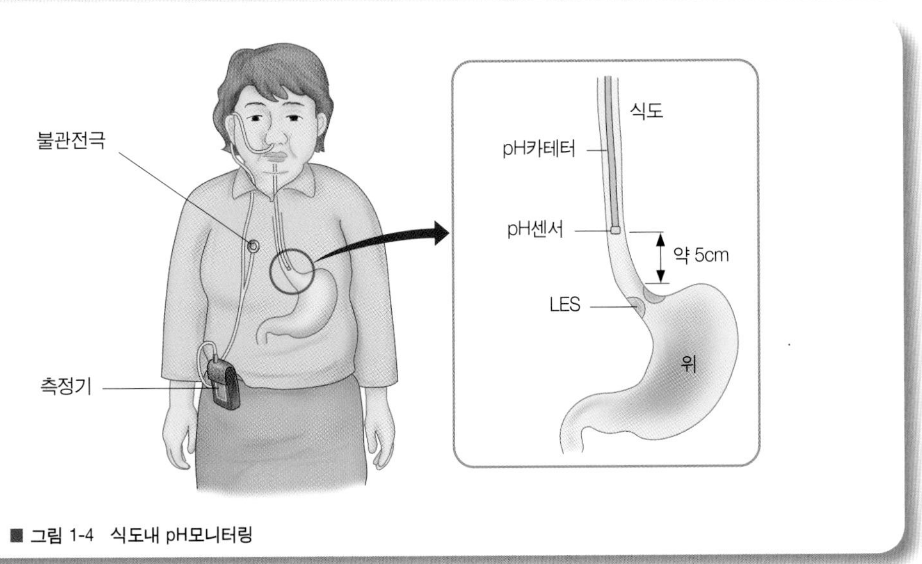

■ 그림 1-4 식도내 pH모니터링

치료map

생활지도와 약물요법을 중심으로 한다.

치료방침

- 생활지도와 약물요법이 중심이 된다.
- GERD를 악화시키는 요인을 최대한 개선하도록 지도한다.

내시경치료

- 난치성식도염이 많은 서구에서 활발히 행해지고 있으며 최근에는 일본에서도 도입하고 있다. 주입요법 · 봉합법 · 전주성주름성형법 · 반흔성형법이 있으며, 모두 LES압의 상승을 목적으로 하고 있다.

외과요법

- 중증 합병증 (반복되는 호흡기감염증이나 식도협착 등) 을 수반하는 증례나 약물치료에 저항성 증례가 적응 대상이며, 분문형성술 (Toupet법, Nissen법 등)이 행해진다 (그림1-5). 최근에는 복강경을 이용한 수술이 활발히 시행하고 있다.

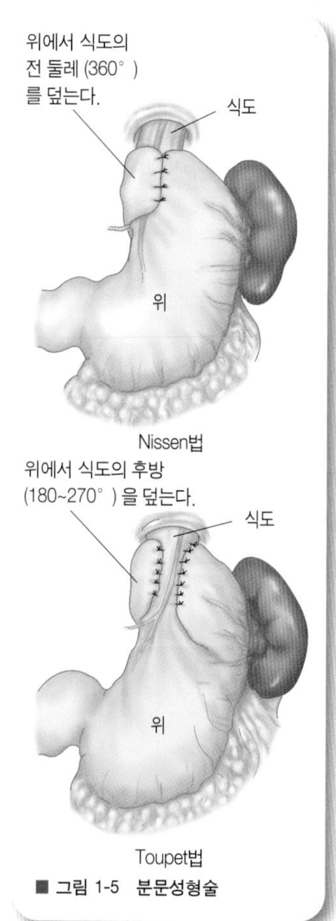

■ 그림 1-5 분문성형술

■ 표 1-1 역류성식도염의 주요 치료제

분류	일반명	주요 상품명	약효발현의 메커니즘	주요 부작용
프로톤펌프억제제	오메프라졸	Omepral, Omeprazon	위산의 분비를 억제	쇼크, 아나필락시스양 증상
	란소프라졸	Takepron		
	라베프라졸나트륨	파리에트		
히스타민H_2 수용체 길항제	시메티딘	타가메트, Cylock, Create	강력한 위산분비억제 작용	
	라니티딘염산염	잔탁		
	파모티딘	가스터		
	니자티딘	Acinon, Nizatoric		
	라프티딘	스토가, Protecadin		
소화관운동기능 개선제	모사프리드구연산염수화물	가스모틴	식도 · 위의 운동을 개선	전격성간염, 간기능장애, 황달
점막보호제	알긴산나트륨	Alloid G	점막을 직접 보호	소화기증상

약물요법

- 위산분비억제제 (프로톤펌프억제제, 히스타민 H_2수용체길항제)가 유효하다. 우선 충분량을 투여하고, 그 후 격감시키는 방법 (스텝다운법)이 일반적으로 행해지고 있다. 단, 복용을 중지하면 즉시 증상이 재발하는 경우도 적지 않아서, 그와 같은 증례에서는 지속적인 복용이 필요하다. 또 히스타민H_2수용체길항제는 장기간 사용하면 효과가 감약된다고 알려져 있으므로 주의해야 한다.
- 급성기에서 염증이 심한 경우에는 점막보호제 (알긴산나트륨 등)의 투여를 검토한다. 그러나 작용시간이 짧고 치유효과가 약하므로, 단독적으로 사용하지 않고 위산분비억제제와 병용하여 투여하는 경우가 많다.
- 식도위운동기능이 저하되어 있는 경우에는 소화관운동기능개선제가 유효하다. 단독 또는 병용하여 사용한다.
- 감별진단으로, 타장기질환 (심질환, 호흡기질환) 일 가능성을 항상 염두에 둔다.

Px 처방례

- 파리에트정 10~20mg 分1 (아침 등) ←프로톤펌프억제제
- 가스터 20mg 分1 (잠자기 전 등) ←히스타민H_2수용체길항제
- Alloid G 60mL 分3 (파리에트와 병용) ←점막보호제
- 가스모틴 15mg 分3 (단독 또는 파리에트 또는 가스터와 병용) ←소화관운동기능개선제

역류성식도염의 병기 · 병태 · 중증도에서 본 치료흐름도

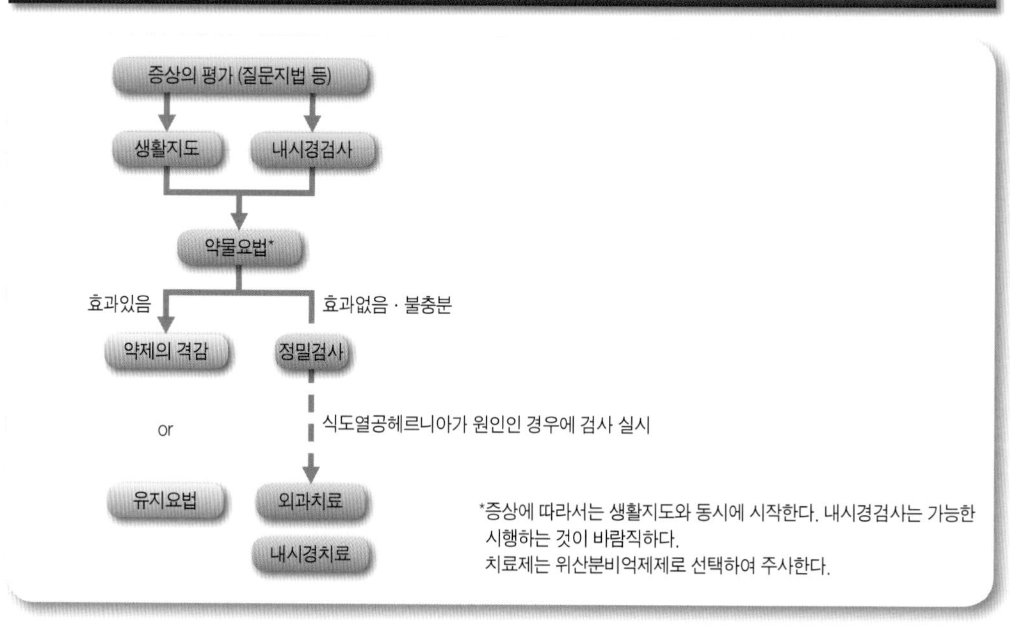

*증상에 따라서는 생활지도와 동시에 시작한다. 내시경검사는 가능한 시행하는 것이 바람직하다.
치료제는 위산분비억제제로 선택하여 주사한다.

(山本貴嗣·久山 泰)

환자케어

생활행동 · 식사섭취방법의 개선, 약물요법의 지속, 술후의 연하장애를 지지한다.

병기 · 병태 · 중증도에 따른 케어

- 역류성식도염 치료는 통상적으로 약물요법을 중심으로 하는 내과적 치료가 선택된다. 역류성식도염을 악화시킬 염려가 있는 생활행동을 개선하고, 약물요법을 계속할 수 있도록 지지한다.
- 내과치료로 개선이 보이지 않고, 협착이나 출혈, 천공의 위험이 있는 경우는 외과치료를 하기도 하며, 그 때는 수술 후의 중요 합병증인 연하곤란에 대한 대처법을 지도한다.

케어의 포인트

생활의 재평가와 개선

- 위산분비를 항진시키는 음식을 섭취하거나 위내압을 높이는 식사섭취방법을 개선하도록 지도한다.
- 복압을 높이는 동작을 삼가도록 지도한다.

약물요법의 지속

- 자각증상의 유무와 상관없이, 약물요법을 계속할 필요성을 설명한다.

연하곤란 · 식사섭취량 감소에의 대응

- 수분이 많고 삼키기 쉬운 음식을 선택, 충분히 저작하여 섭취하도록 지도한다.

퇴원지도 · 요양지도

- 역류성식도염 치료를 위한 생활행동의 개선에 힘쓰고, 그것을 유지할 수 있도록 개개 퇴원후의 생활에 맞추어 지도한다.
- 수술 후의 연하장애는 시간의 경과와 더불어 개선된다고 설명하고, 그때 그때 증상에 따른 식사섭취방법이나 음식을 선택할 수 있도록 지도한다.

(三浦美奈子)

식생활을 재평가한다

과식, 고지방식, 커피, 탄산음료, 알콜, 향신료를 삼간다

일상생활습관을 재평가한다

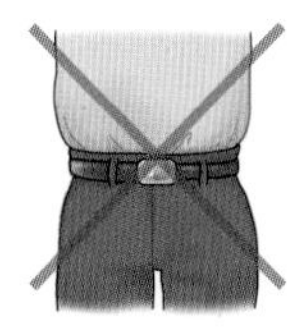

복부를 세게 매지 않는다

장시간 앞으로 구부리는 자세는 삼간다

비만 예방 (적절한 운동)

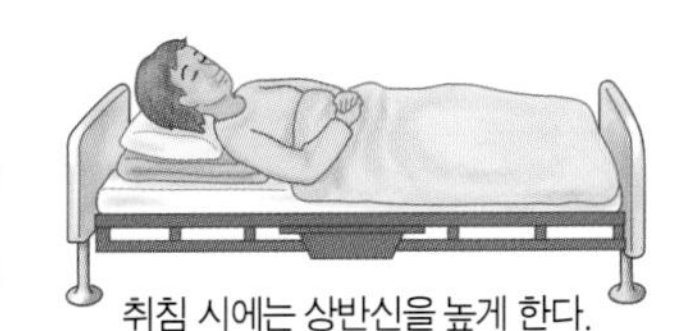

취침 시에는 상반신을 높게 한다.

■ 그림 1-6 역류성식도염환자의 케어

Memo

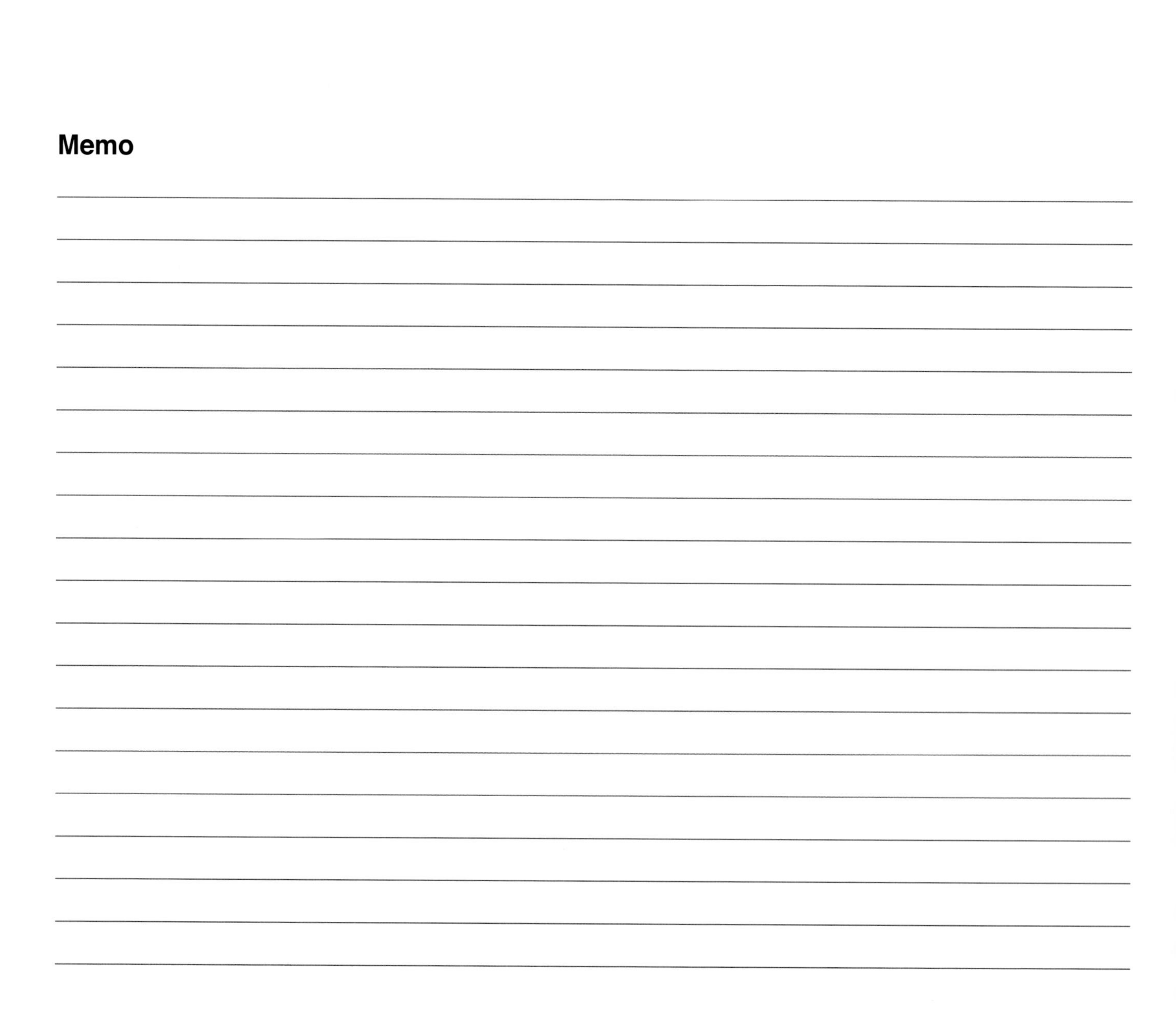

2 식도암 (esophageal cancer)

河野辰幸/三浦美奈子

전체map

병인

- 음주가족력이 있는 경우 ALDH2 유전자의 부분적 결손이 관여한다.
- 바레트식도선암에서는 대장암처럼 복수의 유전자변이에 의해 다단계 발암한다.

[악화인자] 음주, 흡연, 저영양, 만성자극

역학

- 60대에서 가장 호발하며 남녀비는 4~5 : 1이다.
- 최근 10년간의 연령조정사망률은 거의 변함이 없다.

[예후] 조기암의 5년생존율은 80~90%이고, 전체 외과절제증례의 5년생존율도 50%를 넘는다.

병태생리

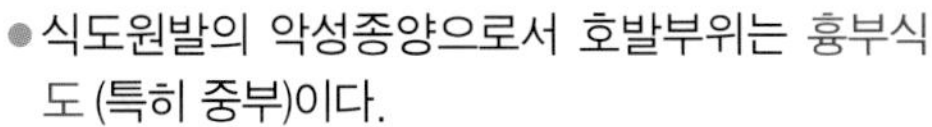
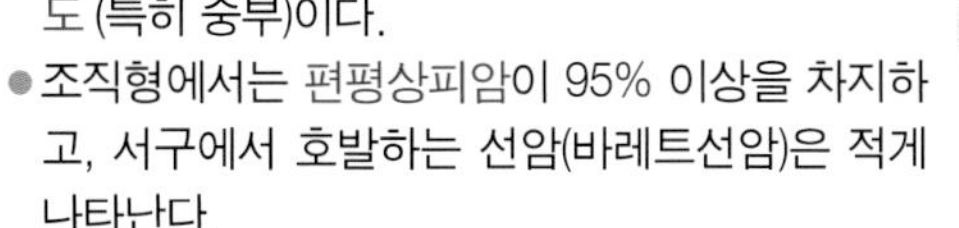
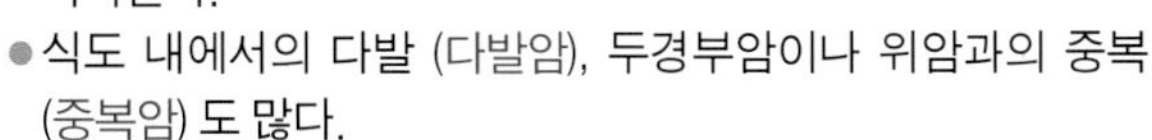

- 식도원발의 악성종양으로서 호발부위는 흉부식도 (특히 중부)이다.
- 조직형에서는 편평상피암이 95% 이상을 차지하고, 서구에서 호발하는 선암(바레트선암)은 적게 나타난다.
- 식도 내에서의 다발 (다발암), 두경부암이나 위암과의 중복 (중복암) 도 많다.
- 육안적으로 표재형 (0형), 진행형 (1~4형), 분류불능형 (5형)으로 나뉜다.
- 진행도 (Stage)는 벽심달도 (T), 림프절전이 (N), 장기전이 (M)에 따라서 분류된다.

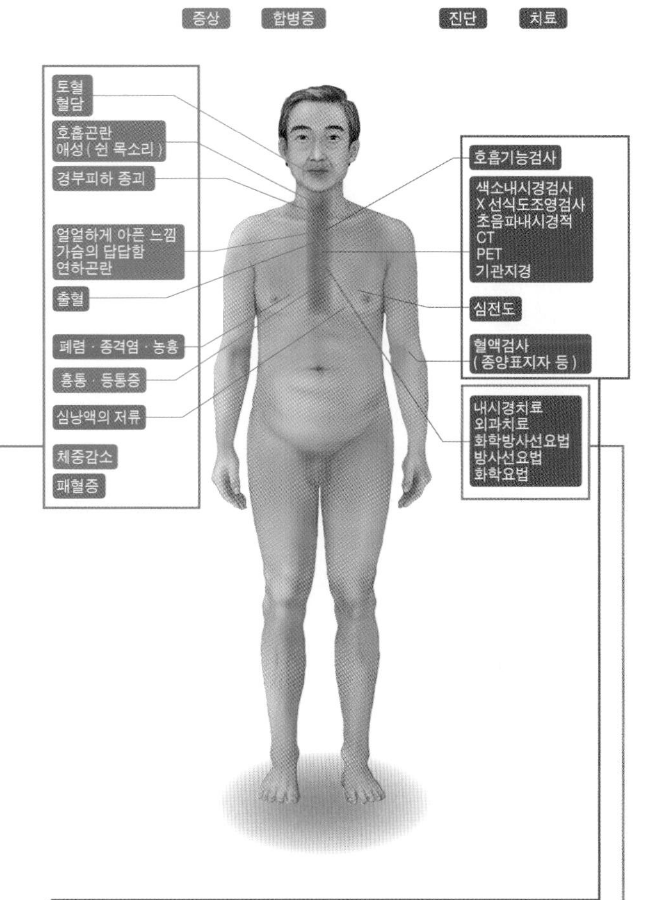

증상

증상 map p.12

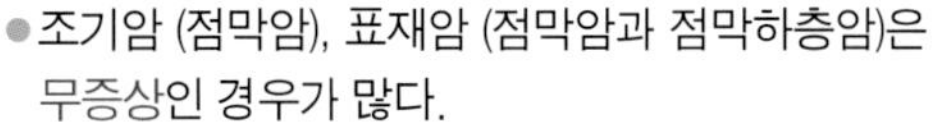
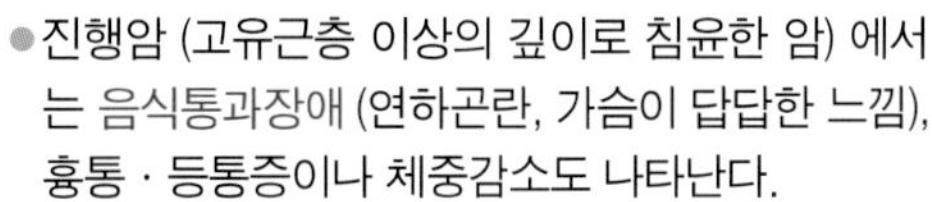

- 조기암 (점막암), 표재암 (점막암과 점막하층암)은 무증상인 경우가 많다.
- 진행암 (고유근층 이상의 깊이로 침윤한 암) 에서는 음식통과장애 (연하곤란, 가슴이 답답한 느낌), 흉통 · 등통증이나 체중감소도 나타난다.

[합병증]

- 혈담, 호흡곤란
- 폐렴, 종격염, 농흉
- 토혈

진단

- 표재암에서는 대부분 자각증상이 없으므로, 건강진단 등의 내시경검사를 계기로 발견된다.
- 조기발견에는 요오드 (루골) 염색에 의한 색소내시경검사가 유효하다.
- X선식도조영검사 : 점막하층 이상의 깊이에 침윤한 암을 대상으로 실시한다. 식도암의 확정진단에는 내시경에 의한 생검이 이용된다.
- 초음파내시경 (EUS) : 심달도의 판정, 림프절전이의 검색, 감별진단에 이용한다.
- CT : 타장기침윤, 림프절전이의 진단에 필수적이다.
- 추가검사 : 기관지경검사 (기도침윤의 진단), 신티그래피 (골전이의 진단), PET (전신의 전이검색)
- 종양표지자 : SCC, CYFRA, TPA, P53

치료

- 진행도나 전신상태에 따라서 치료법이 다르지만, 절제술 (내시경적, 외과적), 방사선요법, 화학요법이 중심이 된다.
- 내시경치료 : 전이가 없는 표재암에는 내시경적 점막절제술 (EMR), 내시경적 점막하층박리술 (ESD)을 시행한다.
- 외과치료 : 림프절곽청을 수반하는 식도절제재건술이 표준수술이다.
- 방사선요법, 화학요법 : 단독사용 또는 병용하여 사용한다. 화학요법에서는 시스플라틴과 5-FU가 기본약제이다.

병태생리map

식도악성종양의 대부분은 상피암 (식도암) 이며, 비상피성악성종양 (육종, 암육종, 악성흑색종 등)은 드물다. 조직형에서는 편평상피암이 95% 이상을 차지하며, 서구에 많은 선암은 적게 나타난다.

- 흉부식도에 많으며, 경부와 복부 (식도위접하부)는 5~6%로 거의 비슷하다 (그림2-1). 흉부식도에서는 중부 (Mt)가 50~60%, 하부 (Lt)가 20~25%, 상부 (Ut)가 10%이다.
- 식도암에서는 종양이 점막하층에 도달하면 갑자기 림프절전이가 높은 비율이 되므로, 벽심달도가 점막에 머무는 것을 조기암이라고 정의하고 있다. 점막하층까지 침윤되어도 전이가 적어서 점막하층암을 포함하여 조기암이라고 정의하는 암이나 대장의 암과는 크게 다르다.
- 식도 내에 다발하는 경우가 많으며 (다발암), 두경부암이나 위암 등과의 중복 (중복암) 도 많다. 동시성, 이시성을 포함하면 50% 정도에 이른다는 보고도 있다.

병인 · 악화인자

- 위험인자로 알콜, 담배, 저영양 (미량원소결핍), 만성적 자극 등을 들 수 있다.
- 알콜대사와 관련된 ALDH2 유전자의 부분적인 결손이 식도암 발생에 관여한다는 것을 알고 있다.
- 식도이완불능증, 부식성식도염 · 협착에서는 편평상피암, 바레트식도에서는 선암의 발생률이 평균보다 높다. 서구에서는 최근 20년간 바레트식도에 발생하는 선암이 급증하여, 식도암의 50%를 넘게 되었다.
- 식도암도 대장암처럼 다단계 유전자변화를 거쳐서 발암하며, 바레트식도암에서는 바레트식도에서의 각종 유전자변화가 지적되고 있다.

역학 · 예후

- 연령적으로는 60대에서 가장 호발하며 위나 대장의 경우보다 연령층이 높다.
- 남녀비는4~5 : 1로 남성에게 많지만, 경부식도암에 한하면 그 차이가 적으며, 또 지역에 따라서도 비율이 다르다.
- 「인구동태통계」 (후생노동성)에 의하면, 2008년 악성신생물 사망자 342,963명 중 식도의 악성신생물 사망자는 11,746명 (남 9,997명, 여 1,749명)으로서 전체 발생부위별 사망수의 제7위를 차지하며 인구 10만명에 대한 연령조정사망률은 남 9.7명, 여 1.2명이었다.
- 남녀 모두 최근 10년간의 연령조정사망률이 거의 변함이 없고, 이는 캐나다 및 미국보다는 높고, 영국, 프랑스와는 거의 같은 비율이다.
- 북해도, 동북, 관동, 남큐슈에 발생이 많다.
- 세계적으로는 중국의 임현(林縣)에서 이란까지의 가스피해지방에 걸쳐서 식도암의 다발지역이 있어서, 이를 Asian Cancer Belt라고 부른다. 전자는 식품 중의 니트로소아민, 마이코톡신과 곰팡이의 대사산물, 후자에서는 아연, 모리브덴, 마그네슘, 철 등의 결핍과의 관계가 주목받고 있다.
- 1980년대 내시경적요오드 (루골) 염색법의 도입으로 종양이 점막하층까지 머무는 표재암을 발견하는 것이 비교적 쉬워졌다. 이에 따라 식도암 전체의 치료원격성적이 급격히 향상되었다.
- 방사선/화학요법의 적극적 병용이나 화학방사선요법의 도입, 외과치료에서의 상종격림프절곽청의 표준화, 주술기관리법의 개선 등으로, 진행암에서의 치료성적도 향상되고 있다.

병인 · 위험인자

알콜	식도이완불능증
담배	부식성식도염 · 협착
저영양	두경부편평상피암
만성적 자극	바레트식도

횡격막

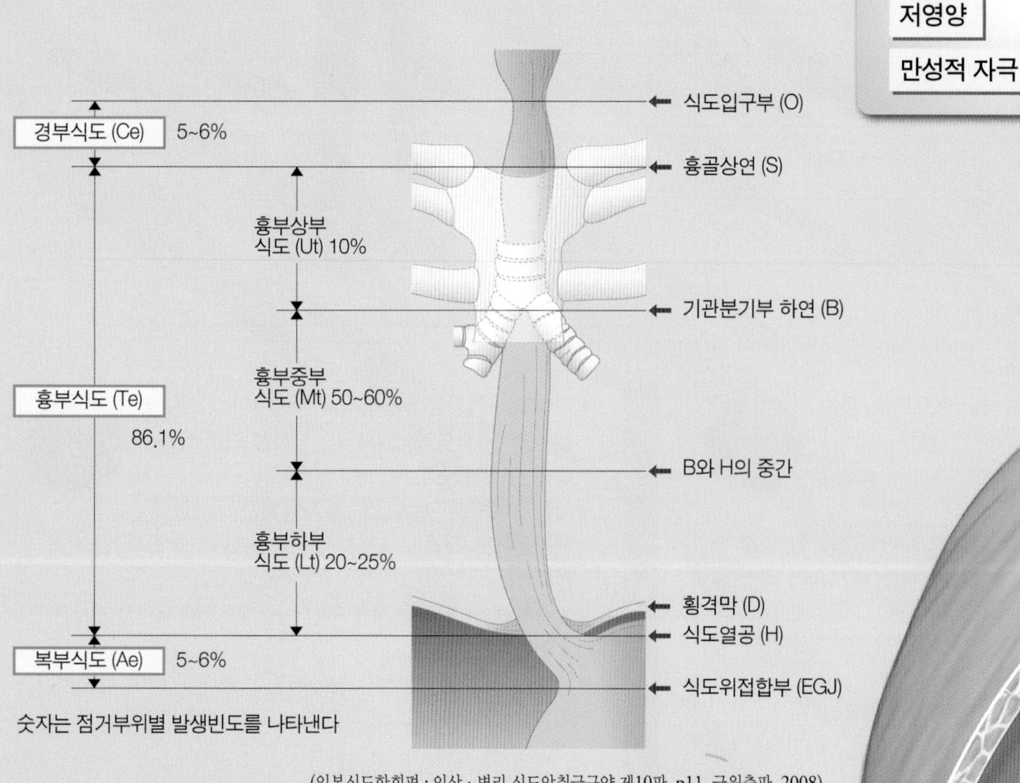

(일본식도학회편 : 임상 · 병리 식도암취급규약 제10판, p11, 금원출판, 2008)

■ 그림 2-1 식도의 구분과 식도표재암의 점거부위

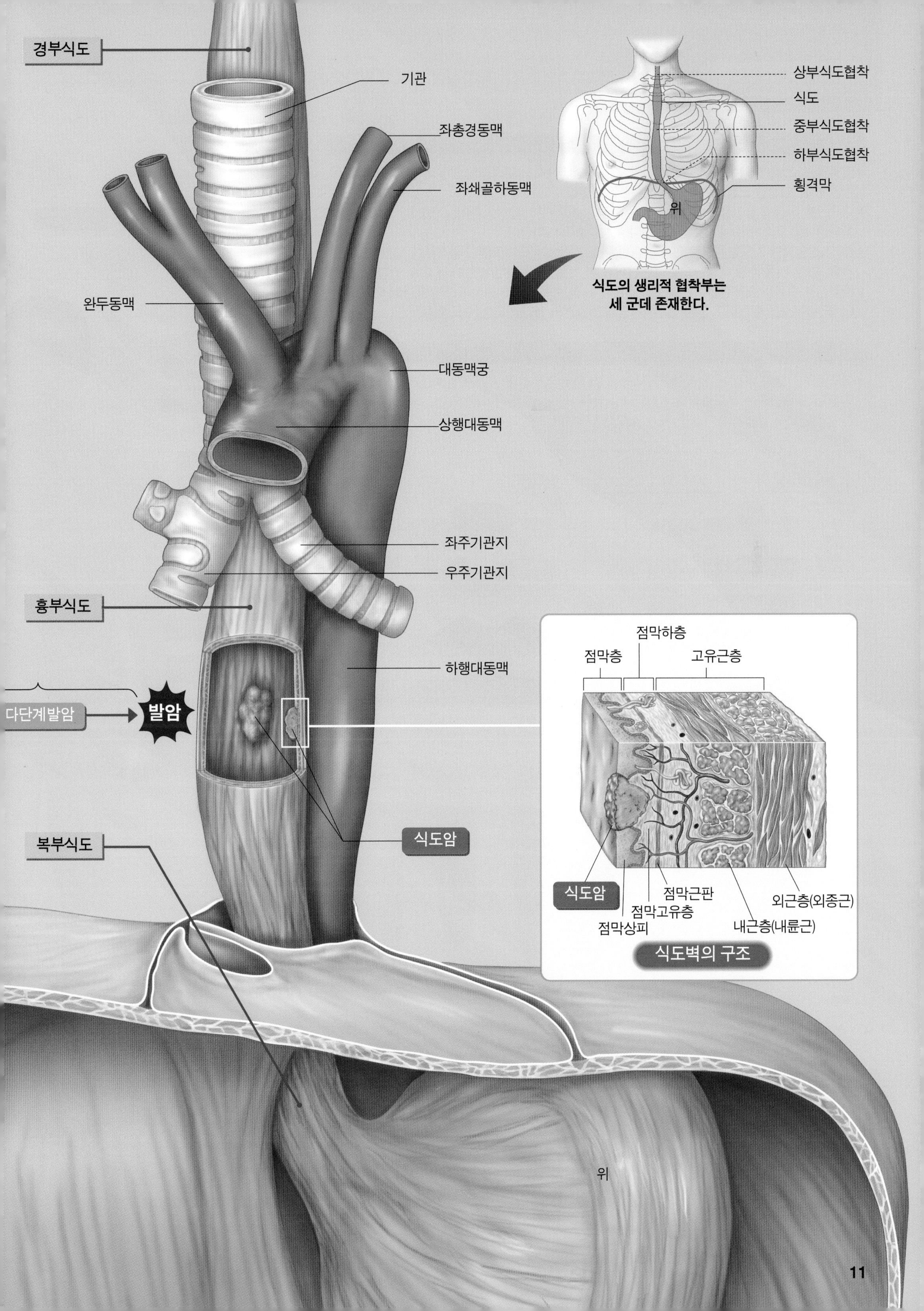
경부식도
기관
좌총경동맥
좌쇄골하동맥
완두동맥
대동맥궁
상행대동맥
좌주기관지
우주기관지
흉부식도
하행대동맥
다단계발암
발암
식도암
복부식도
위
상부식도협착
식도
중부식도협착
하부식도협착
횡격막
위
식도의 생리적 협착부는
세 군데 존재한다.
점막하층
점막층
고유근층
식도암
점막근판
점막고유층
점막상피
외근층(외종근)
내근층(내륜근)
식도벽의 구조

증상map

점막암, 점막하층암에서는 무증상인 경우가 많고, 고유근층보다 깊이 침윤되면 음식통과장애 등을 호소한다.

증상

- 점막암 (조기암) 에서는 거의 무증상이며, 점막하층암에서도 무증상인 경우가 많지만, 뭔가 이상한 느낌 (얼얼한 느낌 등) 을 호소하는 경우도 있다.
- 고유근층 이상의 깊이로 침윤되는 진행암이 되면, 대부분이 연하곤란이나 답답한 느낌의 음식통과장애를 호소하며, 흉통 · 등통증이나 체중감소도 나타난다.
- 좀 더 진행되면 기도침윤으로 인한 혈담이나 호흡곤란, 식도기도루나 종격루에 의한 폐렴, 종격염, 농흉, 대동맥 등 대혈관으로의 천공에 의한 토혈 등, 중중 합병증이 생길 수 있다.
- 반회신경 주위는 림프절전이의 최호발부위이며, 침윤으로 인한 애성이 초발증상이 되기도 한다. 또 경부 림프절전이로 인한 경부피하종괴가 발견의 계기가 되는 수도 있다.

증상

- 식도암의 진행과 더불어, 암성궤양에서의 출혈, 주위장기 (기관 · 기관지, 대동맥, 심낭 등) 로의 침윤에 수반하는 기도출혈이나 심낭액의 저류, 식도기도루에 의한 폐렴, 식도종격루에 의한 종격염으로 발생하는 패혈증, 또는 식도대동맥루에 의한 대출혈 등, 중증 합병증이 생기게 된다.

증상 | 합병증

토혈
혈담
호흡곤란
애성 (쉰 목소리)
경부피하종괴
얼얼한 느낌
가슴이 답답함
연하곤란
출혈
폐렴 · 종격염 · 농흉
흉부 · 등통증
심낭액의 저류
체중감소
패혈증

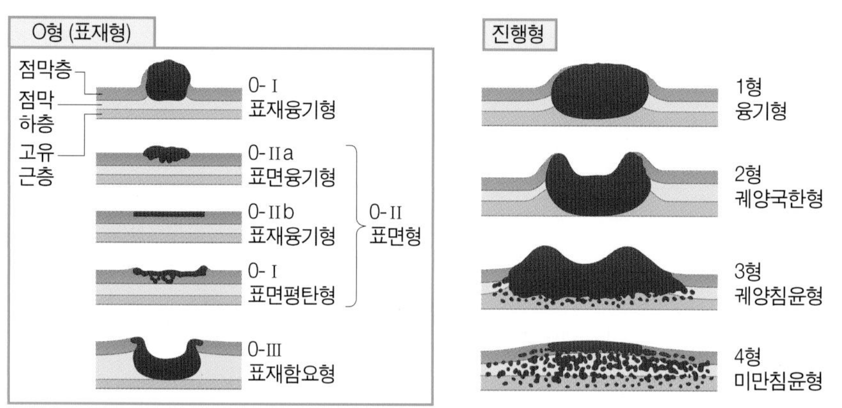

(일본 식도학회편 : 임상 : 병리 식도암취급규약 제10판, p.12. 금원출판, 2007)

■ 그림 2-2 식도암의 병형분류

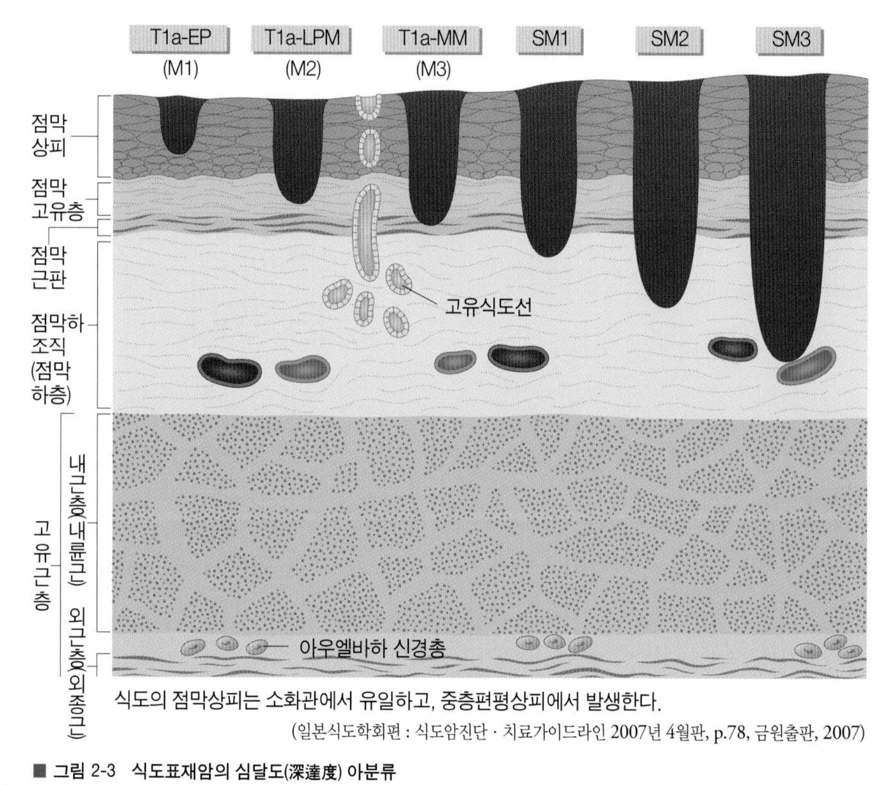

식도의 점막상피는 소화관에서 유일하고, 중층편평상피에서 발생한다.

(일본식도학회편 : 식도암진단 · 치료가이드라인 2007년 4월판, p.78, 금원출판, 2007)

■ 그림 2-3 식도표재암의 심달도(深達度) 아분류

식도암

진단map

진단 치료

호흡기능검사

색소내시경검사
X선식도조영검사
초음파내시경
CT
PET
기관지경

심전도

혈액검사
(종양표지자 등)

내시경치료
외과치료
화학방사선요법
방사선요법
화학요법

진단 · 검사치

- 내시경적절제술에서 완치를 기대할 수 있는 점막암에서는 자각증상이 없으므로, 대부분 모든 증례가 건강진단 내지 타질환 확인 시의 내시경검사에서 발견되고 있다.
- 점막암 진단에는 고위험증례의 설정(음주력, 흡연력이 긴 50세 이상의 남성, 두경부암의 병원력이 있는 환자 등)에 의한 요오드 (루골)액을 사용한 색소내시경검사가 매우 유효하다.
- 바륨을 이용한 X선식도조영검사에서 점막암은 명료하게 나타나기가 어렵기 때문에 점막하층 이상의 깊이로 침윤되는 암이 적당한 대상이 된다.
- 식도는 전 길이 약 25cm의 관상장기로 내시경관찰에 적합하지만, gag reflex(구역반사) 때문에 경부식도의 관찰이 불충분해지기 쉽다. 식도암은 점막상피내를 확장하는(상피내신전) 경향이 있으며, 종양의 신전영역 확인이나 다발병소를 확인해야 하기 때문에 요오드염색의 병용실시가 필수이다. 암의 확정진단에는 생검을 이용한다.
- 최근, 후두경에서 십이지장까지의 검사 시에 환자의 고통을 경감시키는 경비내시경검사법이 도입되었고, 분광영상내시경(NBI, FICE 등)의 병용도 기대된다.
- 초음파내시경(EUS)은 암의 심달도, 림프절전이의 확인, 다른 종양과의 감별진단 등에 사용한다. 특히 표재암의 심달도판정에 유용하고, 방사형주사식과 전자선형주사식이 있다. 화학방사선요법의 효과판정에서 식도벽내 종양의 검색에도 유용하다.
- CT는 암의 타장기침윤, 림프절전이, 타장기전이의 진단에 필수적이다. 최근, 나선형 CT, MDCT 등 기술이 현저히 발달하여, 해상도의 향상, 주사의 고속화와 함께 영상의 3차원구축에서도 정확도가 높아지고 있다.
- 기도침윤의 진단에는 기관지경, 골전이의 진단에는 신티그래피가 추가검사로 이용된다.
- FDG-PET는 전신의 전이확인이나 병존 악성종양의 검출에 유용하며, 식도암은 건강보험적용도 되고 있지만, 점막표층으로 확대되는 암이나 미소한 전이의 확인에는 아직 불충분하다. 화학방사선요법 후의 효과판정에도 사용된다. 최근에는 CT와 조합한 PET/CT가 주로 행해진다.
- 식도암의 치료시작 전에는 종양의 진전상황 파악(staging)과 더불어 환자의 전신상태 파악이 필수적이며, 혈액검사, 흉부X선, 심전도, 호흡기능검사 등을 시행하면서 환자배경에 따라서 적당히 항목을 추가한다. 치료 후의 경과관찰에서도 병태에 맞춘 검사를 정기적으로 시행해 간다.
- 혈액검사에서는 빈혈이나 간 · 신기능이나 대사장애 등을 파악한다. 종양표지자로는 SCC, CY-FRA, TPA, P53 등이 사용되고 있다. 진행암 환자에게 종종 혈청 Ca치 상승이 나타나며, 이는 종양이 생산하는 부갑상선호르몬 같은 물질에 의한 경우가 많다.

분류

- 육안적으로 표재형과 진행형으로 나뉘며, 표재형을 0형이라고 표기하고, 진행형은 1~4형, 분류불능인 것을 5형이라고 한다. 또 표재형은 0 - Ⅰ, Ⅱ, Ⅲ형으로 아분류한다 (그림2-2).
- 종양의 식도벽 심달도 (invasion depth) (T인자 : T0~4) (그림 2-3, 표 2-1), 림프절전이 (N인자 : N0~4) (그림 2-4), 장기전이 (M인자 : M0, 1)에 의해서 진행도를 분류한다 (Stage 0, Ⅰ, Ⅱ, Ⅲ, Ⅳa, Ⅳb) (표 2-2). 국제적으로는 보다 간략한 TNM분류 (UICC)가 이용되는 경우가 많으며, 호칭이 유사하므로 주의해야 한다.
- 일본식도학회의 식도암의 취급에 관한 최신 지침이 「식도암 취급규약 [2008년 4월 (제10판 보정판)] 에 나타나 있다[1].

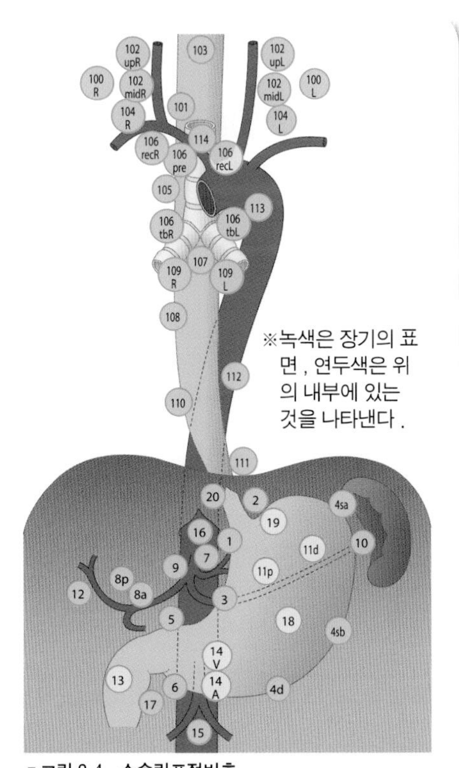

■ 그림 2-4 소속림프절번호
(일본식도학회편 : 임상·병리 식도암취급규약 제10판 보정판, p.14, 금원출판, 2008)

■ 표 2-1 식도암의 심달도 분류

TX : 암종의 벽심달도가 판정불가능		
T0 : 원발소인 암종이 확인되지 않는다.		
T1a : 암종이 점막내에 머무는 병변	T1a-EP	암종이 점막상피내에 머무는 병변 (Tis)
	T1a-LPM	암종이 점막고유층에 머무는 병변
	T1a-MM	암종이 점막근판에 도달하는 병변
T1b : 암종이 점막하층에 머무는 병변 (SM)	SM1	점막하층을 3 등분하여, 위 1/3 에 머무는 병변
	SM2	점막하층을 3 등분하여, 중간 1/3 에 머무는 병변
	SM3	점막하층을 3 등분하여, 아래 1/3 에 도달하는 병변
T2 : 암종이 고유근층에 머무는 병변 (MP)		
T3 : 암종이 식도외막에 침윤되어 있는 병변 (AD)		
T4 : 암종이 식도주위장기에 침윤되어 있는 병변 (AI)		

(일본식도학회편 : 임상·병리 식도암취급규약 제10판 보정판, p.13, 금원출판, 2008)

■ 표 2-2 T, N, M의 각 인자와 Stage분류

전이 / 벽심달도	N0	N1	N2	N3	N4	N5
T0, T1a	0	Ⅰ	Ⅱ	Ⅲ	Ⅳa	Ⅳb
T1b	Ⅰ	Ⅱ	Ⅱ	Ⅲ	Ⅳa	Ⅳb
T2	Ⅱ	Ⅱ	Ⅲ	Ⅲ	Ⅳa	Ⅳb
T3	Ⅱ	Ⅲ	Ⅲ	Ⅲ	Ⅳa	Ⅳb
T4	Ⅲ	Ⅳa	Ⅳa	Ⅳa	Ⅳa	Ⅳb

(일본식도학회편 : 임상·병리 식도암 취급규약 제10판 보정판, p.27, 금원출판, 2008)

치료map

식도암의 치료법은 절제술 (내시경적, 외과적), 방사선요법, 화학요법이 중심이고, 이를 단독 내지 병용하여 실시한다.

치료방침

- 일본식도학회의 식도암의 진료에 관한 최신 지침이 「식도암진단 · 치료가이드라인 (2007년 4월판」에 제시되어 있다[2].

치료성적

- 식도암의 외과치료는 가장 어려운 소화기외과수술의 하나이지만, 세계적으로 일본의 치료성적이 양호하여, 전문적 시설에서의 수술사망률 (술후 30일 이내의 사망) · 재원사망률은 1~3% 이하이다.
- 전 외과절제예의 5년생존율은 최근 20년간에 급속히 향상되어 50%를 넘는 시설이 많아졌지만, 조기암의 5년생존율 (내시경 내지 외과절제)은 80~90%에 머문다. 본래 신체조건이 나쁜 환자가 많아서, 다른 원인에 의한 사망 (심장 · 폐질환, 뇌혈관장애, 타장기암, 노쇠 등)가 많은 것이 이유이다.
- 서구의 평균적 외과치료성적은 일본보다 좋지 않고 조기발견례가 적어서, 화학방사선요법을 중심으로 치료하는 시설이 많다. 일본에서도 식도를 온전하게 보전하기 위해서 화학방사선요법이 적극적으로 행하게 되었지만, 외과치료에 가까운 성적을 얻기에는 불충분한 예나 재발례에 대해서는 적절한 절제술 (구제치료 (salvage treatment)) 을 추가할 필요가 있다.
- 외과치료에서의 비치유절제나 고식적 수술례의 원격성적은 매우 나쁜 편인데 화학방사선요법의 적용이나 그를 외과치료에 병용하면서, 5년생존례도 서서히 증가하고 있다.

■ 표 2-3 식도암의 주요 치료제

분류	일반명	주요상품명	약효발현의 메커니즘	주요 부작용
백금제제	시스플라틴	Briplatin, Randa	암세포의 DNA와 결합하여, DNA의 합성을 저해한다.	신기능장애, 오심 · 구토, 골수억제 등
대사길항제	플루오로우라실	5-FU	암세포의 DNA합성과 리보솜 RNA의 형성을 저해한다.	골수억제, 장염, 간질성 폐렴 등
	젬시타빈염산염*	젬자	암세포의 DNA합성을 직접 · 간접적으로 저해한다.	골수억제, 오심 · 구토, 간질성폐렴 등
알칼로이드계	빈데신유산염	주사용Fildesin	미소관 또는 그 구성단백에 작용한다.	탈모, 골수억제, 신경장애 등
	도세탁셀수화물*	탁소텔	암세포의 세포분열을 저해한다.	부종, 설사, 오심 · 구토,
항생물질항암제	독소루비신염산염 (아드리아마이신)	아드리아신	암세포의 DNA, RNA 양측의 생합성을 억제한다.	골수억제, 탈모, 심장장애 등
토포이소메라제 억제제	이리노테칸염산염수화물*	캄토푸, Topotecin	DNA합성을 저해한다.	장염, 골수억제, 오심 · 구토 등

*식도암에의 적용은 보험적용외이다.

내시경치료

- 식도표재암의 내시경치료에서는 절제법으로 내시경적점막절제술 (EMR)과 내시경적점막하층박리술 (ESD)이 주로 행해진다(그림 2-6). 그 밖에 레이저증착법, 아르곤플라즈마응고법 (APC), 광선역학요법 (PDT) 등도 적용되지만, 국소잔유 · 재발이 드물지 않고 치료 후에 병소의 정확한 병리조직검사를 할 수 없는 결점이 존재하므로, 여러 가지 개선 방법이 시도되고 있다.
- 점막근판에 이르지 않는 점막암 (m1, m2) 에서의 림프절전이는 거의 0이며, 장경 3cm 이하, 병소의 수가 3~4개까지, 주로 2/3 이하에서 EMR 내지 ESD가 좋은 적응 (절대적 적응) 대상이다.
- 점막근판에 이른 점막암 (m3) 과 점막하층 얕은 층에 머무는 암 (sm1)은 비교적 전이율이 낮고, 다른 근치적 치료법 (수술 내지 화학방사선요법)은 신체적 부담이 매우 크기 때문에, m3, sm1에서 임상적으로 전이가 보이지 않는 예나 절대적 적응대상에서 벗어난 점막암례도 상대적 적응 대상이 되고 있다.
- 내시경적절제술에서는 점막하층에 생리식염수 등을 주입하여 암이 존재하는 점막을 들어올려, 고주파전류로 암소를 잘라낸다. 합병증은 식도천공, 출혈, 협착이지만, 수기가 비교적 용이한 EMR에서는 드물다.
- 광범위한 병변에서는 일괄 절제가 가능한 ESD가 권장되지만, 식도에서는 특히 수기가 어려워서 합병증의 발생률이 높다. 국소재발률이 낮지만, EMR 후의 국소재발은 대부분이 재내시경치료로 치유되므로 식도암에 대한 ESD의 유용성은 검토단계에 있다.

외과치료

- 외과치료의 표준인 림프절곽청을 수반하는 식도절제재건술 이외에, 계통적 림프절곽청을 하지 않는 경횡격막 식도열공적 비개흉식도절제술이나 식도바이패스술, 식도루조설술, 영양루 (위루, 장루) 조설술 등이 행해진다.
- 가장 빈도가 높은 흉부식도암에서는 우개흉에 의한 식도절제술이 행해지고, 최근에는 우흉강경에 의한 접근도 일부에서 행해지고 있다. 경부식도암이나 복부식도암에서는 종양의 상황에 따라서 경부절개 단독이나 좌개흉개복에 의한 도달경로가 선택되기도 한다.
- 식도재건은 주로 위에서 행해지고, 그 외에는 (회) 결장, 공장에서 시행된다. 재건경로에는 흉벽전, 흉골후, 후종격이 있으며, 경부에서 나머지 식도와 문합한다. 때로 흉강 내에서의 문합도 행해지며, 이를 포함하여 최근에는 후종격경로의 재건이 가장 많이 행해진다. 경부식도 절제 후에는 미소혈관문합을 수반하는 유리공장이식을 시행하는 경우가 많다 (그림2-7).
- 흉부 식도암의 림프절전이는 경부, 흉부, 복부의 3영역에 걸치므로, 경부를 포함한 3영역곽청이 기본이지만, 때에 따라 경부는 생략하는 경우도 있다. 어느 경우에도 양측 반회신경 주위 림프절을 포함한 상종격의 곽청은 중요하다.
- 술중 · 술후의 합병증으로 중요한 것은 출혈, 무기폐 · 폐렴 등의 호흡기 합병증, 부정맥 · 심부전 등의 순환기 합병증, 그리고 나머지 식도와 재건장기의 문합부 봉합부전이다. 모든 합병증례에서 적절한 예방처치나 치료로 수술사망이나 재원사망의 원인이 되는 경우가 적어지고 있다. 또 상종격림프절곽청에 관련되는 (일과성) 반회신경마비에 의한 애성이 종종 보인다.

방사선 / 화학요법

- 방사선요법은 단독 내지 화학요법과의 병용 (화학방사선요법), 또는 수술전/후에 행해진다. 또 전이재발시 치료법으로도 중요한 역할을 한다.

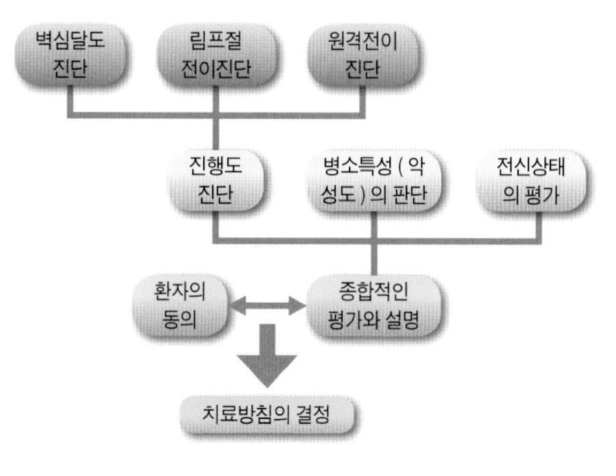

(일본식도학회편 : 식도암진단·치료가이드라인 2007년 4월판, 금원출판, 2007)

■ 그림 2-5 식도암의 치료방침 결정까지의 흐름

절대적 적응
- 벽심달도 EP 내지 LPM이라고 진단되고, 주재성(周在性)이 2/3이하인 것

상대적 적응
- 임상적으로 림프절전이가 없는 증례에서 벽심달도 MM, SM1이라고 진단한 것 또는 EP, LPM에서 주재성이 2/3 이상인 것

연구적 적응
- SM2이상의 깊이에서 국소관리를 목표로 한 치료

임상적, 병리조직학적 평가

근치도의 판정

경과관찰

추가치료 (근치수술, 방사선요법, 화학요법)

■ 그림 2-6 식도암 내시경적절제의 적응

- ^{60}Co나 Liniac이 일반적이지만, 경우에 따라 입자선 (양자선, 중립자선), 속중성자선 등도 사용된다.
- 근치가 목표일 때의 선량은 60Gy 정도이고, 수술을 전제로 한 조사의 경우에는 30~40Gy에 머문다.
- 근치를 목적으로 하는 경우에는 화학요법과 병용하며, 시스플라틴 (CDDP) 과 플루오로우라실 (5-FU)를 이용하는 것이 기본이다.
- 방사선치료의 부작용 · 후유증으로는 조사부위 내의 식도염 · 피부염, 골수억제 등과 더불어, 방사선폐렴, 흉수 · 심낭액의 저류 등이 있다. 화학요법과의 병용시에는 부작용이 더욱 심화되는 경우가 많다.
- 화학요법제로는 CDDP나 그 유도체, 5-FU에 추가하여, 빈데신유산염, 독소루비신염산염 (아드리아마이신)이 사용되었는데, 최근에는 파클리탁셀, 도세탁셀수화물, 이리노테칸염산염수화물, 젬시타빈염산염 등의 유용성이 입증되면서 점차적으로 적용하는 추세이다.

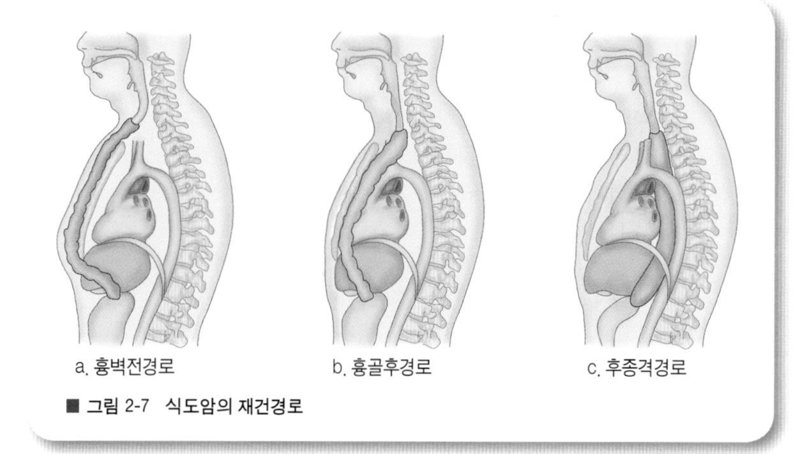

■ 그림 2-7 식도암의 재건경로

식도암의 병기 · 병태 · 중증도별로 본 치료흐름도

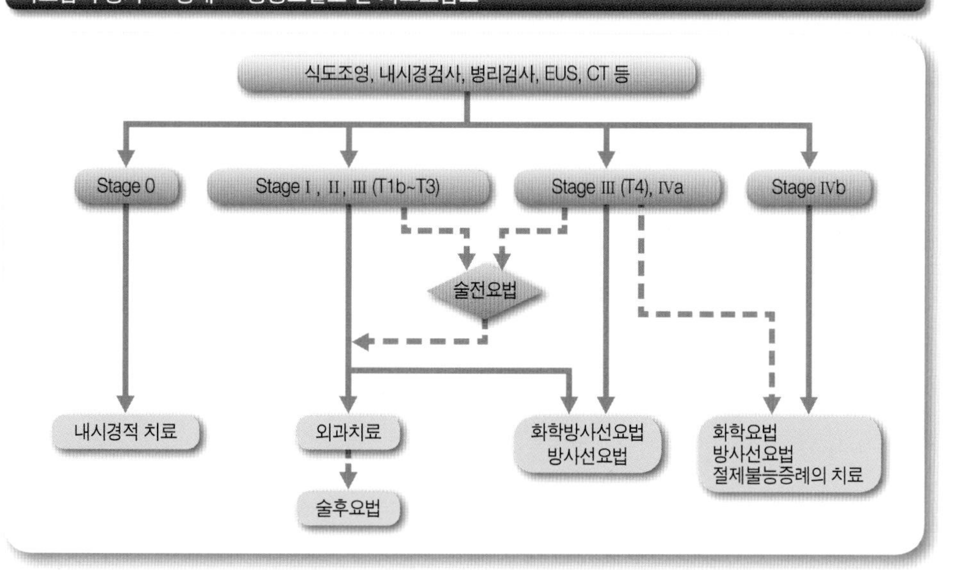

- 암이 인접장기에 침윤된 경우나 림프절전이가 고도인 환자 (stage IV)에서는 술전의 화학요법 내지 화학방사선요법으로 암을 축소시킨 후 (downstaging) 절제하는 치료도 행해진다.
- 화학요법은 혈행성 전이증례에도 시행하지만 근치가 어렵고, 반응률도 25%에 머문다.

● 참고문헌
1) 식도 암 취급 규약 2008 년 4 월 (제 10 판 보 정판) 일본 식도 학회 편 : 금원출판, 2008
2) 식도 암 진단 · 치료 지침 2007 년 4 월판 일본 식도 학회 편 : 금원출판, 2007

환자케어

종양이 커지면서 통과장애로 인해 저영양상태에 있는 환자도 많기 때문에, 식사섭취 상황의 관찰, 섭취방법의 고려 등 영양상태의 유지 · 개선이 중요하다.

병기 · 병태 · 중증도에 따른 케어

【검사 · 진단기】 조기에는 자각증상이 없는 경우도 드물지 않아서, 환자는 암을 인식하기 어렵다. 검사 결과, 암이라는 점과 전문적인 치료가 필요하다는 점을 알게 되어 쇼크를 받고 당황하게 된다. 또 종양이 커지면서 통과장애로 인한 저영양상태에 있는 환자도 많다. 그 때문에, 환자가 질환이나 치료에 관하여 이해한 후에, 납득하는 치료법을 선택할 수 있고, 치료를 위한 심신의 준비를 갖출 수 있도록 지지해 간다.

【치료기】 치료에 수반하여 출현하는 합병증이나 부작용을 예방함과 더불어, 이상을 조기에 발견함으로써 그 영향이 확대되는 것을 방지하고, 치료로 인해 발생하는 고통을 적극적으로 완화시킨다. 환자는 치료에 의한 외관의 변화나 신체기능의 상실에 직면하고, 또 라이프스타일의 변경이 촉구되는 시기이므로, 이를 수용하여 생활을 다시 구축해 갈 수 있도록 지지한다.

【원격전이 · 재발기】 종양의 증대, 전이에 의한 여러 가지 전신증상이 출현하는 시기로, 고통을 가능한 완화하여 QOL이 유지될 수 있도록 지지한다. 질환의 치유는 기대할 수 없지만, 식사를 섭취하기 위한 치료를 실시함으로써 먹는 즐거움을 느낄 수 있도록 하는 등, 환자의 욕구를 충족시키는 것을 중심으로 의료를 제공한다.

케어의 포인트

영양상태의 유지 · 개선

- 연하곤란이나 식욕부진의 증상 등 식사섭취 상황을 관찰한다.
- 수술 후에는 소화기능의 변화에 따른 새로운 식사섭취방법을 익힐 수 있도록 지지한다.
- 고통을 최소화하면서 음식을 섭취할 수 있도록, 경구섭취가 가능한 식품을 선택하는 등 섭취방법을 고려한다.
- 흡인으로 인한 폐렴의 위험성이 높은 경우 등, 경구섭취가 불가능한 경우에는 경장영양법이나 완전정맥영양법 (TPN) 등의 대체방법을 선택하여 필요한 영양을 보급한다.

치료로 인한 합병증의 예방과 대응

- 신체 각 장기의 기능이나 병원력을 살펴보면서, 치료로 인한 합병증이 발생하는 위험성에 관하여 사정하고, 예방책을 실시한다.
- 주의깊게 관찰함으로써 이상을 조기에 발견하고 대처한다.

퇴원지도 · 요양지도

- 수술 후에 필요한 새로운 식사섭취방법을 퇴원 후의 생활에서도 무리 없이 계속할 수 있도록, 개개의 상황을 고려하여 지도한다.
- 가슴이 답답한 느낌이나 연하곤란 등의 증상이 출현한 경우에는 문합부 협착의 염려가 있으므로, 조기에 진찰을 받도록 지도한다.
- 경구섭취만으로 필요한 영양량을 섭취할 수 없는 경우에는 퇴원 후에도 경장영양을 계속할 필요가 있으므로, 자기관리방법을 지도한다.
- 치료로 저하된 체력회복에는 몇 개월부터 몇 년 단위의 시간이 걸린다는 것을 설명하고, 초조해하지 말고 서서히 활동범위를 넓혀서, 활동량을 늘려가도록 조언한다.

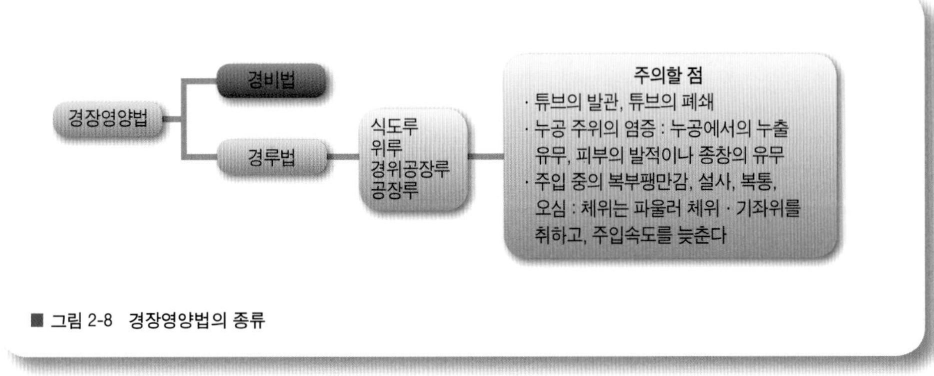

■ 그림 2-8 경장영양법의 종류

(三浦美奈子)

Key word

● 완전정맥영양법과 중심정맥영양법

완전정맥영양법(total parenteral nutrition ; TPN)은 당질, 아미노산, 지방, 비타민, 미량원소 등, 생명유지에 필요한 모든 영양소를 정맥 내에 직접 투여하는 영양법이다. 중심정맥에 투여하므로, 중심정맥영양법(intravenous hyperalimentation : IVH)이라고 한다.

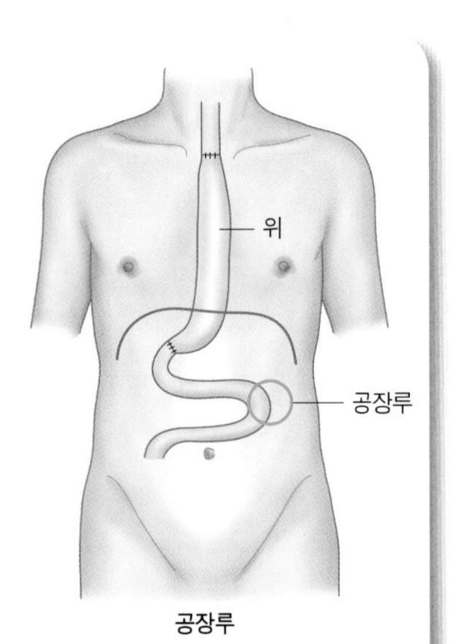

공장루

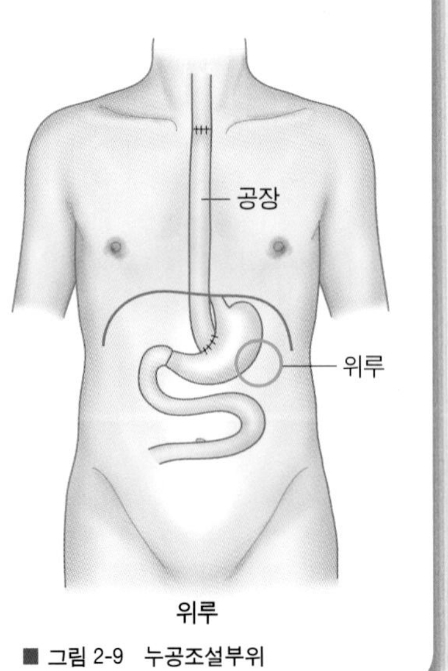

위루

■ 그림 2-9 누공조설부위

3 위암 (gastric cancer)

關田吉久 · 竹下公矢/ 矢富有見子

전체map

병인

- 병인은 아직까지 불분명하다.

[악화인자] Helicobacter pylori (헬리코박터 파일로리) 감염, 염분과잉섭취, 흡연

역학

- 일본인의 암으로 인한 사망 중 제2위를 차지하고, 사망률은 감소경향, 이환율은 상승경향에 있다.
- 남녀비는 2 : 1이고, 65~69세에 가장 많다.

[예후] 5년생존율은 위암 전체에서 73.7%이고, Stage IV에서는 16.6%이다.

병태생리

- 위에 생기는 암종을 위암이라고 하는데, 그 중 협의의 위암은 위점막상피에서 발생한 암이고, 광의의 위악성종양은 협의의 위암+상피 이외의 조직에서 발생한 암 [위평활근육종, 소화관간질종양 (GIST)이 악성인 것, 위악성림프종 등]이다.
- 조기위암 : 림프절전이의 유무에 상관없이 암세포의 심달도가 점막하층까지인 양이다.
- 진행위암 : 심달도가 고유근층 이상인 양이다.
- 심달도 (T)와 림프절전이의 범위 (N)에 따라서 병기 (Stage)가 결정된다.

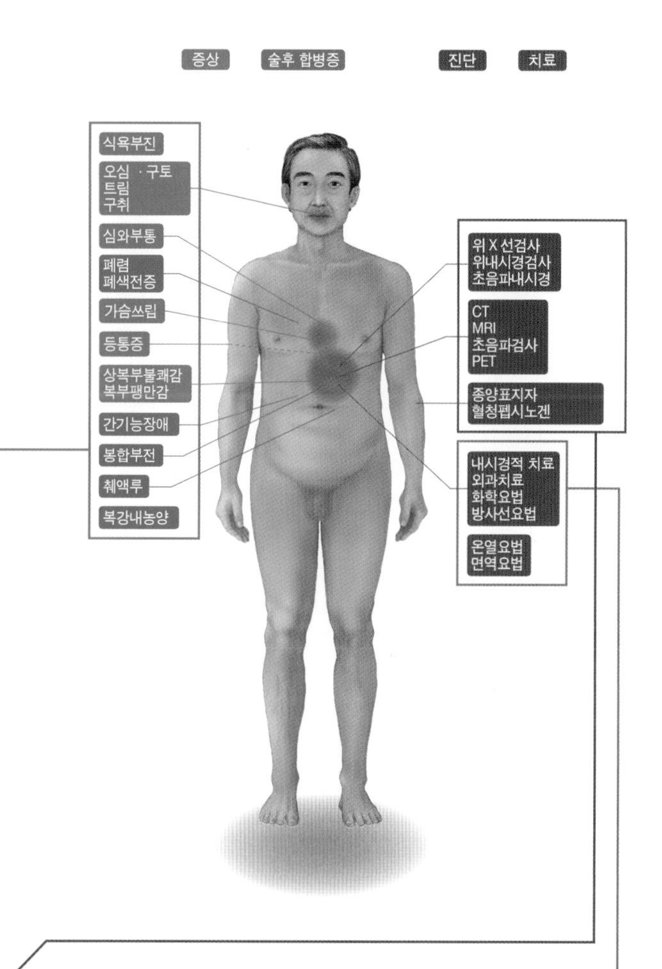

증상

증상 map p.20

- 조기위암에는 무증상이 많지만, 그 중 초기증상으로 가장 많은 것은 심와부통이다.
- 진행되면 상복부불쾌감, 복부팽만감, 등통증, 오심 · 구토, 트림, 가슴쓰림, 식욕부진이 나타난다.
- 더욱 진행되면 체중감소, 빈혈, 연하장애, 종괴촉지, 복수저류, 좌쇄골상와림프절전이 촉지 (Virchow전이), 직장손가락검사에서 더글라스와의 복막전이 촉지 (Schnitzler전이)가 나타난다.

[합병증]

- 수술조작과 직결된 합병증 : 봉합부전, 췌액루, 복강내농양, 장폐색, 창상감염
- 수술조작과 관계없는 전신합병증 : 폐렴, 폐색전증, 간기능장애

진단

- 위암의 진단은 X선검사와 내시경검사에 의해 내려진다.
- 위X선검사 (바륨검사) : 종양의 존재부위, 크기, 심달도의 결정
- 위내시경검사 (위카메라) : 위암의 확정진단에 필수적. 조직채취를 통한 생검병리진단 역시 가능
- 초음파내시경검사 (EUS) : 병변의 심달도, 주위장기로의 침윤 · 림프절전이의 유무 진단
- CT, MRI, 초음파검사, PET : 전이 · 재발의 진단
- 종양표지자 : CEA, CA19-9, CA125
- 혈청펩시노겐 (PG법) : 위의 위축도 검사
- 종양표지자 : SCC, CYFRA, TPA, P53

치료

- 내시경치료 : 내시경적점막절제술 (EMR), 내시경적점막하층박리술 (ESD), 레이저소작, 아르곤플라즈마응고법 (APC) 등이 해당된다. 림프절전이가 없는 위암에 적용된다.
- 외과치료 : 정형수술 (2/3 이상의 위절제+제2군 림프절곽청), 축소수술 (2/3 미만의 위절제+제1군 림프절곽청), 확대수술 (타장기합병 절제 또는 제3군 림프절곽청), 비치유절제 등이 있다.
- 화학요법 : 항암제 (5-FU, TS-1, 시스플라틴, 이리노테칸염산염수화물, 파클리탁셀, 도세탁셀수화물 등) 을 단독사용 또는 다제병용한다.

병태생리map

위암 (stomach cancer, gastric cancer)은 위에 생기는 암종이다.

- 협의의 위암 : 위점막상피에서 발생한 암종 (그림3-1).
- 광의의 위악성종양 : 협의의 위암에 상피 이외의 조직에서 발생한 것 [위평활근육종, 소화관간질종양 (GIST) 중 악성인 것, 위악성 림프종 등] 을 추가한 것.

병인 · 악화인자

- 병인은 아직까지 불분명하다.
- 악화인자 : Helicobacter pylori (헬리코박터 파일로리) 감염, 염분과잉섭취, 흡연 등.

역학 · 예후

- 일본인의 암으로 인한 사망 중 제2위를 차지한다 (1993년까지는 제1위).
- 치료기술의 향상으로 사망률은 해마다 감소하는 경향이지만, 집단검진 보급 등의 결과 조기발견률이 높아지면서 이환율은 오히려 상승경향에 있다.
- 일본에서의 위암이환자 남녀비는 약 2 : 1이다.
- 입원시 평균연령 : 60세.
- 연령층 : 65~69세가 가장 많다.
- 예후 : 5년생존율 (치료후 5년간 생존하고 있는 비율) 로 나타낸다. 일본위암학회의 전국적인 조사에 의하면, 암의 진행도 (Stage) 별 5년생존율은 Stage IA에서 93.4%, Stage IB에서 87.0%, Stage II에서 68.3%, Stage IIIA에서 50.1%, Stage IIIB에서 30.8%, Stage IV에서 16.6%이다.

1형 (종괴형)

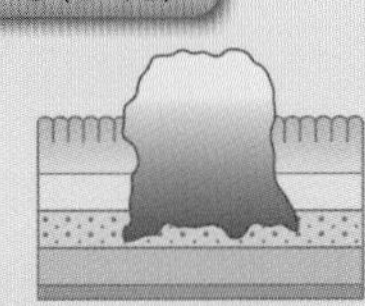

확실한 융기 형태를 나타내고, 주위점막과의 경계가 명료한 것

2형 (궤양국한형)

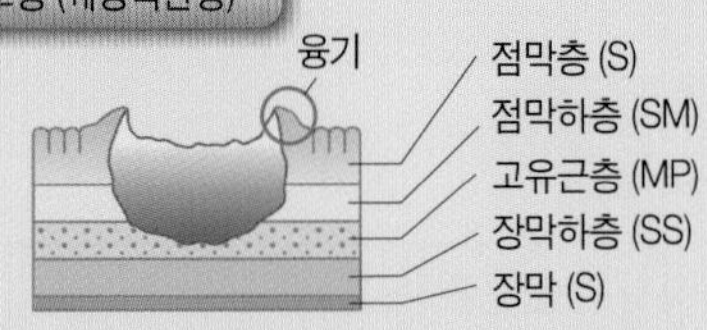

궤양을 형성하고, 궤양을 둘러싸는 위벽이 비후해져 융기가 나타나며 융기와 주위점막의 경계가 비교적 명료한 것

3형 (궤양침윤형)

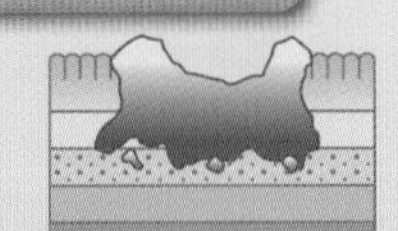

궤양을 형성하고, 종양을 둘러싸는 위벽이 비후해져 융기가 나타나지만, 융기와 주위점막과의 경계가 불명료한 것

4형 (미만침윤형)

현저한 궤양형성이나 융기 없이, 위벽의 비후화 · 경화를 특징으로 하며, 병소와 주위점막의 경계가 불명료한 것

5형 (분류불능)

상기분류에 해당되지 않는 것

■ 그림 3-2 진행위암의 육안형 분류

악화인자

헬리코박터 파일로리 감염

염분 과잉섭취

흡연

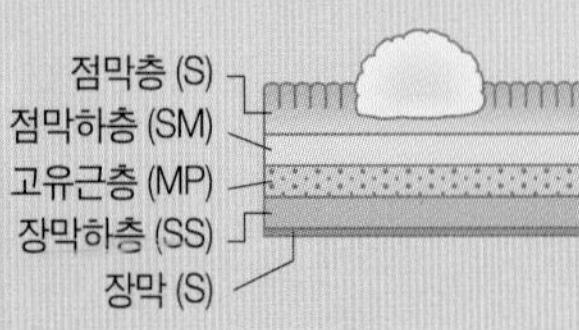

융기형 (I 형)
확실한 종괴상의 융기가 확인되는 것

표면형 (II 형)
융기나 함요가 경미하거나 거의 확인되지 않는 것

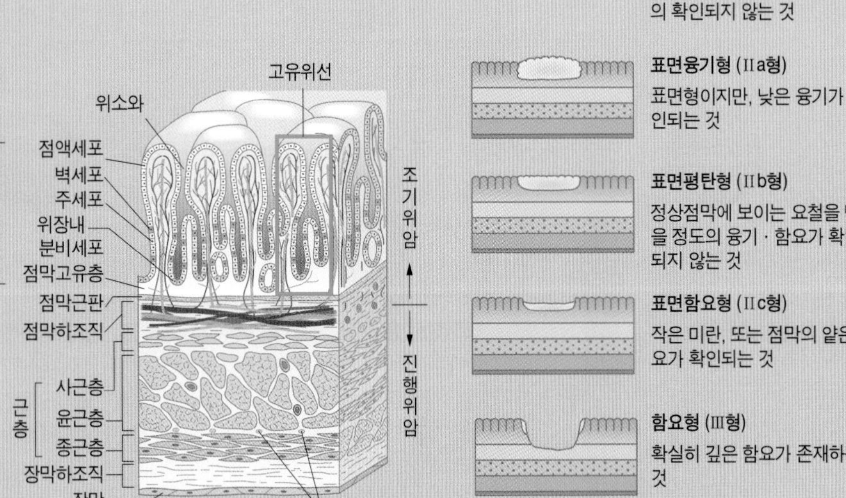

표면융기형 (IIa형)
표면형이지만, 낮은 융기가 확인되는 것

표면평탄형 (IIb형)
정상점막에 보이는 요철을 넘을 정도의 융기 · 함요가 확인되지 않는 것

표면함요형 (IIc형)
작은 미란, 또는 점막의 얕은 함요가 확인되는 것

함요형 (III형)
확실히 깊은 함요가 존재하는 것

■ 그림 3-1 조기위암 [0 형 (표재형)] 의 아분류

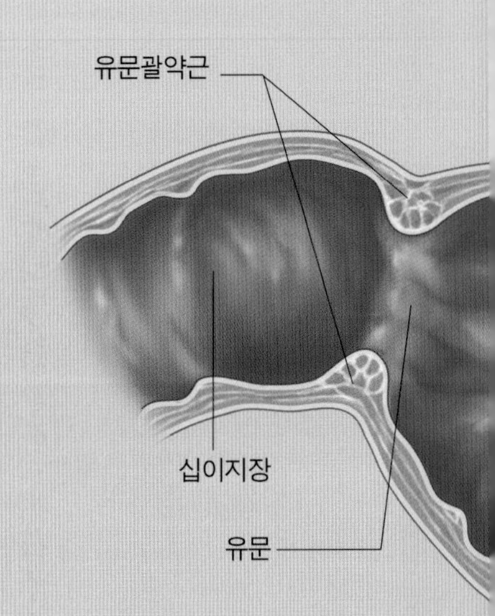

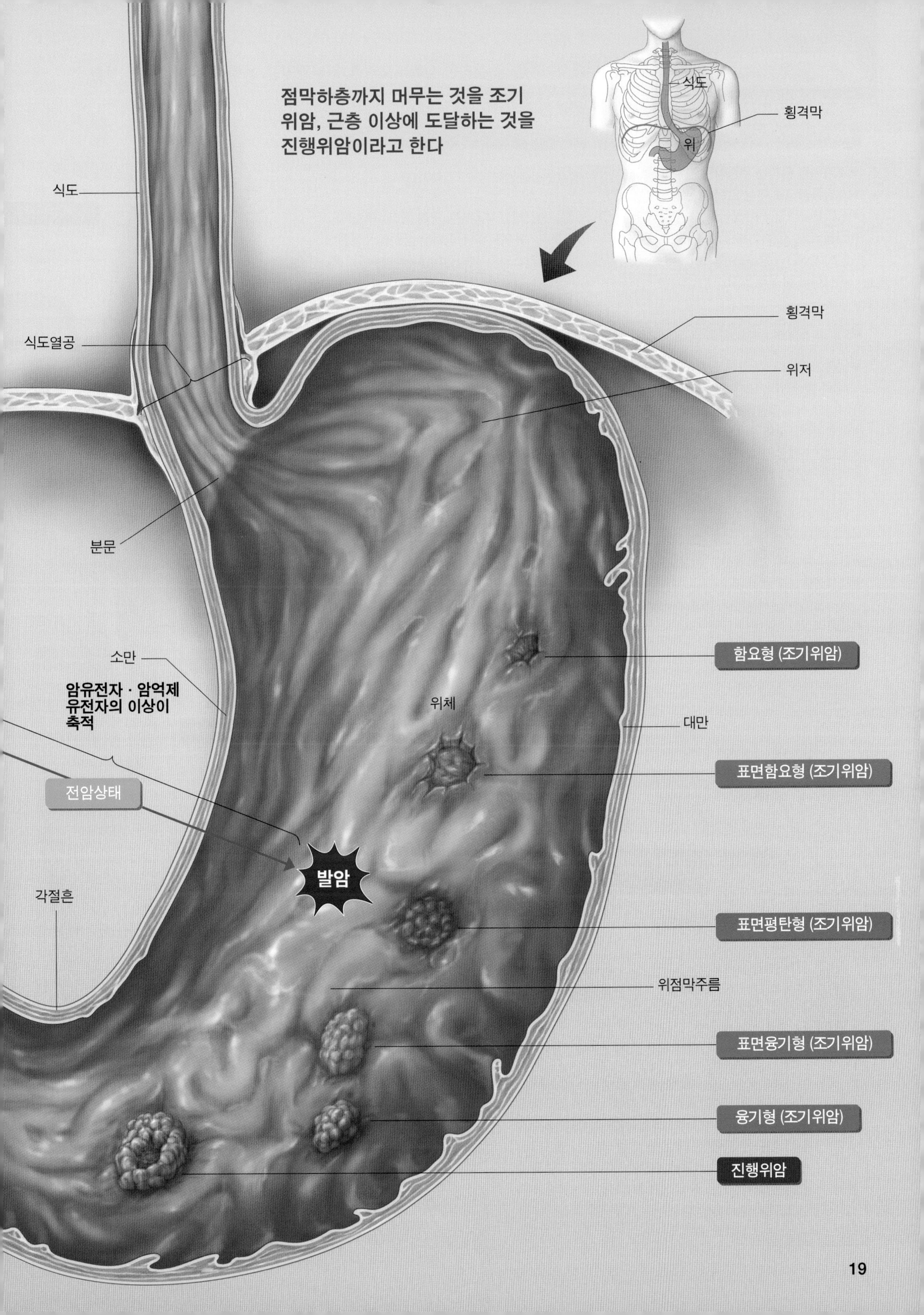
점막하층까지 머무는 것을 조기 위암, 근층 이상에 도달하는 것을 진행위암이라고 한다
식도
횡격막
위
식도
식도열공
횡격막
위저
분문
소만
암유전자 · 암억제 유전자의 이상이 축적
전암상태
발암
위체
대만
함요형 (조기위암)
표면함요형 (조기위암)
각절흔
표면평탄형 (조기위암)
위점막주름
표면융기형 (조기위암)
융기형 (조기위암)
진행위암

증상map

조기에는 무증상이지만, 진행되면 상복부불쾌감, 복부팽만감, 등통증, 오심 · 구토, 트림, 가슴쓰림, 식욕부진 등을 호소한다.

증상

- 조기위암 환자는 무증상인 경우도 많다.
- 초발증상으로 가장 많은 것은 심와부통이다.
- 상복부불쾌감, 복부팽만감, 등통증, 오심 · 구토, 트림, 가슴쓰림, 식욕부진, 구취 등이 나타난다.
- 진행암인 경우 : 체중감소, 빈혈, 연하장애, 종괴촉지, 복수저류나 좌쇄골상와림프절전이(Virchow전이)를 촉지하거나, 직장손가락검사에서 더글라스와의 복막전이 (Schnitzler전이)를 촉지하는 경우도 있다.

합병증

- 동일한 의사가 똑같이 신중하게 수술을 집도해도, 결과가 나쁜 경우가 일정한 빈도 (10% 이하)로 발생한다. 또 수술사망률도 1% 이하라고 보고되어 있다.

(1) 수술조작과 직결된 합병증
- 봉합부전 : 소화관의 연결부에서 누출이 발생한다.
- 췌액루 : 췌장의 소화액이 췌장의 절리면이나 췌장의 실질에서 새어서, 웅덩이가 형성된다.
- 복강내농양 : 봉합부전이나 췌액루가 심한 경우에는 감염이 발생하여 복부에 고름덩어리가 형성된다.
- 기타 : 장폐색, 창상감염.

(2) 수술조작과 관계 없는 전신합병증
- 폐렴 : 상복부 수술에서는 복식호흡에 영향이 나타나기 쉽고, 높은 비율로 발생한다.
- 폐색전증 : 수술 중에 하지의 정맥 속에 생긴 혈전이 보행을 시작했을 때 등의 경우에 혈관벽에서 벗어나면서 심장과 폐로 흘러들어가고, 이로써 폐동맥이 폐색된다.
- 간기능장애 : 마취의 영향, 수술 중 · 술직후에 투여한 약제가 원인이다.

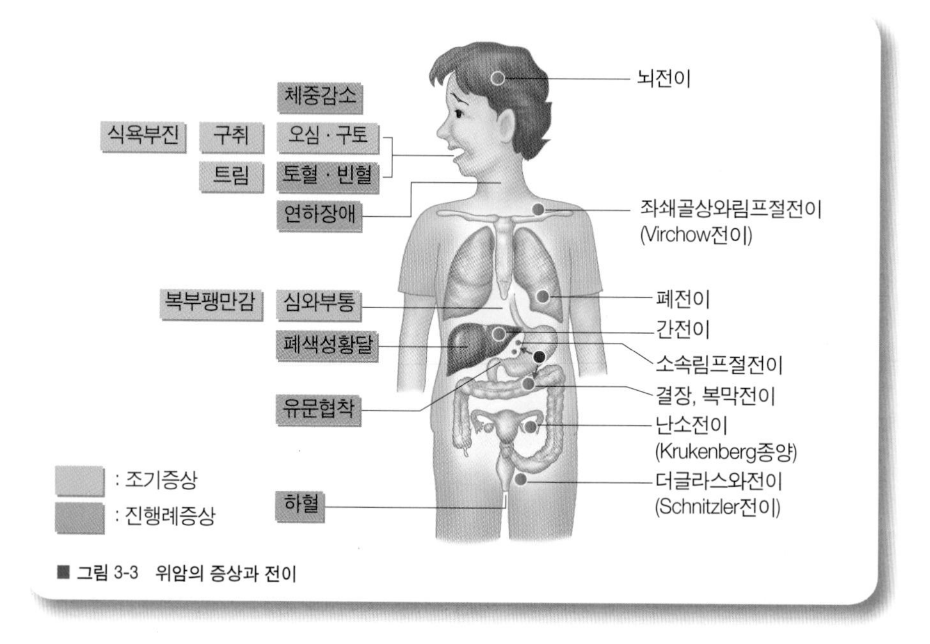

■ 그림 3-3 위암의 증상과 전이

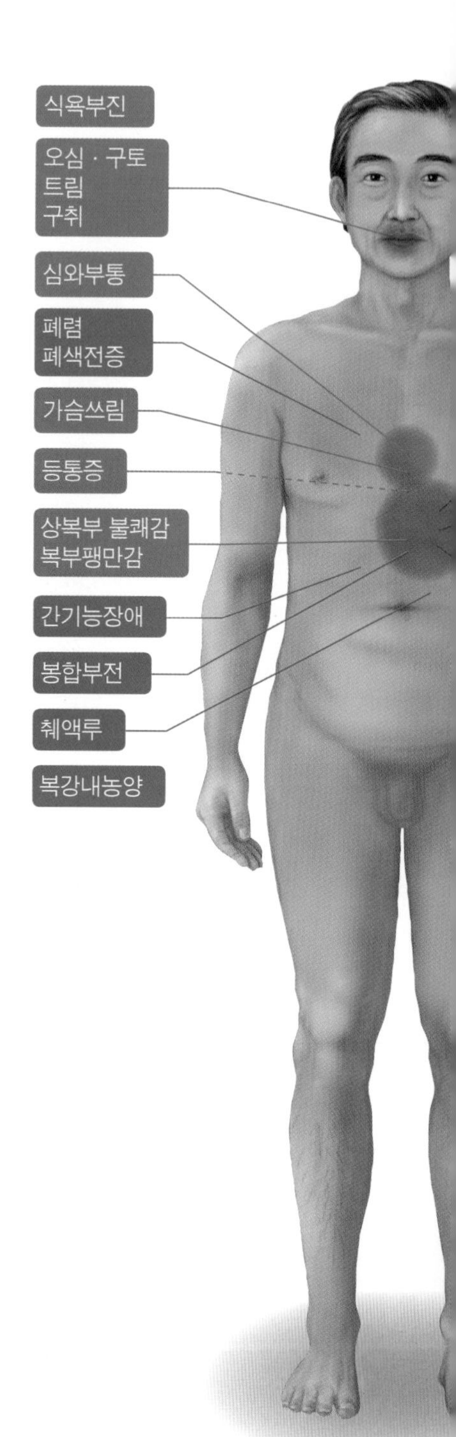

진단map

위암의 진단은 X선검사와 내시경검사에 의해 내려진다.

진단 | 치료

위 X 선검사
위내시경검사
초음파내시경

CT
MRI
초음파검사
PET

종양표지자
혈청펩시노겐

내시경적 치료
외과치료
화학요법
방사선요법

온열요법
면역요법

진단 · 검사치

- 위X선검사 (바륨검사) : 식사제한 후, 바륨을 마시고 조금 공기를 들이마심으로써 위를 부풀게 하고, 위벽(점막)의 표면을 바륨이 얇게 덮도록 한다. 이 상태에서 X선촬영을 하고, 종양의 존재부위, 크기, 심달도를 결정한다.
- 위내시경검사 (위카메라) : 위암의 확정진단을 위해서 필수적이며, 병변의 육안형, 범위, 심달도, 위치나 크기 등을 진단한다. 대부분의 경우, 동시에 조직을 채취하여 양성·악성을 진단 (생검병리조직진단)한다.
- 초음파내시경 (EUS) : 병변의 심달도 뿐만 아니라 진행위암인 경우, 주위장기로의 침윤 유무 및 위주위 림프절전이의 유무를 진단한다.
- CT, MRI, 초음파검사, PET 등 : 원발소에서의 진행도와 간이나 폐, 복막, 골반내의 전이 · 재발의 진단에 유용하다.
- 위암의 육안형 분류

(1) 조기위암
0형 (표재형)은 조기위암의 아분류이다 (그림3-1). 조기위암이란 림프절전이의 유무에 상관없이 암세포가 점막층 또는 점막하층까지 머물러 있는 것을 의미한다.

(2) 진행위암
그림3-2는 진행위암의 분류에서 암심달도가 근층이상으로 도달해 있는 것.

- 위벽심달도

TX : 암의 침윤의 깊이가 불분명한 것
T0 : 암이 없다
T1 : 암이 국소적으로 점막 (M) 또는 점막하조직 (SM)에 머무는 것
T1a : 암이 점막에 머무는 것 (M)
T1b : 암의 침윤이 점막하조직에 머무는 것 (SM)
T2 : 암의 침윤이 점막하조직을 넘고 있지만, 고유근층에 머무는 것 (MP)
T3 : 암의 침윤이 점막하조직을 넘고 있지만, 장막하조직에 머무는 것 (SS)
T4 : 암의 침윤이 장막표면에 접하고 있거나 또는 노출, 타장기에 미치는 것
T4a : 암의 침윤이 장막표면에 접하고 있거나 또는 이를 넘어 유리복강에 노출되어 있는 것 (SE)
T4b : 암의 침윤이 직접 타장기까지 미치는 것 (SI)

- 진행도 (Stage) (표3-1)

위암이 위벽의 어느 깊이까지 진행해 있는가 (T : 심달도), 또 어느 림프절까지 전이해 있는가 (N : 림프절전이의 범위) 등을 기준으로 종합적으로 병기 (Stage)를 정하고 있다. 병기는 IA, IB, IIA, IIB, IIIA, IIIB, IIIC, IV의 8가지로 나뉘며, IA가 가장 조기 위암이며, IV가 가장 진행된 위암이다.

- 검사치
- 종양표지자 : CEA, CA19-9, CA125가 참고가 된다.
- 혈청펩시노겐 (PG법)

■ 표 3-1 위암의 진행도 (병기 , Stage)

	N0 영역림프절에 전이가 없다.	N1 영역림프절에 1~2개의 전이가 있다.	N2 영역림프절에 3~6개의 전이가 있다.	N3 영역림프절에 7개이상의 전이가 있다.	T/N에 상관없이 M1 ※M1이란 원격림프절, 간, 폐, 복막 등에 전이가 있는 것을 가리킨다.
T1a(M), T1b(SM)	IA	IB	IIA	IIB	IV
T2(MP)	IB	IIA	IIB	IIIA	
T3(SS)	IIA	IIB	IIIA	IIIB	
T4a(SE)	IIB	IIIA	IIIB	IIIC	
T4b(SI)	IIIB	IIIB	IIIC	IIIC	
T/N 에 상관없이 M1					

(일본위암학회편 : 위암취급규약개정 제14판, p.17, 금원출판, 2010)

치료map

위암의 깊이, 장소, 범위, 조직형, 림프절전이, 원격전이를 고려하여 치료법을 결정한다.

치료방침

- 위암의 깊이(T1~T4), 장소, 범위, 조직형 (분화형, 미분화형), 림프절전이, 원격전이 (복막, 간, 폐 등)를 고려하여 치료법을 결정한다(위암의 병기, 병태, 중증도별로 본 치료흐름도 참조).

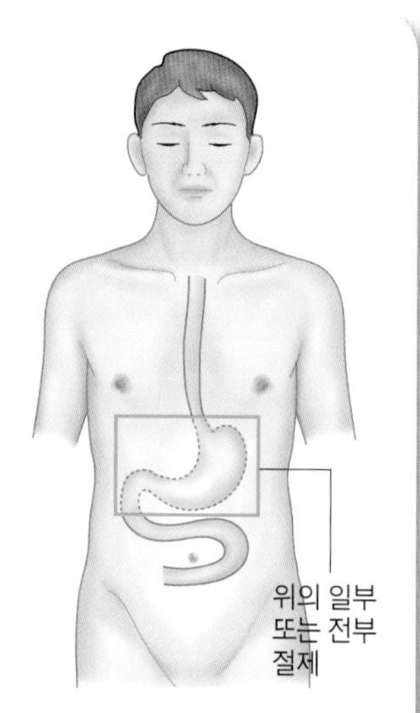

· 위절제술 후 실시 환자에게 발생하는 여러 가지 복부증상이나 전신증상
· 조기증상 (식후 30분 이내)과 만기증상 (식후 2~3시간)이 있다.

■ 그림 3-6 덤핑증후군

Key word

- 아르곤플라즈마응고법

아르곤플라즈마응고법 (argon plasma coagulation ; APC)은 아르곤가스를 매개로 하여 고주파를 이용해 소작, 응고하는 비접촉형 고주파응고법이다.

내시경치료

- 내시경적점막절제술 (endoscopic mucosal resection ; EMR)
- 내시경적점막하층박리술 (endoscopic submucosal dissection ; ESD)
- 레이저소작
- 아르곤플라즈마응고법 (argon plasma coagulation ; APC)

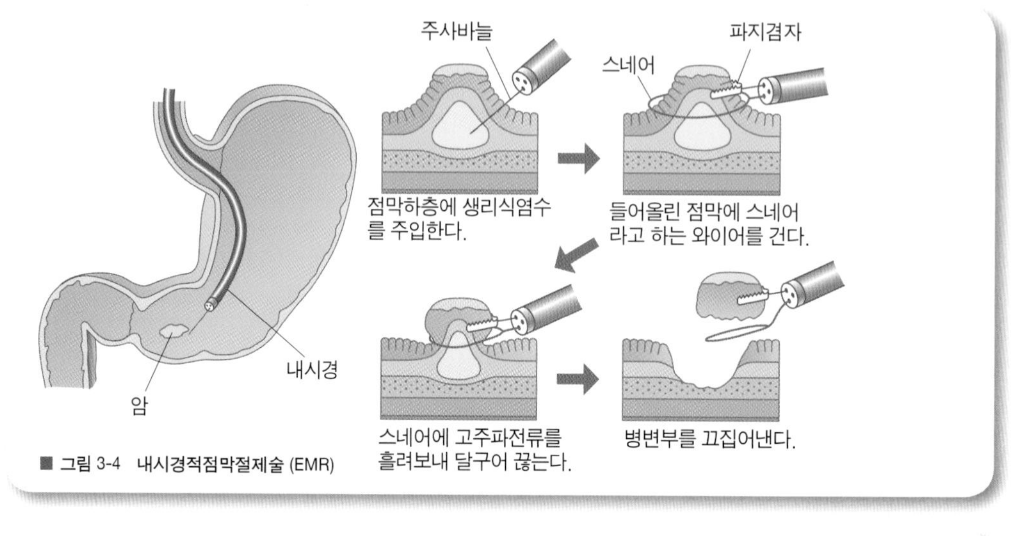

■ 그림 3-4 내시경적점막절제술 (EMR)

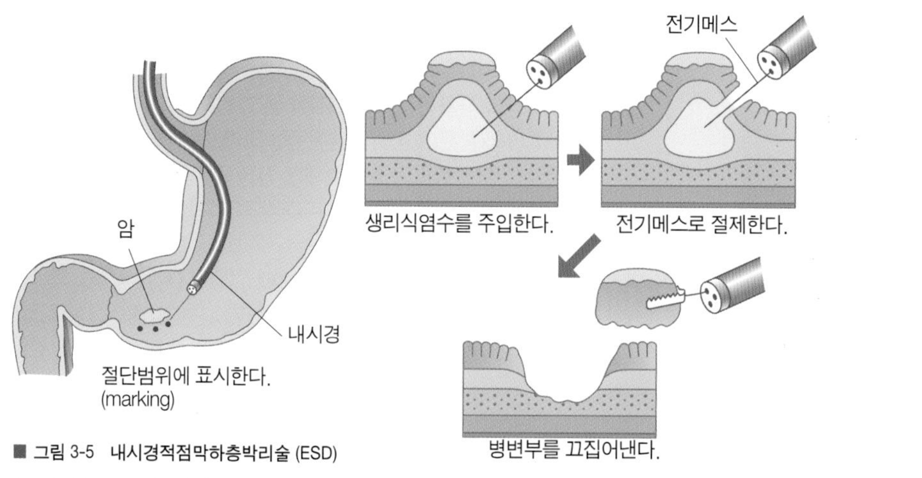

■ 그림 3-5 내시경적점막하층박리술 (ESD)

외과치료

① 정형수술 (그림3-7, 8)
- 유문측 위절제술 : 출구 근처의 위만을 절제한다.
- 분문측 위절제술 : 입구 근처의 위만을 절제한다.
- 위전적출술 : 위를 전부 절제한다.

② 축소수술
- 유문보존위절제술 (pylorus-preserving gastrectomy ; PPG) 실시 : 위의 출구에 해당하는 유문부를 일부 남김으로써, 덤핑증후군이나 장액의 위속으로의 역류를 방지할 목적으로 하는 수술.
- 국소절제 : 위의 일부와 그 주위의 림프절만을 제거하는 수술.

③ 확대수술
- 위 이외의 타장기 (췌장, 비장이나 대장, 간의 일부 등)를 합병절제하거나, 제거하는 림프절의 범위를 확대하여 정형적으로 행해지는 수술의 범위를 넘어서 하는 위절제술.

④ 비치유절제
- 위암을 절제했지만, 암이 확실히 남아 있는 경우.

· 고식수술 : 위암을 치료할 목적이 아니라, 위암에 의한 증상을 경감하는 수술 (바이패스술 등).
· 감량수술 : 조금이라도 연명을 도모할 목적으로 행해지는 수술.

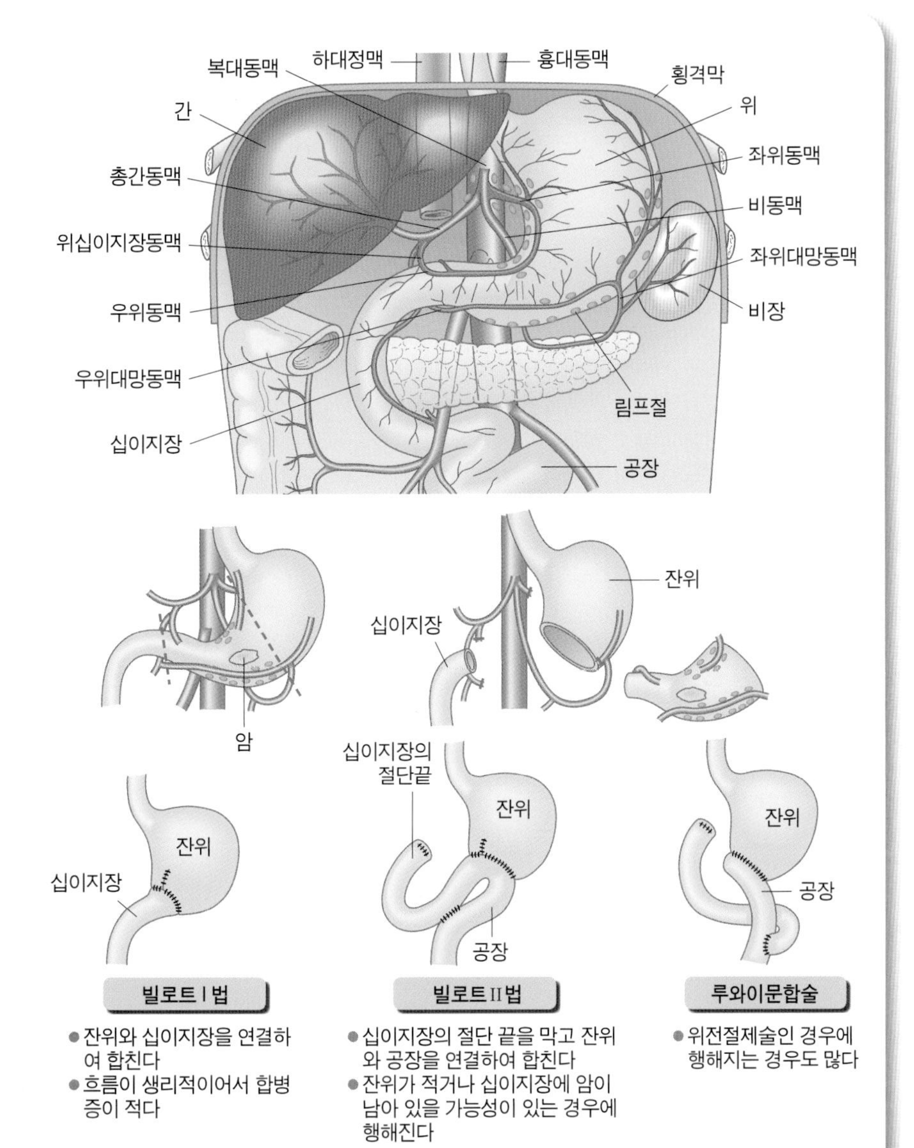

■ 그림 3-7 유문측 위절제술

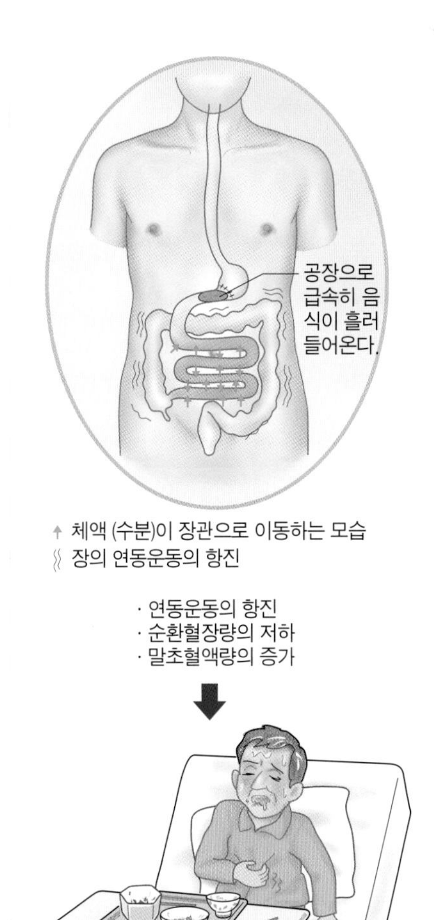

■ 그림 3-9 덤핑증후군의 조기증상

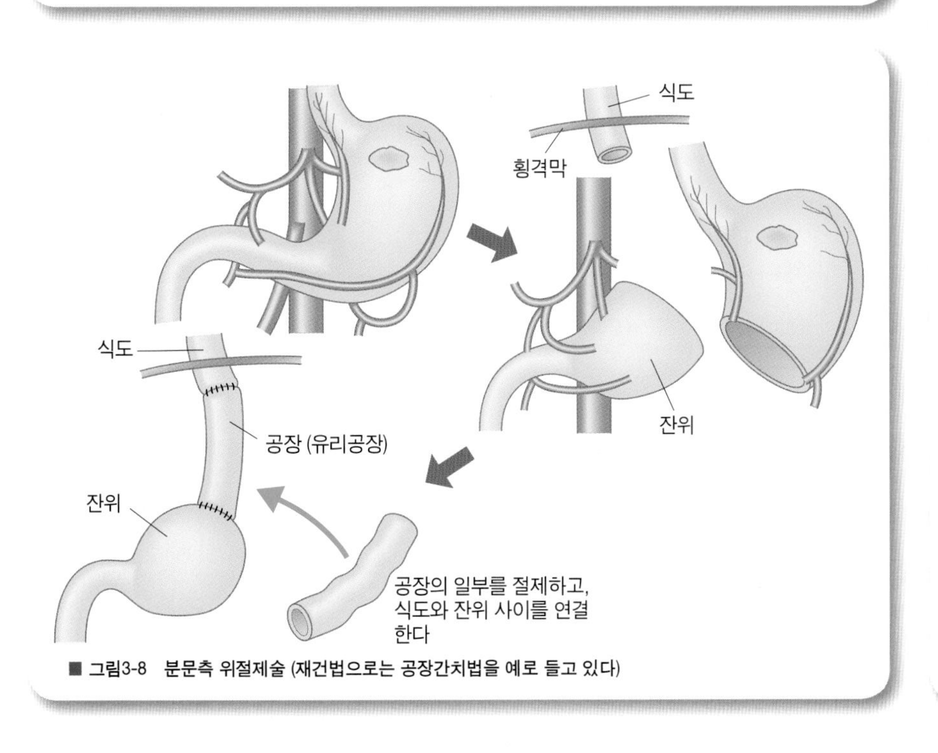

■ 그림3-8 분문측 위절제술 (재건법으로는 공장간치법을 예로 들고 있다)

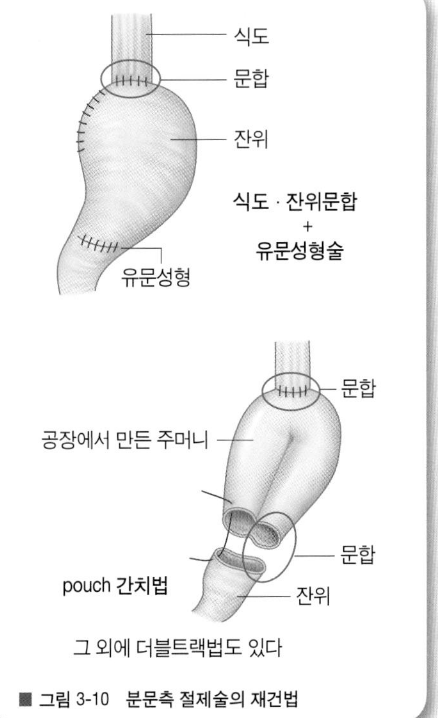

■ 그림 3-10 분문측 절제술의 재건법

방사선요법

- 위암에서는 방사선조사도 행해지는 경우도 드물게 있는데, 근치성은 없다.

기타

- 온열요법, 면역요법 등이 있다.

· 피로감 증가, 현기증, 냉한, 심계항진, 손가락진전 등의 저혈당 증상

■ 그림 3-11 덤핑증후군의 만기 증상

■ 표 3-2 위암의 주요 치료제

분류	일반명	주요상품명	약효발현의 메커니즘	주요 부작용
대사길항제	메토트렉세이트	메토트렉세이트	세포의 기능에 필요한 대사물질과 유사하므로, 세포내 효소에 길항하여 작용한다.	골수억제 (백혈구 감소, 빈혈, 혈소판 감소) 간기능 · 신기능저하 식욕저하 구내염, 설사, 오심, 권태감, 탈모 등
	플루오로우라실	5-FU		
	테가푸르 · 우라실	유에프티		
	합제 (테가푸르 · 기메라실 · 오테라실칼륨)	티에스원		
	독시플루리딘	후트론		
알칼로이드계	도세탁셀수화물	탁소텔	유사분열을 중기에 정지시킨다.	
	파클리탁셀	탁솔		
항생물질항암제	미토마이신C	미토마이신	DNA복제를 저해한다.	
토포이소메라제억제제	이리노테칸염산염 수화물	캄토푸, Topotecin	DNA합성을 저해한다.	
백금제제	시스플라틴	Briplatin, Randa	암세포의 분열을 저해한다.	

화학요법

- 위암에 사용되는 항암제로는 플루오로우라실 (5-FU), 테가푸르 · 우라실 (유에프티), 합제 (티에스원), 미토마이신C (미토마이신), 메토트렉세이트 (메토트렉세이트), 시스플라틴 (Briplatin 등), 이리노테칸염산염 수화물 (캄토푸 등), 파클리탁셀 (탁솔), 도세탁셀수화물 (탁소텔) 등이 있다 (표3-2).
- 항암제를 1종류만 사용하는 단독요법과 여러 약을 조합하는 병용요법이 있다. 항암제와 본원에서 시행하고 있는 처방례는 다음과 같다.

Px 처방례 티에스원경구 단독요법

- 티에스원캅셀 (25mg) 1일 80mg/㎡ 分 2 ← 대사길항제

※ 28일간 연속내복하고, 그 후 14일 휴약기간을 가진 후 반복한다.

Px 처방례 점적항암제 단독요법

- 캄토푸 100mg/㎡ 토포이소메라제억제제

※ 1주 간격으로 3회 점적정주하고, 2주간 휴약기간을 가진 후 반복한다.

Px 처방례 병용요법

- 티에스원캅셀 (25mg) 1일 80mg/㎡ 分 2 ← 대사길항제
- Briplatin주 60mg/㎡ ← 백금제제

※ 티에스원은 14일간 연속내복하고, 그 후 14일간 휴약한다. Briplatin은 8일째에 60mg/㎡을 1회 점적정주하고, 28일간을 1단위로 반복한다.

위암의 병기 · 병태 · 중증도별로 본 치료흐름도

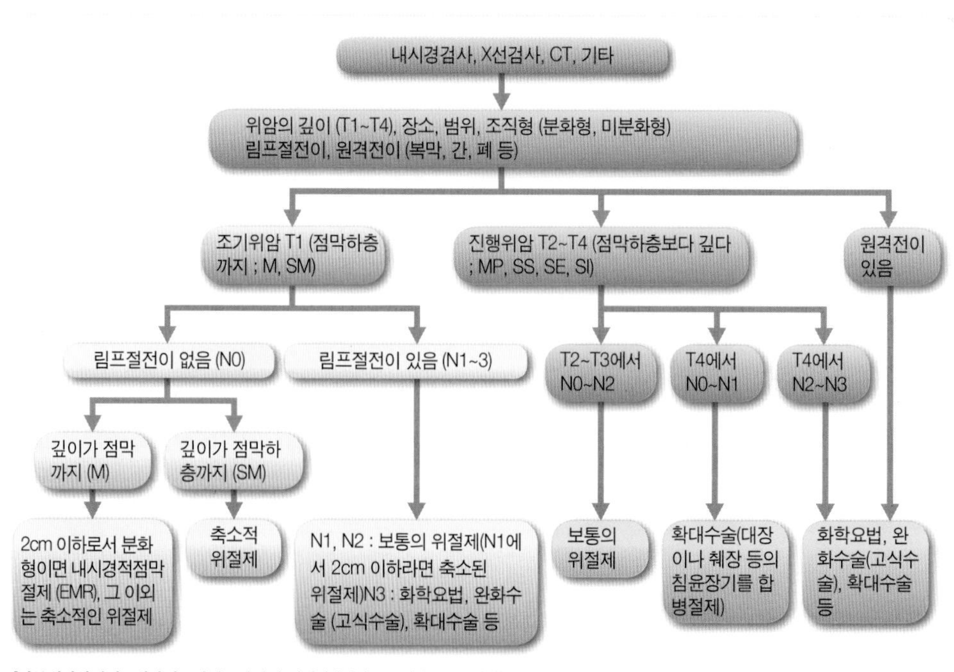

(關田吉久·竹下公矢)

위암

환자케어

수술후 식사에 수반되는 덤핑증후군에 주의한다. 식사 중으로부터 30분후, 식후 2~3시간은 특히 주의하여 관찰한다.

병기 · 병태 · 중증도에 따른 케어

【수술 전】 입원 전부터 식욕부진이 보이는 경우는 영양불량 상태가 되기 쉽다. 또 진단 후의 정신적 쇼크를 받고, 수술에 대해 불안해 하는 경우가 많다. 그 때문에 신체적 · 심리적으로 편안하게 수술에 임할 수 있도록 지지해야 한다.

【수술 직후】 마취, 수술에 관련된 증상이나 호흡상태를 관찰하고, 문합부의 문제 등으로 인한 순환동태에 주의해야 한다. 조기이상을 도모하고, 호흡기능이나 소화기능을 회복시키기 위한 지지가 필요하다.

【식사개시 후】 식사에 수반되는 덤핑증후군 등의 트러블을 피하고 영양장애를 방지하기 위하여, 식사섭취방법을 지도해야 한다. 또 퇴원 시에 식습관이나 사회생활을 고려하여 식생활을 재편성하기 위한 지지가 필요하다.

【보조요법 · 종말기】 수술적응대상이 아닌 경우나 절제할 수 없었던 경우 등에는 화학요법이 행해지고, 이는 연명이나 증상개선을 목적으로 하는 경우가 많다. 부작용에 수반되는 영양상태 저하, 감염위험성에 대응해야 한다. 종말기는 통증이나 증상을 관리하면서 QOL을 유지하고, 나머지 시간을 가족과 지낼 수 있도록 지원한다.

케어의 포인트

진찰 · 치료의 지지

- 수액 · 배액 관리를 확실히 하고, 이상이 있으면 신속히 의사에게 보고한다.
- 증상이 있을 때에는 안정화를 도모하고, 완화케어를 제공하면서 경과를 관찰해야 하지만, 증상이 호전되지 않거나 악화될 때는 의사에게 보고한다.
- 이동시에는 수액라인, 드레인에 주의하면서 행동할 수 있도록 지지한다.

합병증의 조기발견 · 예방에 대한 지지

- 활력징후와 증상은 퇴원까지 변화할 가능성이 있으므로 주의한다.
- 술직후에는 호흡 · 순환동태, 창부의 상태, 통증 등의 불쾌증상에 주의하고, 식사개시 후에는 덤핑증후군이나 복부증상 등에 주의하는 등, 시기에 따라서 일어나기 쉬운 합병증에 주의한다.
- 수술침습에 의하여 면역 · 영양상태가 저하되어 있는 경우가 많으므로, 청소나 손씻기 등 청결을 유지하도록 하는 케어를 제공한다.
- 상태가 안정되어 있으면, 가능한 신속히 병상에서 일어나게 하고, 합병증을 예방할 수 있도록 지지한다.

식사섭취의 지지

- 덤핑증후군은 조기와 만기가 있으므로, 식사 중~30분 후 정도와 식후 2~3시간 정도는 특히 주의하여 관찰한다.
- 천천히 안정적으로 식사를 섭취할 수 있도록 환경을 마련한다.
- 소화기능의 변화를 알기 쉽게 설명하고, 왜 식생활을 바꿔야 하는지 이해시킨다.
- 식사섭취방법 등을 이해하고 있어도, 오랜기간의 습관에 의해 무의식적으로 부적절한 행동을 할 가능성이 있으므로, 직접 관찰하면서 환자가 의식적으로 행동을 시정할 수 있도록 지도한다.
- 식사 중은 물론, 식후의 자세나 활동상황에도 주의하여 덤핑증후군을 예방한다.

환자 · 가족의 심리 · 사회적 문제에 대한 지지

- 증상에 따라서 불안이 증강되므로, 증상에 대처한다.
- 악성질환으로 재발할 가능성이 있는 점을 염두에 두고, 환자와 가족이 걱정하는 불안에 대해서 경청한다.
- 현 상황이나 추후의 일정 등에 관해서 환자 · 가족에게 알기 쉽게 설명하고, 불안을 해소하도록 지지한다.
- 환자가 혼자서 떠맡지 않도록 가족간에 서로 대화하는 장을 만들어, 불안을 해소하도록 지지한다.

퇴원지도 · 요양지도

- 환자 · 가족 모두 안심하고 퇴원할 수 있도록 양측에 현상황과 추후의 경과에 관하여 설명한다.
- 식사섭취방법 · 요양방법을 입원 중에 습득하긴 했어도, 퇴원 후의 환경에서도 계속할 수 있는가를 확인하고, 대응에 관하여 함께 생각한다.
- 필요하면 영양지도를 의뢰하고, 환자 · 가족이 퇴원후 식생활을 준비할 수 있도록 조정한다.
- 술후 얼마 지나서 빈혈이나 뼈의 칼슘대사이상, 담석증의 합병증의 가능성이 있으므로, 적절한 약물복용과 정기적인 통원의 필요성을 설명한다.
- 재발의 염려가 있으므로 정기적으로 통원하고 이상시 조기에 진찰을 받도록 설명한다.

(矢富有見子)

조기증상에서는…

측와위에서 20분 정도 안정

식사방법 : ① 식사의 1회량을 줄이고, 횟수를 늘린다. ② 잘 씹고, 시간을 들여서 먹는다. ③ 고형물부터 먹고, 수분을 포함한 것은 나중에 먹는다.

만기증상에서는…

사탕 등으로 당류를 섭취

식사요법 : 고단백, 고지방, 저당질
식사요법 : 식사의 1회량을 줄이고, 횟수를 늘린다
식후에 안정취하고, 식후 1~2시간경 당류를 섭취한다

■ 그림 3-12 덤핑증후군의 예방과 대처법

Memo

4 위·십이지장궤양 (gastroduodenal ulcer)

久山 泰/高比良祥子

전체map

병인

- 헬리코박터 파일로리 (Helicobacter pylori) 감염
- 약물, 특히 비스테로이드성 항염증제 (NSAIDs)

[악화인자] 스트레스, 고령, 음주, 흡연, 염분 과잉섭취

역학

- 위궤양은 40~50대의 중년층에 호발한다.
- 십이지장궤양은 20~30대의 젊은층에 호발한다.
- 남녀비는 2 : 1이다.

[예후] H.pylori를 제균하면 의해 예후가 양호하다.

병태생리

병태생리 map p.28

- 점막하층 이상의 깊이에 미치는 조직결손 (Ul-II 이상)이 확인되는 위 · 십이지장 병변이다.
- 점막에 국한적인 조직결손 (Ul-I)을 미란이라고 한다.
- 위 · 십이지장궤양은 H.pylori감염이나 약물 (NSAIDs)에 의해서 공격인자 (산 · 펩신 등)와 방어인자 (점액 · 혈류 등)의 균형이 파괴되어 생긴다.
- 급격히 발생하는 급성 위점막병변 (AGML)도 NSAIDs가 주된 원인이다.

증상

증상 map p.30

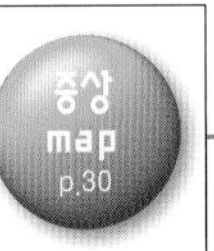

- 심와부통, 오심 · 구토, 식욕부진이 주증상
- 십이지장궤양에서는 공복시 통증이 수반된다. 출혈이 있으면 토혈, 타르변이 나타난다.
- 궤양천공에서는 복막염의 소견 [반동압통 (blumberg징후)]이 보인다. 진행되면 복부는 판처럼 딱딱해 진다.

[합병증]

- 출혈, 협착, 천공이 3대 합병증
- H.pylori 관련질환 (림프종, 위암, 위과형성폴립)

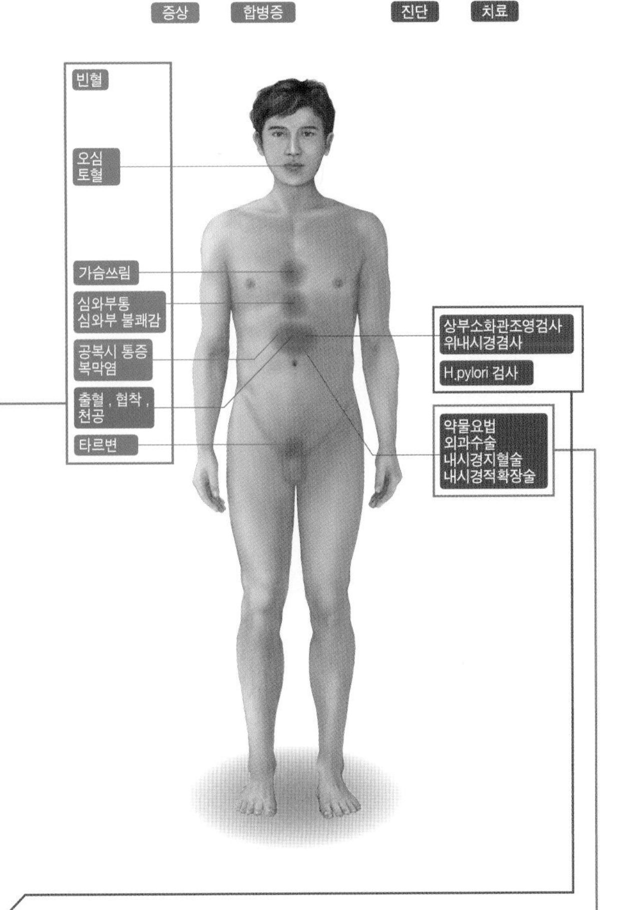

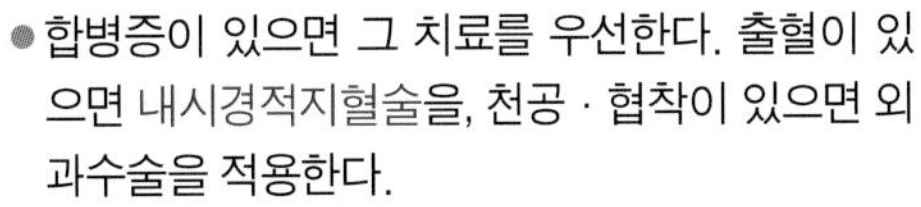

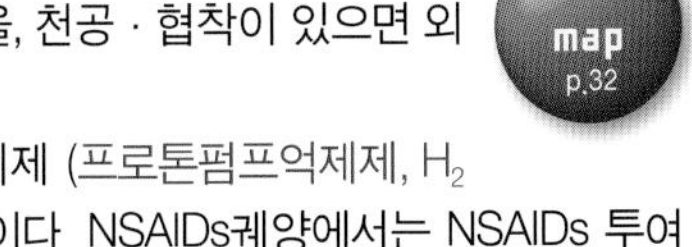

진단

진단 map p.31

- 증상을 보아 본증이 의심스러울 경우 상부소화관 조영검사, 위내시경검사로 진단한다.
- 조영검사 (바륨조영) : 출혈, 협착, 천공이 의심스러운 경우에는 금기시된다.
- 내시경검사 : 최근에는 내시경진단이 일반적이다. 궤양은 내시경적으로 활동기 (A1, A2), 치유기 (H1, H2), 반흔기 (S1, S2) 로 분류한다. 위궤양과 위암의 감별에는 조직생검을 시행한다.
- H.pylori의 진단 : 신속 우레아제시험으로 진단하고, 요소호기 시험으로 제균 판정한다.
- 출혈이 있으면 철결핍성빈혈이 발생하고, 천공에 의한 복막염이 있으면 백혈구 증가, CRP 상승이 나타난다.

치료

치료 map p.32

- 합병증이 있으면 그 치료를 우선한다. 출혈이 있으면 내시경적지혈술을, 천공 · 협착이 있으면 외과수술을 적용한다.
- 약물요법 : 산분비억제제 (프로톤펌프억제제, H_2 수용체길항제)가 중심이다. NSAIDs궤양에서는 NSAIDs 투여를 중지하고, 프로스타글란딘제를 투여한다. H.pylori제균에는 프로톤펌프억제제＋아목시실린수화물＋클래리스로마이신을 이용한다.
- 외과치료 : 내과치료로는 출혈을 관리할 수 없는 증례, 천공례, 협착례가 적응대상이다.

병태생리map

위 · 십이지장궤양이란 Ul-II이상, 즉 점막하층에 미치는 결손이 확인되는 위 · 십이지장병변이다.

- 위궤양의 병리조직학적 분류는 그림4-1에 나타나듯이 Ul-I은 결손이 점막근층내에 머물고 점막근판에 미치는 않은 것으로서, 통상적으로 미란이라고 한다.
- Ul-II이상이 궤양이 되고, Ul-II에서는 점막근판이 단열되며 결손이 점막하층에 미친다.
- Ul-III에서는 결손이 고유근층의 일부에 미친다.
- Ul-IV에서는 고유근층이 단열된 천통성 궤양이 되고, 더욱 깊어지면 천공이 된다.
- 위 · 십이지장궤양의 병태는 이전에는 Shay의 밸런스설에 의해 설명되었다. 점액 · 혈류 등을 방어인자로 하여 양자의 균형파괴로 인해서 궤양이 성립된다는 것이다 (그림 4-2). 십이지장궤양에서는 일반적으로 고산상태이며, 위궤양에서는 정산 또는 저산인 경우가 많아서 방어인자의 저하를 고려해야 한다. 그러나, 헬리코박터 파일로리 (Helicobacter pylori)가 1982년에 Marshall과 Warren에 의해서 발견되고, 이후는 H.pylori가 주원인이며 위산은 그 장애를 증강시키는 인자라는 입장으로 바뀌게 되었다(그림 4-3).
- 약제, 특히 비스테로이드성 항염증제 (NSAIDs)에 의한 궤양의 증가가 최근 문제가 되고 있다. 고령화에 의해 NSAIDs가 요통 등에 투여되고, 또 경색예방제로서 아스피린을 복용하는 사람이 증가하고 있기 때문이라고 간주된다.
- NSAIDs는 시클로옥시게나제 (COX)를 저해하고 프로스타글란딘 생산을 억제함으로써 진통, 해열, 소염작용을 발휘한다. 그 작용은 위 · 십이지장에도 미쳐서, 산분비가 항진되며, 위점막 프로스타글란딘의 생산억제로 위점막혈류가 저하된다. 즉, 방어인자가 현저하게 저하되면서 위점막장애가 발생하고 궤양이 형성된다.

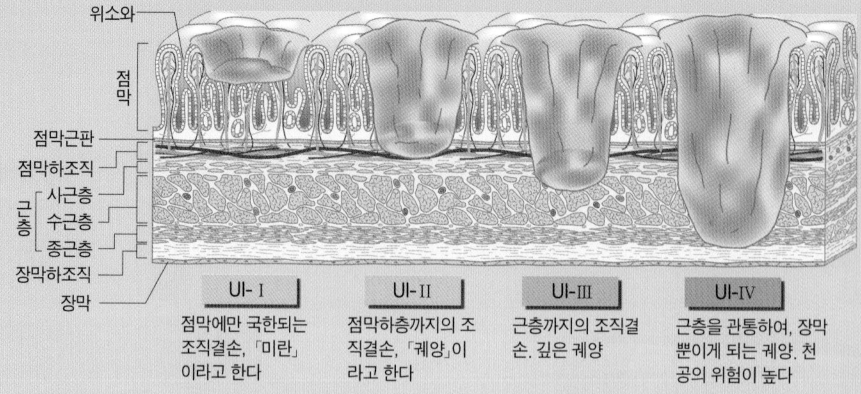

■ 그림 4-1 위 · 십이지장궤양의 병태와 분류

- 급성위점막병변 (acute gastric mucosal lesion ; AGML) 이란, 갑자기 발생하는 위점막을 중심으로 한 이상을 확인하는 증후군의 총칭이며, 출혈을 수반하는 경우가 많다. 다발하는 미란이나 부정형이 얕은 궤양 등을 포함하며, 위 · 십이지장의 어디에서나 일어날 수 있다. 뇌질환 (쿠싱궤양), 열상 (컬링궤양) 등이 오래 전부터 유명하지만, 이 주원인이 되는 것이 NSAIDs로, 그 원인의 60% 이상을 차지하며, 좌약 투여에 일어난다고 알려져 있다.

병인 · 악화인자

- '산이 없다면 궤양도 없다' 라고 알려졌지만, 최근에는 H.pylori와 약물, 특히 NSAIDs가 병인으로 중요시되고 있다.
- 악화인자로는 스트레스, 고령, 알콜, 흡연, 염분 등이 고려된다.

역학 · 예후

- 위 · 십이지장궤양은 무증상인 경우도 있고, 자연치유되는 경우도 적지 않아서 정확한 발증빈도는 불분명하지만, '국민의 10%가 일생 중 한번은 걸린다' 고 할 정도로 높은발생률을 보인다. 위궤양은 40~50대 중년층에 많고, 십이지장궤양은 20~30대의 소아 · 청소년에서 많다. 성별 면에서는 남성 환자수가 여성의 약 2배이다.
- H.pylori 발견 이전에는 궤양은 제산제로 치유되었지만, 약물 투여를 중지하면 재발하는 것이 문제였다. 그러나 H.pylori를 제균함으로써 재발률이 급감하여, 매우 예후가 양호한 질환이 되었다.

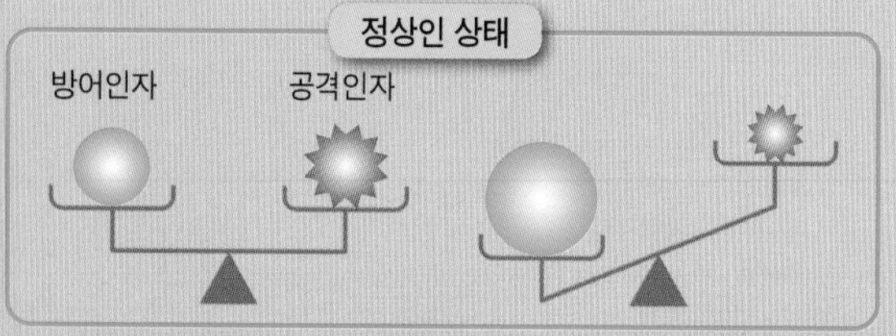

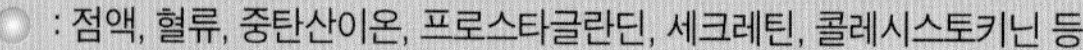

■ 그림 4-2 궤양발생의 밸런스설

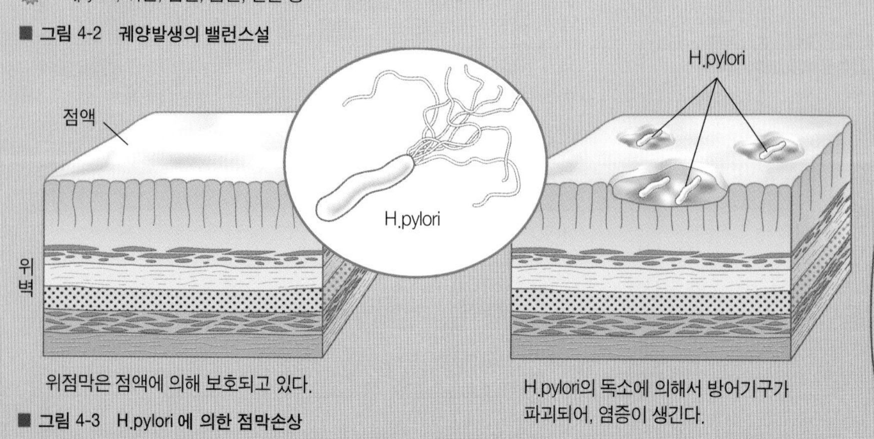

■ 그림 4-3 H.pylori 에 의한 점막손상

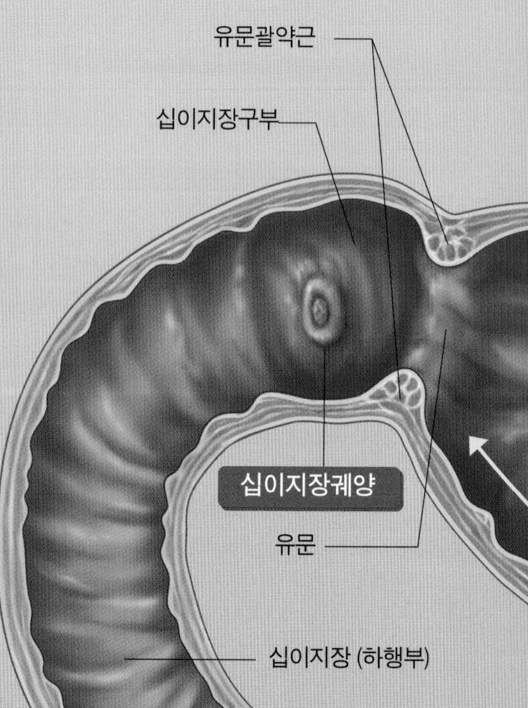

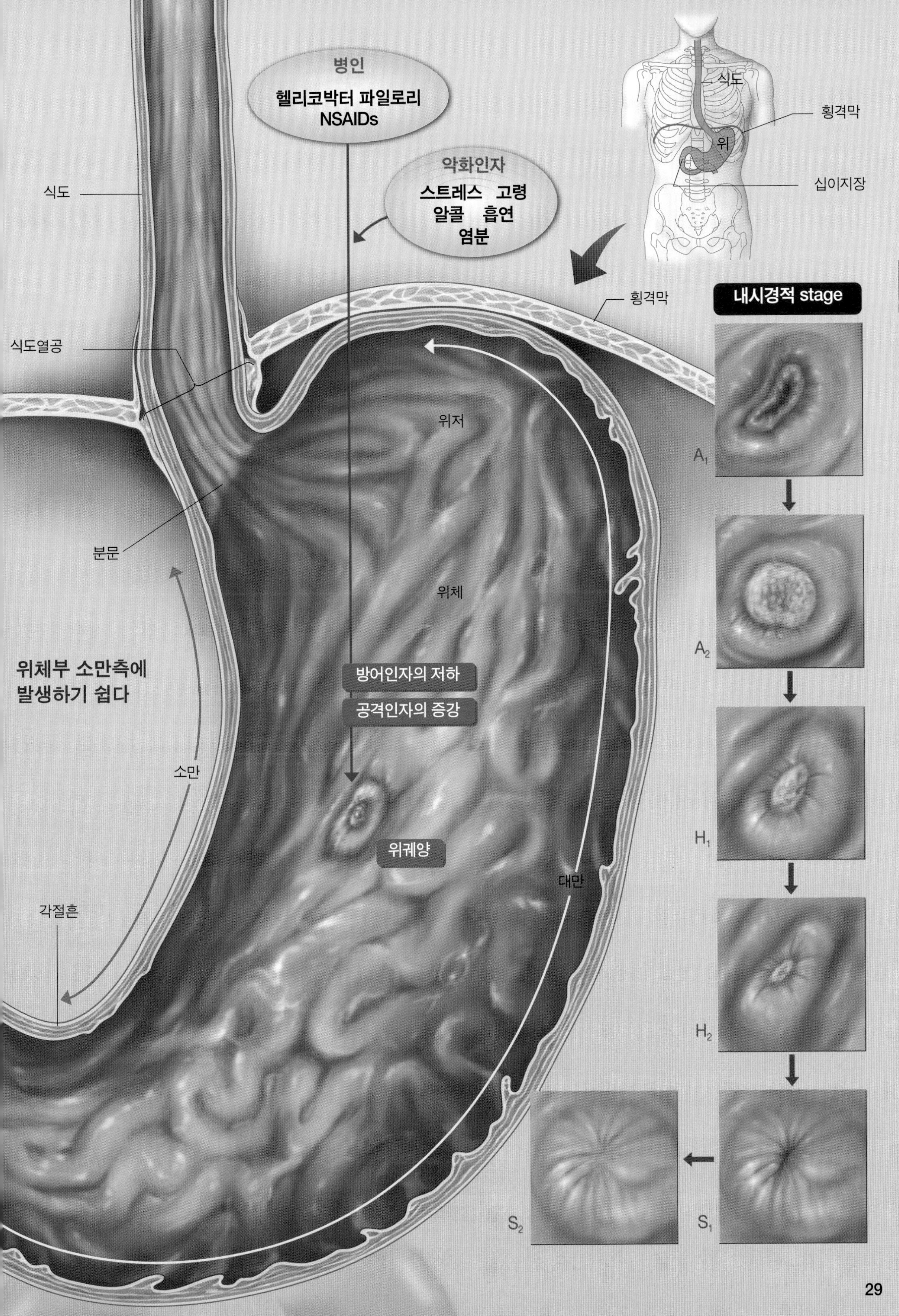

병인
헬리코박터 파일로리
NSAIDs
악화인자
스트레스 고령
알콜 흡연
염분
식도
횡격막
위
십이지장
식도
식도열공
횡격막
내시경적 stage
위저
A1
분문
위체
A2
위체부 소만측에
발생하기 쉽다
방어인자의 저하
공격인자의 증강
소만
H1
위궤양
대만
각절흔
H2
S2
S1

증상map

주증상은 심와부통, 오심 · 구토, 식욕부진이다.

증상

- 심와부통, 오심, 심와부 불쾌감, 가슴쓰림 등이 나타난다. 십이지장궤양에서는 특히 공복시 통증이 수반되며, 출혈이 있으면 토혈, 타르변 등의 증상을 일으킨다. 십이지장궤양은 강산이므로 소아 · 청소년에서 공복시 통증이 있으면 의심해봐야 한다. 신체소견에서는 심와부의 압통이 나타나고, 빈혈이 수반되기도 한다.
- 궤양천공인 경우에는 복막염의 소견, 즉 복막자극증상인 반동압통 (rebound tenderness)가 나타나며, 진행되면 복부는 판처럼 딱딱해진다.

합병증

- 궤양의 3대 합병증은 출혈, 협착, 천공이다.
- H.pylori의 관련질환으로는 위염, 십이지장궤양 이외에 림프종, 위암, 위과형성폴립을 들 수 있다.

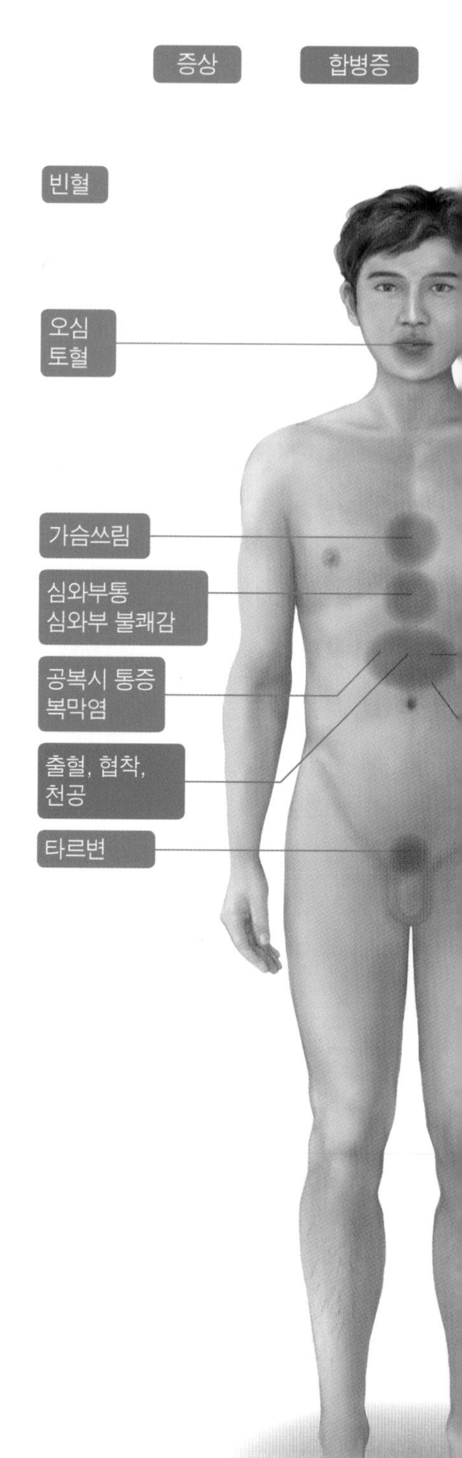

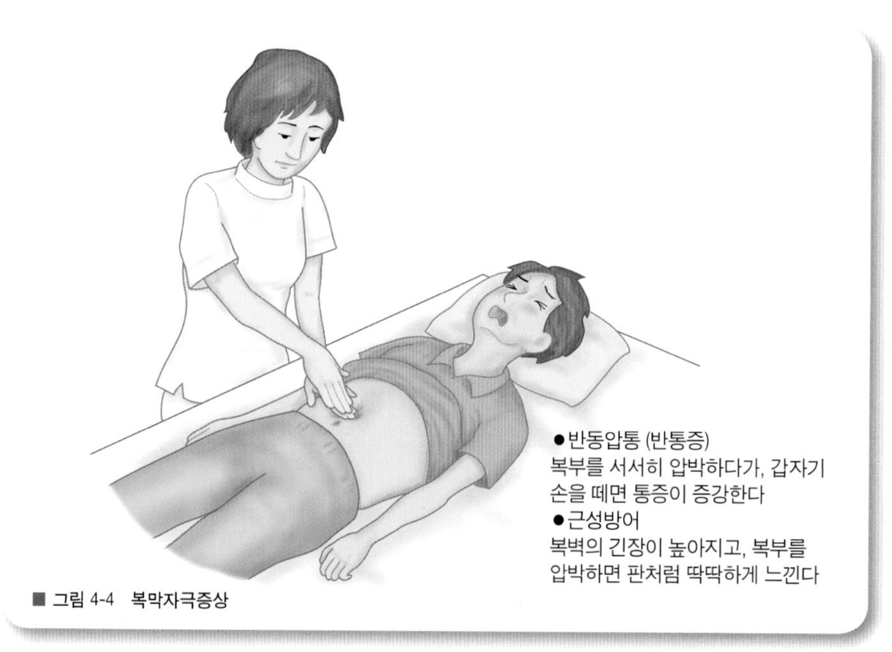

■ 그림 4-4 복막자극증상

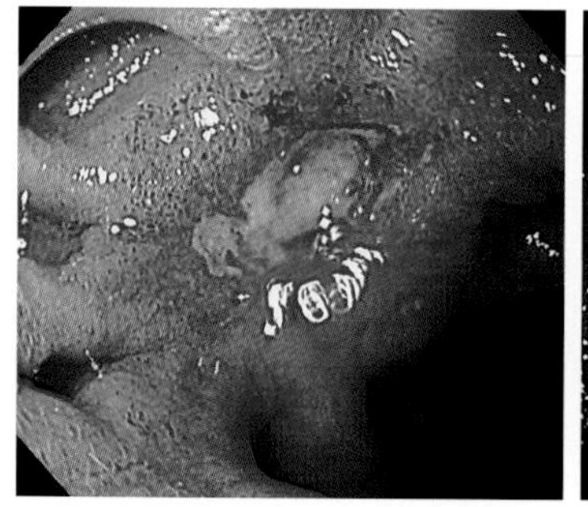
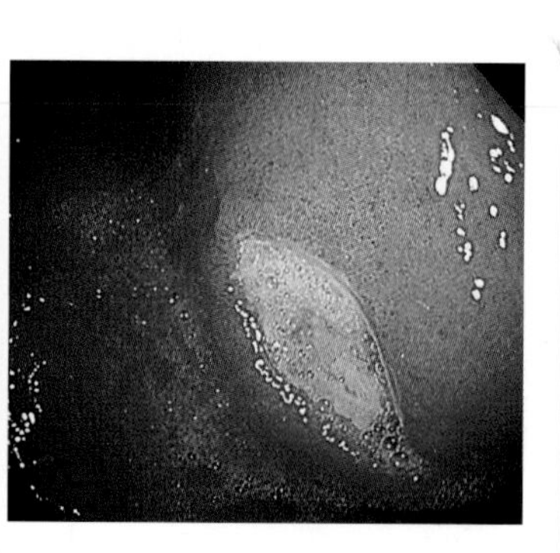
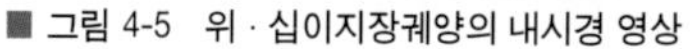

■ 그림 4-5 위 · 십이지장궤양의 내시경 영상

진단map

상부소화관조영검사, 위내시경검사로 진단한다. 암이 의심스러운 경우에는 조직생검을 시행한다.

진단 치료

상부소화관조영검사
위내시경검사

H.pylori 검사

약물요법
외과수술
내시경지혈술
내시경적 확장술

진단 · 검사치

● 궤양의 진단

● 전기의 증상에서 궤양이 의심스러운 경우, 상부소화관조영검사, 위내시경검사로 진단한다.

● 조영은 바륨을 마시게 하는 방법이지만, 출혈, 협착, 천공이 의심스러운 경우는 시행하지 않는다. 최근에는 내시경진단이 일반적이며, 궤양은 내시경적으로 활동기 (A1, A2), 치유기 (H1, H2), 반흔기 (S1, S2)로 분류된다(표 4-1).

● 위궤양의 감별 시에는 암과의 감별이 가장 중요하다. 의심스러운 경우는 조직생검을 시행한다. 그 밖에 암성림프종 등도 감별해야 한다. 일반적으로 부정형 궤양병변이나 집중되는 점막의 이상이 있으면 악성으로 매우 의심된다.

● H.pylori의 진단

● 일본에서는 젊은층의 20~30%, 중년이후의 70~80%에서 양성을 나타낸다. 즉 H.pylori가 존재한다 해서 바로 궤양으로 진행되는 것은 아니다. 선진국에서는 비율이 낮고, 경구감염, 분변감염이 고려된다는 점에서 위생환경, 특히 상하수도의 보급도가 영향을 미치는 것을 감안하면 일본에서는 추후 감염률이 더욱 감소되리라 생각된다.

● 일본의 궤양환자의 경우, NSAIDs궤양 이외에는 H.pylori가 높은 비율로 양성으로 나타낸다. 이 때문에 각종 진단법이 확립되었지만, 보험상은 1법만이 인정된다.

● 검사방법에는 내시경검사 시에 유문전정부 대만과 위체부 대만에서 생검한 조직을 사용하여 검사하는 침습적 검사법과 내시경검사를 필요로 하지 않는 비침습적 검사법이 있다 (표 4-2). 이 밖에는 요중의 항체가, 분변 H.pylori항원측정법도 시행하게 되었다. 현재 어떤 진단법도 100% 확실하다고는 할 수 없지만, 보험이 1법에만 적용되므로 일반적으로 신속 우레아제시험을 시행하여 진단하고, 요소호기시험에서 제균판정을 하고 있는 시설이 가장 많다.

● 고령자궤양의 진단

● 고령자에게는 표4-3에 기술한 특징이 있고, 증상 항목에 나타낸 내용과는 다소 다를 수 있으므로 주의가 필요하다. 특히 여성, 고위궤양, NSAIDs 복용자의 증가가 특징적으로 나타난다.

● 검사치

● 일반적인 소화성궤양에서는 검사치에 이상이 나타나지 않는 경우가 많다. 그러나 출혈이 있으면 철결핍성빈혈이 초래된다. 출혈이 대량이면 요소질소의 증가도 초래된다. 또 천공에 의해 복막염이 발생하면, 백혈구의 증가, CRP의 상승이 확인된다. 천공인 경우는 복부단순X선사진에서 횡격막하에 복강내 유리가스(free air)를 확인한다. 내시경의 검사소견은 진단항목에서 기술하였듯이, 바륨조영상에서 궤양면에 바륨이 확인된다. 이것을 niche라고 한다 (그림 4-6). 또 치유기이면 점막집중상이 확인된다. 십이지장궤양에서는 십이지장구부에 변형이 발생한다.

■ 표 4-1 위궤양의 내시경적 stage 분류 (崎田, 三輪)

활동기 A1	태가 두껍게 붙어 있어서 주위점막부가 부종상으로 부풀고, 재생상피가 전혀 보이지 않는다.
활동기 A2	주위의 부종이 감퇴되고, 궤양연이 명확히 테두리를 두르며, 궤양연에서 재생상피가 약간 나와 있다. 궤양변연의 발적이나 궤양연에 순백의 태대가 보이는 경우가 많다. 궤양연까지 점막주름의 집중을 뒤쫓는 경우가 많다.
활동기 H1	백태가 얇아지지 시작하고, 재생상피가 궤양내로 나오고 있다. 변연부에서 궤양저로의 점막의 경사가 완만해진다. 궤양으로서 점막결손이 확실하고, 궤양연의 선이 명확히 테두리를 두르고 있다.
활동기 H2	H1이 더욱 축소되고, 궤양의 대부분이 재생상피로 덮혀졌지만, 약간 백태가 남아 있다.
반흔기 S1, S2	궤양이 표면을 재생상피로 수복하여 발적반점이 남지만(S1), 좀 더 진행되면 소실된다(S2).

■ 표 4-2 H.pylori 감염진단법

	침습적 검사	비침습적 검사
H.pylori의 균체검출	세균배양	
H.pylori가 갖는 우레아제의 검출	신속 우레아제시험	요소호기시험
기타	조직현미경관찰	혈청항체검사

■ 표 4-3 고령자궤양의 특징

위궤양 (고위위궤양)이 많고, 십이지장궤양이 적다.
여성의 비율이 증가한다.
출혈이나 천공 등의 합병증이 증가한다.
NSAIDs궤양이 많다.
H.pylori음성례가 증가한다.
전형적인 증상을 나타내지 않는 증례가 많다.
기초질환이 있는 경우가 많아서, 중증화되기 쉽다.

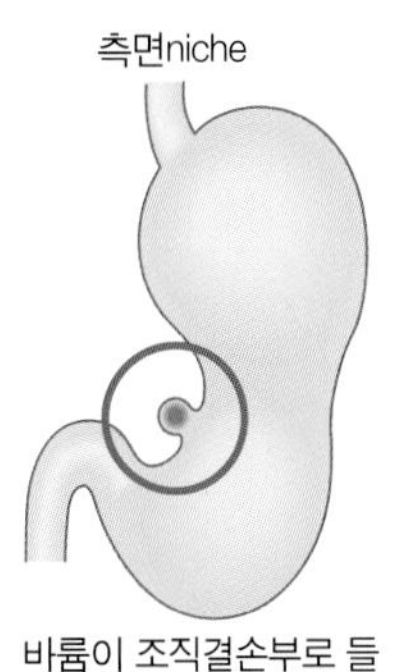

바륨이 조직결손부로 들어가서 음영돌출상이 나타난다.

위점막의 주름이 집중하여 생기는 영상

■ 그림 4-6 niche

치료map

합병증의 유무에 따라서 치료법을 결정한다. 출혈이 있으면 내시경적지혈술을, 천공 · 협착이 있으면 외과수술을 시행한다. 합병증이 없으면 내복치료를 시행한다.

치료방침

- 합병증이 있는 증례는 그 치료를 우선한다. 즉, 출혈이 있으면 내시경적지혈술을 시행한다. 지혈법에는 ① 물리적 방법 (클립), ② 국소주입법 (고장식염수-에피네프린 국소주입), ③ 열응고법 (아르곤플라즈마 응고법, Heat Probe법)이 있는데, 단독 또는 병용으로 시행되며, 90% 이상이 지혈된다. 지혈불능인 증례는 혈관조영을 시행하여, 색전술, 외과수술 등을 적용한다.
- 천공은 기본적으로 외과수술의 적응 대상이지만, 십이지장궤양에서는 보존적 치료 (항균제의 투여)를 하는 경우도 있다.
- 협착에서는 내시경적확장술을 시행하는 경우도 있지만, 외과수술을 하는 것이 일반적이다.

■ 표 4-4 위 · 십이지장궤양의 주요 치료제

분류	일반명	주요상품명	약효발현의 메커니즘	주요 부작용
프로톤펌프억제제	오메프라졸	Omepral, Omeprazon	벽세포의 프로톤펌프를 저해하고, 산분비를 억제한다.	쇼크, 아나필락시스양 증상
	란소프라졸	Takepron		
	라베프라졸나트륨	파리에트		
H_2수용체길항제	시메티딘	타가메트, Cylock	벽세포의 히스타민수용체는 비만세포에서 히스타민에 의해 위산분비자극을 강하게 받는다. 이 히스타민수용체를 억제함으로써 산분비를 억제한다.	쇼크, 아나필락시스양 증상
	라니티딘염산염	잔탁		
	파모티딘	가스터		
	톡사티딘산염 에스테르염산염	Altat		
	니자티딘	Acinon, Nizatoric		
	라프티딘	Protecadin, 스토가		

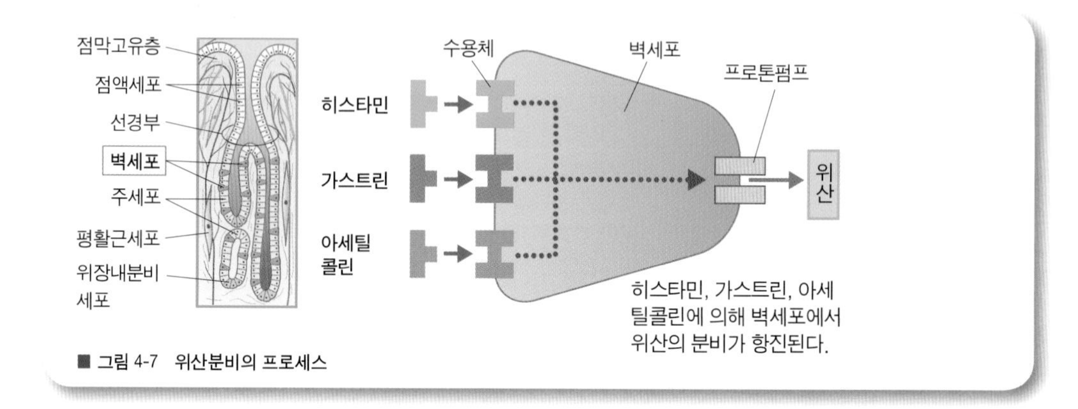

■ 그림 4-7 위산분비의 프로세스

약물요법

- 합병증이 없으면 산분비억제제를 중심으로 약물치료를 실시한다. 위궤양에서는 방어인자증강제를 추가하기도 한다. 산분비억제제로는 프로톤펌프억제제와 H_2수용체길항제가 주체가 된다(표 4-4). 위산분비는 벽세포에서 행해지고, 아세틸콜린, 히스타민, 가스트린의 세가지 수용체가 있다. 히스타민수용체를 억제하는 것이 H_2수용체길항제이다. 프로톤펌프는 최종단계에 있으며, 프로톤펌프억제제는 모든 수용체를 억제함으로써 강한 제산작용을 나타낸다(그림 4-7).
- NSAIDs궤양에서는 가능하면 NSAIDs 투여를 중지하는 것이 최우선이다. 또 프로스타글란딘제, PGE_2의 투여는 NSAIDs궤양에 유효하며, 류머티스관절에서는 예방적 투여가 보험적용이 되고 있다. NSAIDs궤양은 원칙적으로 유지요법을 필요로 하지 않는다.
- H.pylori의 제균에는 프로톤펌프억제제+아목시실린수화물 1,500mg+클래리스로마이신 400mg 또는 800mg이 1차제균제로 사용되었는데, 내성균이 출현하여 유효율이 70% 정도가 되면서, 2007년 가을부터 클래리스로마이신 대신에 메트로니다졸의 사용이 2차제균제로 허가되었다. 이를 투여했는데도 H.pylori의 제균에 실패한 경우에는 H_2수용체길항제의 반량유지요법이 필요에 따라서 행해진다.

Px 처방례 H.pylori제균에서는 다음의 3제병용요법이 실시된다.
- 파리에트정 (10mg) 1~2정 分1~2 ← 프로톤펌프억제제
- Sawacillin캅셀 (250mg) 6캅셀 分2 ← 페니실린계 항균제
- 크래리스정 (200mg) 2정 分2 (아침 · 저녁 식후) ← 마크롤라이드계 항균제

※ 모두 1주간 투여한다. 2차제균에서는 클래리스로 바꾸어, 후라질 (일반명 메트로니다졸) 정 250mg를 사용한다.

Px 처방례 십이지장궤양
- Takepron정 (30mg) 1정 分1 아침 ← 산분비억제제

※ 십이지장궤양의 경우 방어인자증강제는 필요 없다.

Px 처방례 위궤양
- Protecadin정 (6mg) 2정 (아침 · 저녁) ← 산분비억제제

※ H_2수용체길항제의 치유율은 80% 정도, 프로톤펌프억제제에 의한 치유율은 90% 이상이라고 보고되어 있다.
※ 위궤양에서는 방어인자증강제를 병용하기도 한다.

외과치료

- 위 · 십이지장절제술 : 치료방침 항목에서 기술하였듯이, 출혈이 내과적 치료로 관리되지 않는 경우 천공이 발생한 경우와 협착을 해제하지 못한 경우에는 외과수술을 시행하지만, 최근에는 이와 같은 증례가 매우 감소하고 있다.

위 · 십이지장궤양의 병기 · 병태 · 중증도별로 본 치료흐름도

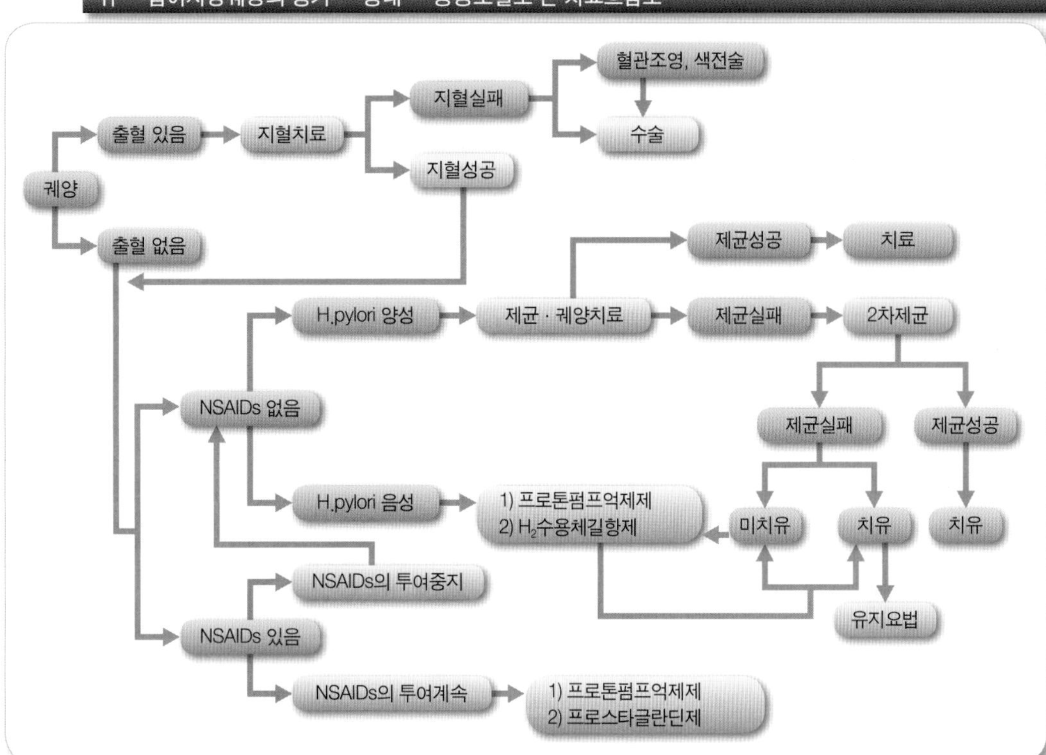

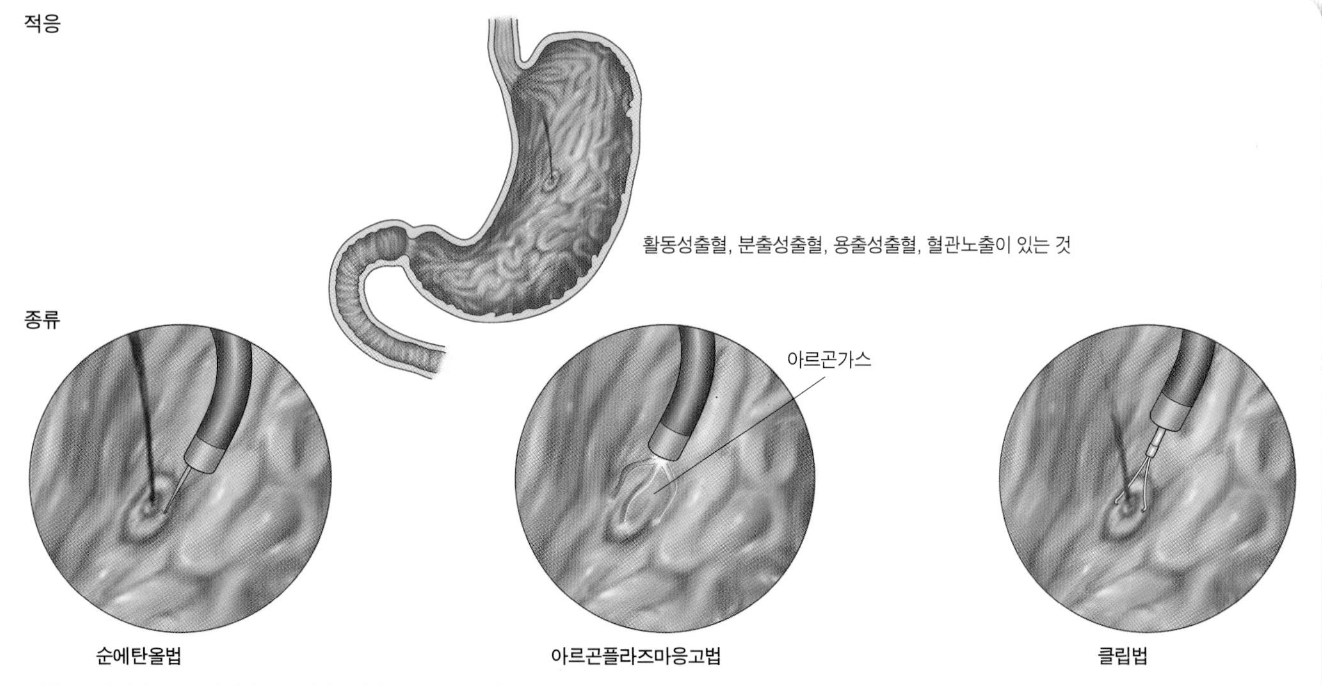

약물국소주입법 : ① 고장식염수-에피네프린법, ② 순에탄올법
열응고지혈법 : ① 고주파전기응고지혈법, ② 레이저법, ③ Heat Probe법, ④ 마이크로파응고지혈법, ⑤ 아르곤플라스마 응고법
기계적 지혈법 : 클립법
약제산포법 : ① 알긴산나트륨 산포법, ② 트롬빈 산포법

■ 그림 4-8　내시경적지혈술

환자케어

출혈, 천공, 협착 등 합병증을 초기에 발견하여 대처한다. 환자 스스로 생활의 재편성을 실행하는 의욕을 가질 수 있도록 지지한다.

병기 · 병태 · 중증도에 따른 케어

【활동기】 산분비억제제의 투여 (프로톤펌프억제제, H_2수용체길항제)와 H.pylori제균치료가 행해진다. 출혈, 천공, 협착 등의 합병증을 조기에 발견하여 대처한다. 통증 · 고통을 완화하는 케어를 제공한다. 출혈성 궤양을 수반하는 경우에는 금식을 포함한 식사관리, 수액관리, 내시경적 지혈법이 필요하다.

【치유기】 약물요법, H.pylori제균치료의 의미를 환자가 충분히 이해하고, 재발방지를 위한 자기관리를 할 수 있도록 지도한다. 환자 자신이 라이프스타일, 행동패턴, 스트레스 등을 반추함과 동시에 자기관리에 대한 의지를 갖는 것이 중요하다.

【반흔기】 치료를 시작해 증상이 개선되어도, 의사로부터 지시받은 기간 동안 약물의 복용을 엄수해야 한다. 제균치료로 H.pylori가 사라져도, NSAIDs를 복용하면 궤양이 생기는 수가 있으므로, 미리 궤양예방제를 복용하여 재발을 방지하는 것도 필요하다.

케어의 포인트

약물요법의 지지
- 위 · 십이지장궤양의 원인이나 재발의 용이함, 약물요법에 관하여 이해할 수 있도록 설명한다.
- 복용에 관하여, 약의 종류와 먹는 횟수, 작용, 부작용, 자기판단으로 중지하지 말 것을 설명한다.
- 환자가 복용하고 있는 약물에 관한 지식을 가지고, 적절한 약물요법을 시행할 수 있도록 설명한다.

출혈시의 지지
- 출혈성쇼크 (혈압저하, 빈맥, 안면창백, 실신)에 신속히 대응한다. 하지를 들어올리는 쇼크체위, 혈관확보, 수액 · 수혈의 관리, 내시경적지혈법을 지지한다.
- 토혈 시는 얼굴을 옆으로 하고, 구토물은 신속히 처리한다. 토혈 후는 냉수로 양치하게 하여 구강 내를 청결하게 유지한다.

천공시의 지지
- 천공증상 (갑작스런 날카로운 복통, 오심 · 구토, 근성방어, 빈맥) 을 확인하면 즉시 주치의에게 연락하고, 활력징후의 관찰, 혈관확보, 수술요법을 통해 지지한다.

유문협착시의 지지
- 협착증상 (심와부통, 복부팽만감. 오심 · 구토)의 관찰, 경비위관을 유치하고 위내용물을 지속 흡인하며, 금식과 수혈관리를 실시한다.
- 심와부통이나 복부팽만감이 있는 경우는 앙와위에서 무릎 아래에 베개 등을 넣고 구부리게 하여, 복벽의 긴장을 완화시킨다.

생활의 재편성
- 생활리듬의 정돈을 환자 자신의 말로 표현하게 하고, 스스로 실행하는 의욕을 가질 수 있도록 지지한다.
- 스트레스 회피나 스트레스의 능숙한 대처에 대하여 함께 생각한다.

퇴원지도 · 요양지도

- 프로톤펌프억제제, H.pylori제균치료제 등, 약물의 복용방법을 지도한다 (양, 방법, 횟수, 작용, 부작용).
- 정기적으로 진찰을 받는 것에 더불어 토혈, 하혈이나 강한 통증 등 합병증 징후가 출현하면 진찰받을 것을 설명한다.
- 매우 매운 음식 등의 자극물을 삼갈 것, 금연, 금주, 1일 3회 규칙적으로 식사할 것을 지도한다.
- NSAIDs, 아스피린의 사용을 삼갈 것을 설명한다.

심와부통이나 복부팽만감

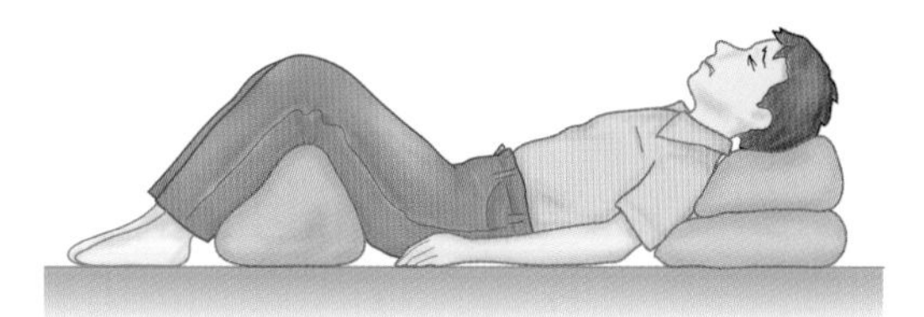

앙와위에서 무릎 아래에 베개 등을 넣고 하지를 구부린다.
벨트 등 복부를 압박하는 것을 치워둔다.

쇼크의 징후 (혈압의 저하, 빈맥, 안면창백)

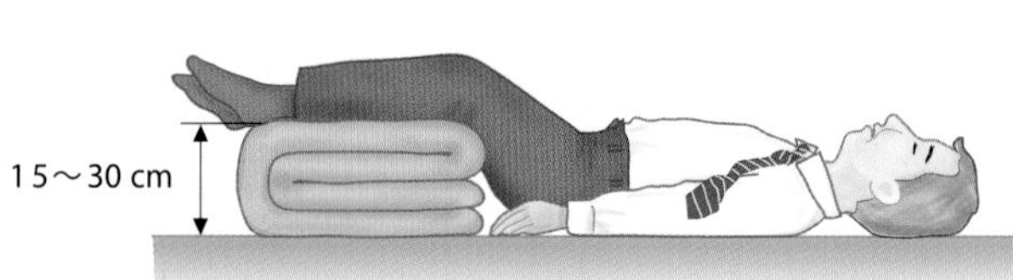

하지 아래에 베개나 담요 등을 넣은 쇼크체위를 취한다.

■ 그림 4-9 심와부통이나 복부팽만감의 완화 , 쇼크체위

(高比良祥子)

5 대장암 (colorectal cancer)

清水紀香 · 杉原健一/竹井留美 · 前川厚子

전체map

병인

- 발암유전자와 암억제유전자의 이상이 관여하고 있다 (다단계 발암)
- 유전성 질환도 있다 (유전성비폴리포시스대장암, 가족성대장선종증)

[악화인자] 연령, 가족력, 흡연, 음주, 식생활

역학

- 암 중에서 대장암 이환율은 남녀 모두에게서 제2위를 차지하고, 사망률은 남성에게는 제3위, 여성에게는 제1위이다.

[예후] 조기암은 예후가 양호하고, 진행됨에 따라서 예후가 불량하다. 대장암 전체의 5년생존율은 70%이다.

병태생리

- 대장점막의 상피세포가 암화 · 증식하여 대장암이 된다.
- 대장암의 발생경로 : 양성 선종 (adenoma)이 발암자극을 받아서 암화하는 경로와 정상점막이 발암자극을 받아서 선종을 통하지 않고 직접 암이 발생하는 경로 (de novo암)이 있다.
- 대장암의 진전 (확대) : 침윤, 림프행성 전이, 혈행성 전이, 복막파종

병태생리 map p.36

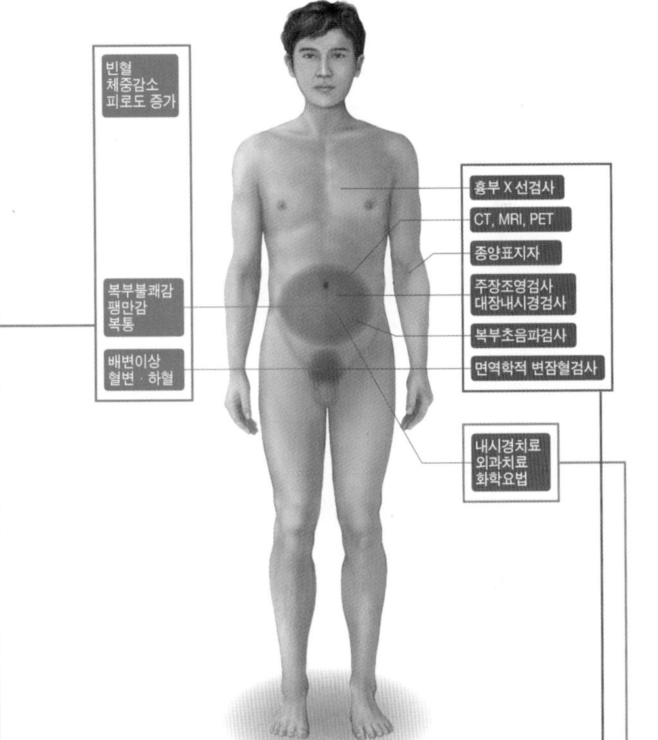

증상

- 조기암에서는 대부분이 무증상이고, 변잠혈반응 검사에서 양성으로 발견되는 경우가 많다.
- 진행되면 복통, 일레우스증상이 나타난다.
- 혈변 · 하혈 : 대량출혈은 드물다.
- 복통 : 진행암에서는 복부불쾌감, 팽만감을 수반하는 둔통이 발생한다.
- 배변이상 (변비 · 설사) : 직장암에서 볼 수 있다
- 빈혈, 체중감소, 피로도 증가

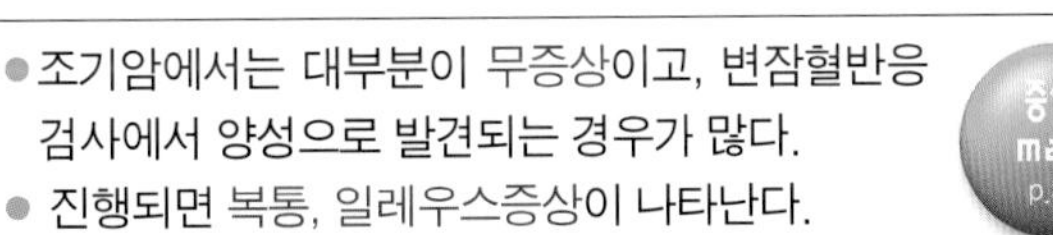

증상 map p.38

[합병증]

- 고령자에게는 호흡기질환, 심질환, 신기능저하, 고혈압, 당뇨병이 발생할 수 있다.
- 술후 합병증으로는 봉합부전, 창상감염, 일레우스가 있다.

진단

- 스크리닝검사 : 대장암 발견에 중요한 검사이다. 면역학적 변잠혈검사에서 1회라도 양성으로 판단되면 정밀검사가 필요하다.
- 정밀검사 : 주장조영검사(암의 존재부위, 심달도, 크기의 평가), 대장내시경검사(병변의 직접관찰과 생검에 의해 진단이 가능하다)
- 치료방침 결정을 위한 검사 : 흉부X선검사, 복부초음파검사, CT, MRI, PET
- 종양표지자 : CEA, CA19-9
- 진행도 (Stage) : Stage 0과 벽심달도가 SM(점막하층) 까지의 Stage Ⅰ는 조기암, MP(고유근층) 이상의 깊이는 진행암으로 분류한다.

진단 map p.39

치료

- 대장암의 치료법은 Stage에 따라서 선택한다.
- 내시경치료 : 조기암에는 폴립절제술 또는 내시경적점막절제술 (EMR)을 시행한다.
- 외과치료 : 내시경치료로 완전절제할 수 없는 조기암과 진행암에는 개복수술 또는 복강경수술로 원발소절제와 림프절곽청을 시행한다.
- 화학요법 : 술후 재발억제와 예후개선을 목적으로 하는 술후 보조화학요법과 절제불능전이 · 재발대장암에 대한 화학요법이 있다.

치료 map p.40

병태생리map

대장암은 대장점막세포에서 발생한다. 점막상피세포가 암화·증식되어 대장암이 된다.

- 대장암의 발생에는 다음 2가지 경로가 있다.
  (1) adenoma-carcinoma sequence설 : 양성 선종 (adenoma)이 발암자극을 받아서 암화되는 경로.
  (2) de novo암설 : 정상점막이 발암자극을 받아 선종을 통하지 않고 직접 암이 발생하는 경로.
- 대장암의 진전에는 침윤, 림프행성 전이, 혈행성 전이, 파종이 있다.
  · 침윤 : 점막에서 발생한 암세포가 장벽의 심층이나 장관에 인접하는 장기로 진전되어 가는 것.
  · 림프행성 전이 : 장관벽 내의 림프관에 암세포가 침입하여, 림프류를 타고 소속림프절로 전이되는 것.
  · 혈행성 전이 : 장관벽 내의 정맥에 암세포가 침입하여, 혈류를 타고 간이나 폐 등의 원격장기에 전이되는 것.
  · 파종 : 장벽을 침윤하여 복강 내에 노출된 암세포가 탈락하면서, 복강 내에 산포되어 복막에 전이되는 것 (복막파종).

병인 · 악화인자

- 암의 발생이나 진전에는 많은 발암유전자나 발암을 억제하고 있는 암억제유전자의 이상이 관여하며, 이것이 축적되면서 발암하게 된다 (다단계 발암). 또 대장암 중에는 유전에 의해서 발생하는 질환이 있으며, 대표적인 것으로 유전성비폴리포시스대장암, 가족성대장폴리포시스가 있다.

역학 · 예후

- 전체 악성종양에서 대장암 이환율은 남녀 모두에게 제2위이고, 대장암 사망률은 남성에게는 제3위, 여성에게는 제1위로, 이환수, 사망수 모두 계속 증가하고 있다.
- 진행도가 조기일수록 예후가 양호하다. 점막내암 (Stage 0)은 내시경적으로 완전절제함으로써 치유할 수 있다. 대장암 전체의 누적 5년 생존율은 약 70%이지만, 암이 진행됨에 따라서 예후가 나빠지고, 수술을 통한 치유절제를 할 수 없는 증례에서는 예후가 불량하다.

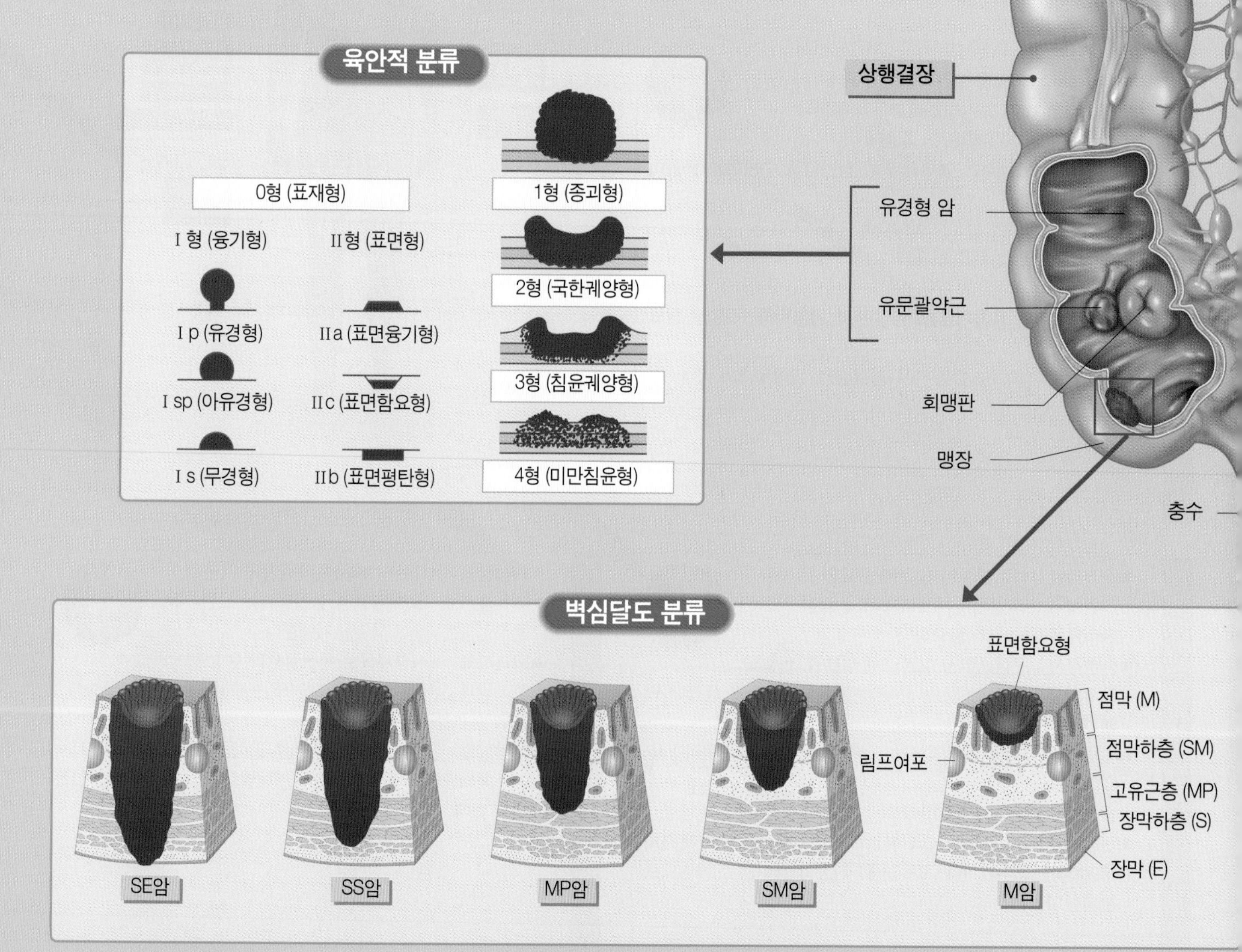

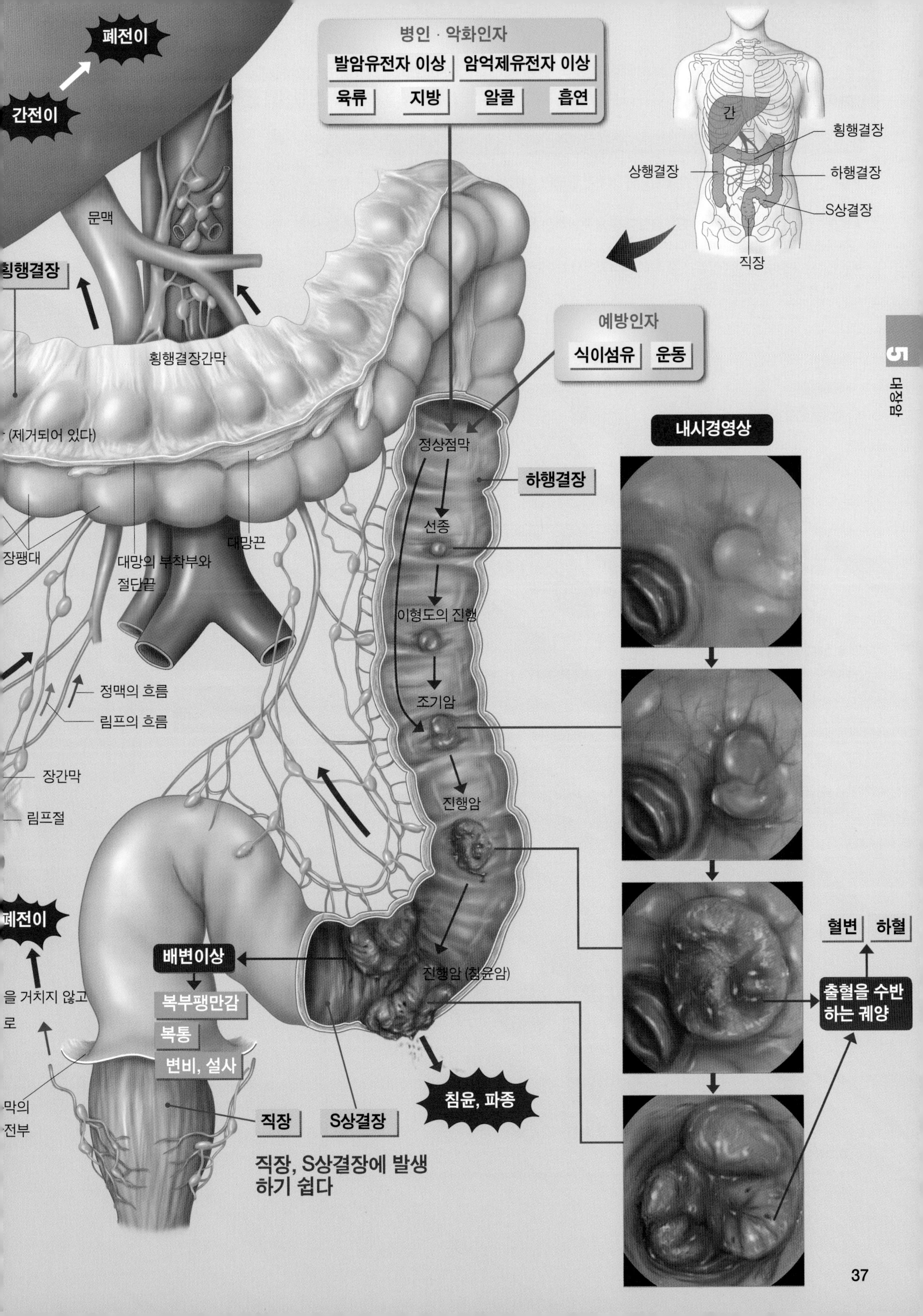

폐전이
간전이
병인 · 악화인자
발암유전자 이상
암억제유전자 이상
육류
지방
알콜
흡연
간
횡행결장
상행결장
하행결장
S상결장
직장
문맥
횡행결장
횡행결장간막
예방인자
식이섬유
운동
(제거되어 있다)
정상점막
하행결장
내시경영상
선종
장팽대
대망의 부착부와
절단끝
대망끈
이형도의 진행
정맥의 흐름
림프의 흐름
조기암
장간막
진행암
림프절
폐전이
배변이상
복부팽만감
복통
변비, 설사
진행암 (침윤암)
을 거치지 않고
로
혈변
하혈
출혈을 수반
하는 궤양
침윤, 파종
막의
전부
직장
S상결장
직장, S상결장에 발생
하기 쉽다
5
대장암

증상map

대장암의 증상은 암의 발생부위에 따라서 다르다. 조기암에서는 대부분이 무증상이어서, 변잠혈반응검사 양성판정을 계기로 발견되는 경우가 많다. 진행되면 복통, 일레우스증상을 일으킨다.

증상

- 혈변 · 하혈 : 소량의 혈액이 변에 섞이는 경우가 많으며, 대량출혈은 드물다. 종양부위가 항문에 가까울수록 선혈상태가 된다.
- 복통 : 진행암에서는 복부불쾌감, 팽만감 등을 수반하는 둔통이 많으며, 장관강이 협착되면 일레우스에 의한 복통이 일어난다.
- 배변이상 (변비, 설사) : 진행암 중 특히 직장암에서 보이는 증상이다.
- 빈혈, 체중감소, 피로감 증가

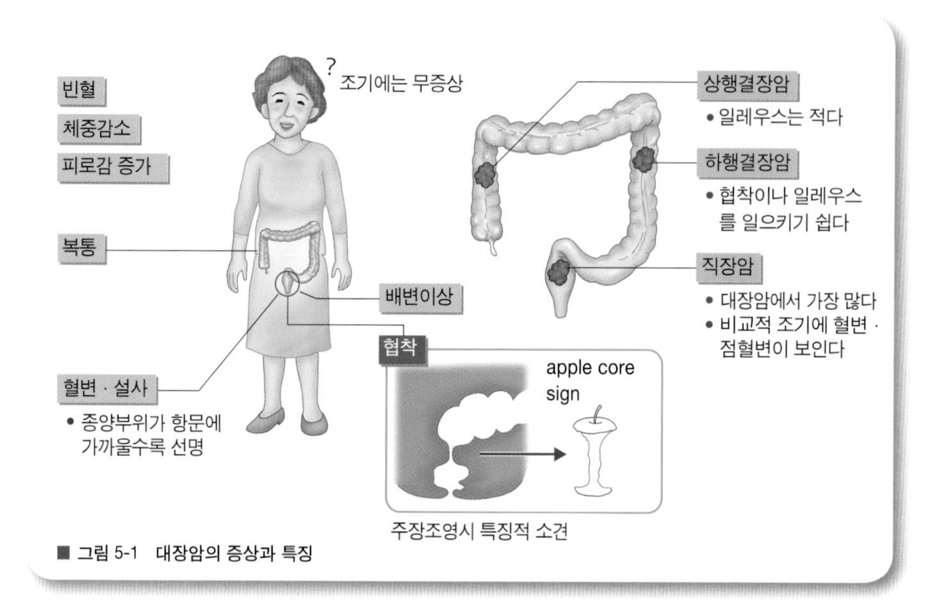

■ 그림 5-1 대장암의 증상과 특징

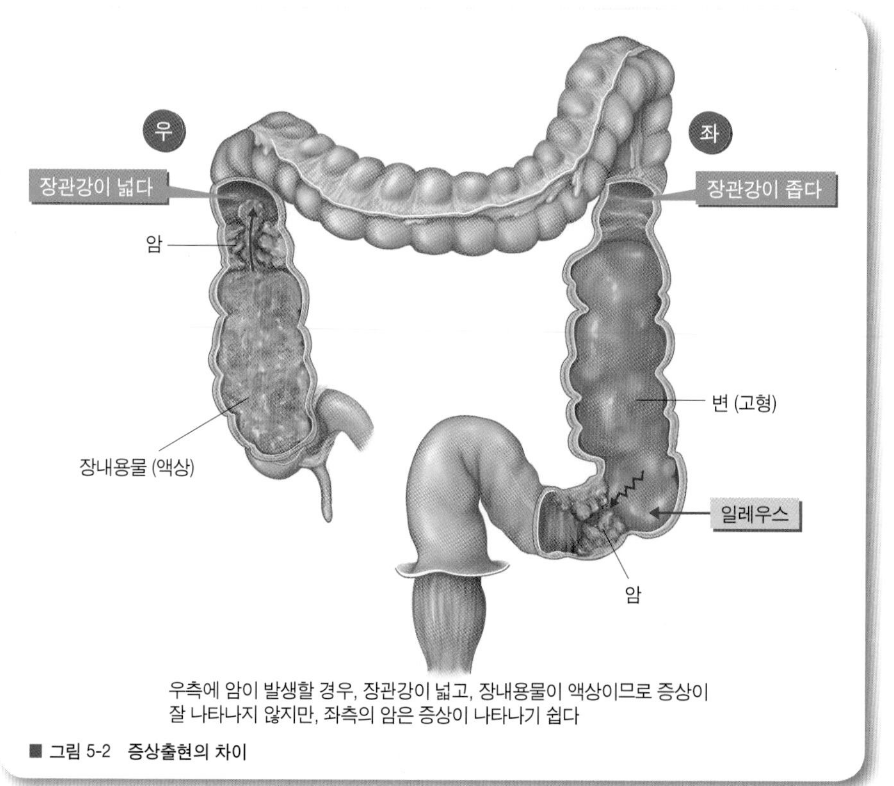

■ 그림 5-2 증상출현의 차이

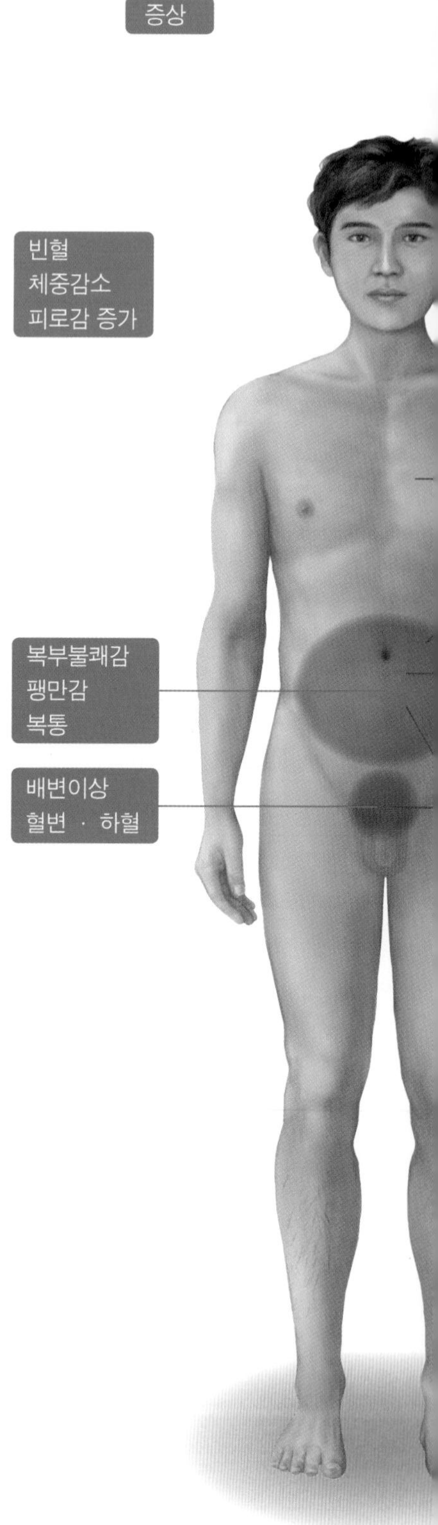

스크리닝검사로 면역학적 변잠혈검사를, 정밀검사로 주장조영검사, 대장내시경검사를 시행한다.

진단　치료

흉부 X 선검사
CT, MRI, PET
종양표지자
주장조영검사
대장내시경검사
복부초음파검사
면역학적 변잠혈검사

내시경치료
외과치료
화학요법

진단 · 검사치

● 대장암에 행해지는 검사

(1) 대장암의 스크리닝검사

· 면역학적 변잠혈검사 : 대장암의 1차 스크리닝검사로 시행된다. 1회라도 양성으로 판정된 경우, 정밀검사를 위해 주장조영검사나 대장내시경검사를 실시한다. 진행암에서도 혈변을 자각하지 않는 증례가 많기 때문에, 대장암 발견을 위한 중요한 스크리닝검사이다.

(2) 대장암치료전의 정밀검사

· 주장조영검사 : 암의 존재부위, 심달도, 크기의 평가나 주위장기와 위치파악에 사용한다.

· 대장내시경검사 : 병변을 직접 관찰하고, 크기, 심달도의 평가나 생검에 의한 진단을 내릴 수 있다. 또 조기암에 내시경적절제술을 시행할 수 있다.

(3) 치료방침을 결정하기 위한 검사

· 대장암이라고 진단한 후에 치료방침을 결정하기 위해서, 림프절전이, 간전이 · 폐전이 등의 원격전이의 유무나 술후의 재발진단에 이용한다.

· 흉부X선검사 : 폐전이의 유무 평가.

· 복부초음파검사 : 간전이의 유무 평가.

· CT : 대장암과 주위장기의 관계, 림프절전이, 간전이 · 폐전이, 원격전이의 유무 평가.

· MRI : 간전이의 평가나 특히 직장암에서는 주위로의 암의 확대, 림프절전이의 평가.

· PET : 원격전이의 유무, 술후 재발병변의 유무 평가.

● 검사치

● 종양표지자 : 주로 CEA, CA19-9를 이용한다. 암 진단후 진행도의 추정이나 술후 모니터링, 재발의 유무평가에 이용한다.

● 진행도 (Stage)

● 암의 진행도는 병기 (Stage)에서 나타난다 (표5-1). Stage는 벽심달도, 림프절전이, 간전이, 복막파종, 간 이외의 원격전이의 정도 (표5-2)를 이용하여 분류한다. Stage 0 또는 Stage 1에서 벽심달도가 SM까지인 것은 조기암, MP이상의 깊이는 진행암으로 분류된다.

■ 표 5-1　대장암의 진행도 (Stage)

	H0, M0, P0			H1, H2, H3, M1 P1, P2, P3
	N0	N1	N2, N3	M1 (림프절)
M	0			
SM MP	I	Ⅲ a	Ⅲ b	Ⅳ
SS, A SE SI, AI	II			

0 : 암이 점막 속에 머물러 있다.
I : 암이 대장벽에 머물러 있다.
II : 암이 대장벽의 바깥까지 침윤되어 있다.
Ⅲ : 림프절전이가 있다.
Ⅳ : 혈행성 전이 (간전이, 폐전이) 또는 복막파종이 있다.
(대장암연구회편 : 대장암취급규약 2006년 3월【제7판】, p.16, 금원출판, 2006)

■ 표 5-2　대장암의 진행도 (Stage) 를 결정하는 요소

벽심달도	M : 암이 점막에 머문다. SM : 암이 점막하층에 머문다. MP : 암이 고유근층에 머문다. 〈장막이 있는 부위〉 SS : 고유근층을 넘지만 장관장막 표면에 노출되지 않는다. SE : 암이 장막표면에 노출된다. SI : 암이 직접 인접장기에 침윤되어 있다. 〈장막이 없는 부위〉 A : 암이 고유근층을 지나서 침윤되어 있다. AI : 암이 직접 타장기에 침윤되어 있다.
림프절전이	N0 : 림프절전이가 확인되지 않는다. N1~N3 : 림프절전이를 확인한다. 개수와 전이부위로 분류된다.
간전이	H0 : 간전이가 확인되지 않는다. H1~H3 : 간전이가 확인된다. 개수와 크기로 분류된다.
복막파종	P0 : 복막전이가 확인되지 않는다. P1~P3 : 복막전이가 확인된다. 개수와 전위부위로 분류된다.
원격전이	M0 : 원격전이가 확인되지 않는다. M1 : 원격전이가 확인된다.

(대장암연구회편 : 대장암 취급규약 2006년 3월【제7판】, p.10-15, 금원출판, 2006을 참고로 작성)

대장암

치료map

Stage 분류에 따라서 내시경적 치료, 외과치료, 화학요법을 선택한다.

치료방침

● 대장암의 치료방법은 Stage에 따라서 선택한다. 치료법에는 내시경적 치료, 외과치료, 화학요법이 있다.

내시경적 치료

● Stage 0, Stage 1의 SM 경도 침윤암으로 2cm 미만의 조기암에 행해진다. 폴립절제술, 내시경적 점막절제술 (EMR)이 있다. 합병증으로는 출혈, 천공이 있다.

Key word

● 폴립절제술 (Polypectomy)

폴립을 절제하는 방법을 말하는데, 일반적으로 내시경적 고주파 스네어 (윤상의 와이어에 고주파를 보내어 교액 절제하는 전기메스)에 의한 폴립절제술을 가리키는 경우가 많다.

● 스토마

작은 구멍, 루 (瘻 : 강이나 관, 또는 강이나 관과 체표의 인공적인 개구부)를 말한다. 일반적으로 장내용이나 요(尿)의 인공배설공 (인공항문, 인공뇨 배출구)을 가리키는 경우가 많다.

■ 표 5-3 대장암의 주요 치료제

분류	일반명	주요 상품명	약효발현의 메커니즘	주요 부작용
대사길항제	플루오로우라실	5-FU	세포내 효소에 길항하여 작용한다.	골수억제
	테가푸르 · 우라실	유에프티		
백금제제	옥살리플라틴	Elplat	암세포의 분열을 저해한다.	급성신부전
토포이소메라제억제제	이리노테칸염산염수화물	캄토푸, Topotecin	DNA합성을 저해한다.	골수억제, 설사
환원형 엽산제	폴리네이트칼슘	로이코보린	세포의 핵산합성을 재개하게 한다.	쇼크, 아나필락시스양 증상

외과치료

● 내시경치료로 완전 절제할 수 없는 조기암과 진행암에는 수술을 하는 것이 원칙이다. 수술치료의 기본은 원발소절제와 진행도에 따른 림프절곽청이다. 수술방식에는 개복수술과 복강경수술이 있다.

【수술치료방침】

● 결장암 : 장관절리거리는 종양에서 5~10cm로 하고, 장관절제후 장관을 문합한다. 술식은 종양의 부위별로 S상결장절제술 (S상결장암), 횡행결장절제술 (횡행결장암), 우측결장반절제술 (우측결장암), 좌측결장반절제술 (좌측결장암), 회맹부절제술 (주로 맹장암)이 행해진다(그림 5-3).

● 직장암 : 직장암수술은 술후에 배변 · 배뇨 · 성기능에 영향을 미친다. 특히 하부직장암인 경우, 종양에서 항문연까지의 거리와 종양의 진행도에 따라서 항문을 온전히 보존할 수 있는가의 여부에 따라서 수술방식이 결정된다.

● 전방절제술 : 암이 항문에서 떨어져 있을 때에 시행하고, 항문은 온전히 보존된다. 직장을 절리한 후, 잔존직장과 결장을 문합한다 (그림 5-4).

● 직장절단술 (Miles수술) : 암이 항문 근처에 있어서 항문을 온전히 보전할 수 없을 때에 행해지며, 인공항문 (스토마)을 조설하게 된다 (그림 5-5). 술후 스토마를 관리한다.

● 골반내장기전적출술 : 직장암이 고도로 진행되어, 전립선이나 방광에 침윤되어 있는 증례에 행해진다. 직장, 항문 외에 방광도 절제하므로, 요로계의 재건을 위해서 회장도관을 조설한다. 변과 요의 배출경로를 재건하므로, 스토마가 2군데가 된다.

● 직장국소절제술 : 내시경적절제를 할 수 없는 조기암에 행해지고, 암과 암주위 조직만을 절제한다.

● Stage Ⅳ 대장암 : 원격전이가 수반되지만, 원발소, 원격전이소 모두 절제가 가능한 경우는 원발소절제 후에 원격전이소의 절제를 고려한다. 또는 원발소, 원격전이소를 한번에 절제한다.

● 재발대장암 : 재발장기가 1장기로서 완전절제가 가능하면, 적극적으로 절제를 고려한다.

【복강경하수술】

● 복부에 여러 개 구멍을 뚫고, 탄산가스를 주입하여 복강내를 팽팽하게 하여 수술공간을 만든 후, 구멍으로 복강경이나 겸자를 삽입하여 모니터화면을 보면서 시행하는 수술이다.

● 크게 개복하지 않고 복부에 소절개를 하는 것만으로 가능하며, 술후 통증이 경도이고, 회복이 빠른 것이 이점이다.

● 결점은 수술시간이 개복수술보다 길고, 기구 등이 고액이라는 점, 기술 습득에 시간을 요하는 점이다.

【술후 합병증】

● 봉합부전 : 술후 3~4일에 발생하는 경우가 많으며, 발열, 복통, 드레인배액의 성상에 주의해야 한다. 증상발생 후에는 금식을 실시하고, 항생물질을 투여하여 복막염의 정도에 따라서 개복배액술, 인공항문조설술 등의 외과적 처치를 한다.

● 창상감염 : 술중 장내세균에 의한 창상오염이 원인으로 일어난다. 발열, 창부발적, 통증의 유무 관찰이 중요하다.

● 일레우스 : 술후 장관의 유착으로 인한 유착성일레우스와 장간마비로 인한 마비성일레우스가 있다. 배출가스, 배변, 복부팽만, 오심 · 구토, 복통의 유무에 주의하고, 복부단순X선검사로 체크한다.

화학요법

● 술후 보조화학요법과 Stage Ⅳ 절제불능 대장암, 절제불능 재발대장암에 시행하는 화학요법이 있다.

● 술후 보조화학요법 : 술후 재발을 억제하고 예후를 개선할 목적으로 술후에 시행하는 전신화학요법이다. 플루오로우라실+폴리네이트칼슘주사 (RPMI), 경구항암제 테가푸르 · 우라실 (유에프티)+폴리네이트칼슘(LV), 경구항암제 카페시타빈 (젤로다)이 표준치료이다.

● 절제불능 대장암 · 재발대장암에 대한 화학요법 : 종양증대를 지연시키고 증상을 관리하는 것이 목적이다. 일본에서 사용가능한 레지먼은 다음과 같다.

· FOLFOX : 지속정주 플루오로우라실/폴리네이트칼슘+옥살리플라틴

· FOLFILI : 지속정주 플루오로우라실/폴리네이트칼슘+이리노테칸염산염 수화물

· IFL : 급속정주 플루오로우라실/폴리네이트칼슘+이리노테칸염산염 수화물

· 경구항암제 : 테가푸르 · 우라실/폴리네이트칼슘

여기에 분자표적치료제인 베바시즈맙 (아바스틴) 이나 세툭시맙 (얼비툭스) 을 추가하기도 한다. 상기 외에 간전이소로 직접 항암제를 투여하는 간동주요법이 있다. 전이가 간에만 있어서 수술로 근치절제를 할 수 없는 경우에 행해진다.

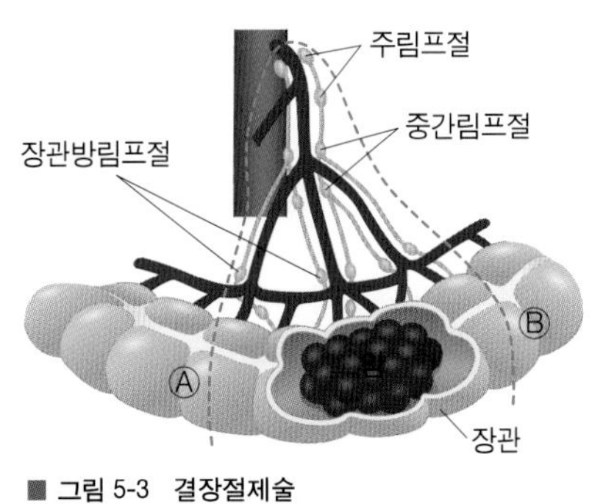

파선의 범위를 부채꼴로 절제하여 Ⓐ와 Ⓑ를 문합한다.

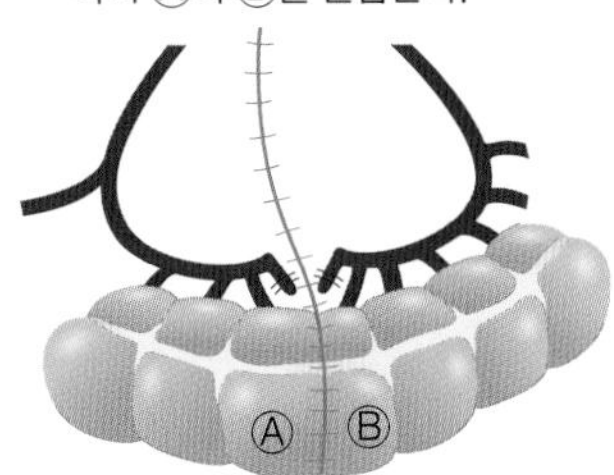

■ 그림 5-3 결장절제술

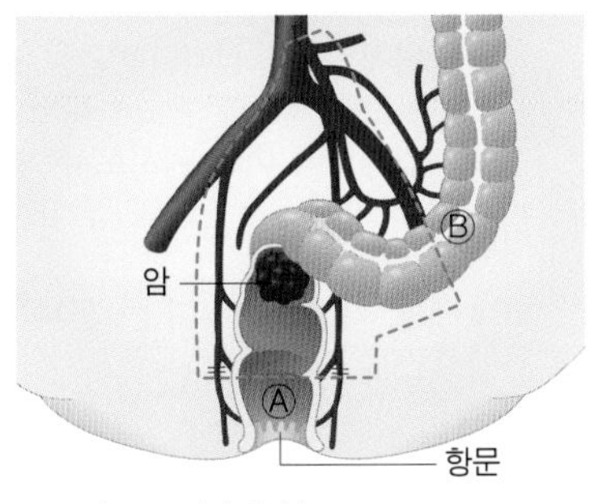

항문을 남길 수 있는 경우에 시행한다. 장관과 혈관을 절제하고, Ⓐ와 Ⓑ를 문합한다.

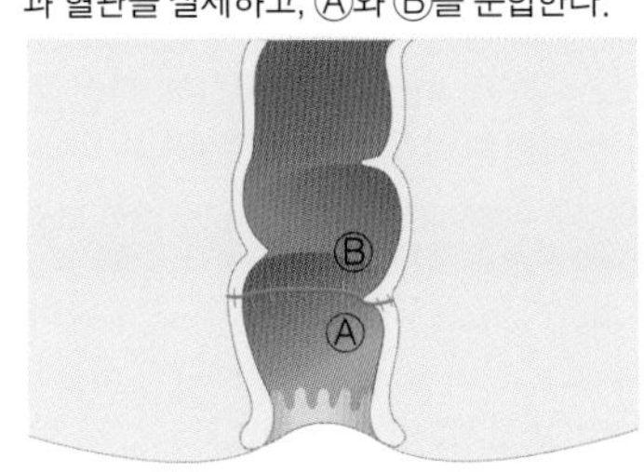

■ 그림 5-4 전방절제술

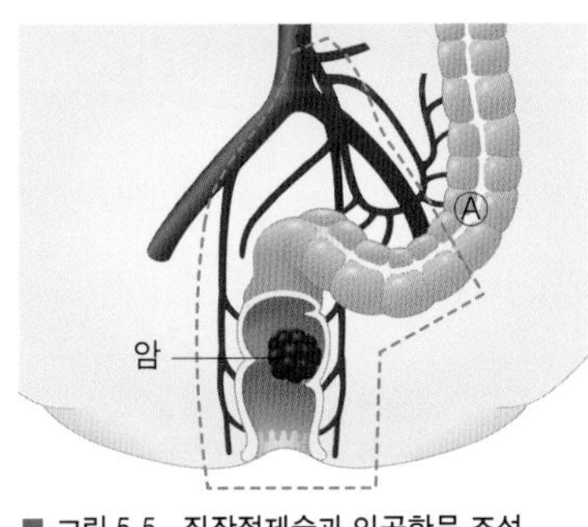

Ⓐ

암이 항문에 가까운 경우는 항문도 절제하지 않을 수 없다. 그 경우, Ⓐ를 복벽에 고정시키고 인공항문을 조설한다.

■ 그림 5-5 직장절제술과 인공항문 조설

대장암의 병기 · 병태 · 중증도별로 본 치료흐름도

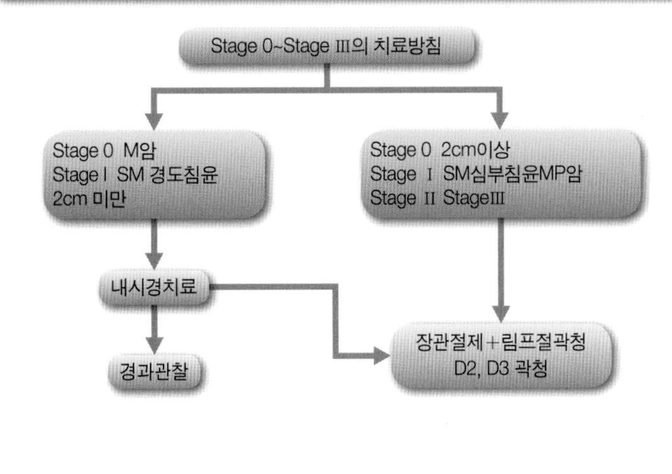

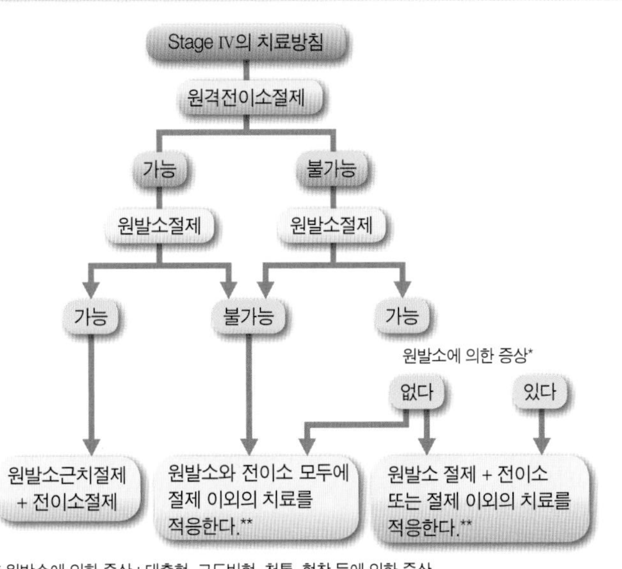

* 원발소에 의한 증상 : 대출혈, 고도빈혈, 천통, 협착 등에 의한 증상
**절제 이외의 치료 : 원발소완화수술, 화학요법, 방사선요법 등

(대장암 연구회편 : 대장암 치료가이드라인 의사용 2009년판, p.10, 13, 16, 금원출판, 2009 개편)

(清水紀香 · 杉原健一)

환자케어

대장암수술에 수반하여 스토마조설술이 행해지는 경우에는, 스토마 관련 합병증의 예방과 셀프케어에 대한 지지가 중요하다.

병기 · 병태 · 중증도에 따른 케어

【술전】 초기에는 무증상으로 경과하는 경우가 많으며, 진행됨에 따라 부위에 따라서 다른 증상이 나타나므로, 병소와 증상을 파악하여 그에 적절한 케어를 제공해야 한다. 또 빈혈이 나타나거나 전신의 영양상태가 저하되면, 술후 합병증의 위험성이 높아진다는 점에서, 술전의 전신관리에 대한 케어가 필요하다. 통과장애가 심한 경우는 금식이나 수액관리 등의 치료가 행해지므로, 치료에 대한 환자의 불안이나 스트레스를 파악하고, 치료의 중요성을 이해할 수 있도록 지지해야 한다. 스토마조설이 예정되어 있는 경우는 술전부터 스토마수용에 적합한 지지를 시작한다.

【술후】 전신마취나 개복술과 관련된 술후 합병증에 추가하여, 직장암 수술 후에는 배뇨 · 배변장애 등의 합병증이 발생할 가능성이 높아서, 장애의 수용에 대한 심리적 케어나 QOL향상에 대한 지지도 중요하다. 스토마조설술이 행해진 경우는 합병증이나 스토마의 수용을 촉구하도록 지지해야 한다.

【회복기】 스토마를 조설한 경우, 배설경로의 변경이나 라이프스타일의 변경, 스토마관리 등으로 인해 환자가 느끼는 불안은 끝이 없다. 환자 · 가족의 기분을 충분히 고려하고, 퇴원 후의 생활에 자신감을 가질 수 있도록 지지한다. 가족의 협력체제를 배려함과 더불어, 사회자원의 활용을 검토한다.

케어의 포인트

【술전】

신체에 대한 케어

- 빈혈로 인한 전도의 위험이나 피로감이 증가하는 상태를 고려하여 셀프케어를 지지한다.
- 암에 의한 통과장애의 정도를 이해하고, 경구섭취 상황과 복부증상을 관찰한다. 통과장애가 심한 경우는 환자 · 가족에게 식사제한에 관한 이해를 촉구하고, 적절한 치료행동을 취할 수 있도록 지지한다.
- 빈혈악화나 영양상태 저하 등, 술전부터 실시하는 치료의 필요성에 관하여 설명하고, 적절한 치료행동을 촉구한다.
- 술전 처치인 설사제 복용이나 장관세척의 필요성과 주의사항을 설명하고, 처치에 의한 고통뿐 아니라 중증 상태에 대해서도 예방적인 행동을 취할 수 있도록 지지한다.
- 스토마조설술이 예정된 경우는 환자의 생활배경을 고려한 스토마 사이트 마킹이 필요하다.

【술후】

술후 합병증의 조기발견, 조기치료에 대한 지지

- 수술방식에 따라서 합병증이 다르므로 합병증을 이해하고 관찰 포인트를 파악하여 적절한 지지로 연결해 간다.
- 스토마의 합병증인 상처입기 쉬운 스토마에는 술후용 장비를 부착하고, 관찰이 용이한 투명한 채변주머니를 사용하는 등의 연구를 시행한다. 또 장비교환 시에 스토마 주변을 주의깊게 관찰하는 등 합병증의 조기발견에 힘쓴다.

스토마관리에 관한 지지

- 영구스토마 조설인 경우는 사회자원의 활용을 위해 신체장애자 수첩의 신청수속을 하도록 설명한다.
- 스토마의 장비교환에 관해서는 환자의 상황에 맞추어 단계적으로 설명하고, 가족의 협력을 구할 수 있도록 돕는다.
- 스토마관리에 가족이 안고 있는 생각에 공감하면서, 가족에 대한 케어를 고려하며 지지한다.

환자 · 가족의 심리 · 사회적 문제에 대한 지지

- 암을 선고받은 환자 · 가속의 심리 · 사회적인 문제를 파악한다.
- 스토마조설을 선고받은 환자 · 가족을 술전부터 퇴원 후의 생활에 맞추어 계속적인 시점에서 지지한다.
- 배변관리가 불량한 경우는 배변에 관한 수치심이나 고통이 고려되므로, 환자의 자존심을 존중하면서 대한다.
- 스토마를 보유하면서 신체상(body image)의 변화나 라이프스타일의 재구축이 부득이하게 발생하고, 불안이 증대된다. 구체적인 이미지화가 가능하도록 설명하여, 불안을 해소할 수 있도록 지지한다.

퇴원지도 · 요양지도

- 스토마를 보유한 경우, 퇴원 후의 생활을 예측하기 어려운 불안한 상황에 놓이게 된다. 환자가 스토마를 보유한 생활에 익숙해지도록 입원 중의 외출체험 등을 통해 퇴원 후의 생활을 상정하여 지지를 제공한다.
- 퇴원후 상담을 위해서, 스토마 전문외래나 환자모임 등의 지지체제를 소개한다.
- 입원 전과 비슷한 생활을 영위하기 위하여 사회와의 접점을 계속 유지하도록 하고, QOL향상을 목표로 지지한다.
- 환자모임 등을 소개하고, 같은 질환이나 장애를 안고 있는 환자끼리 고민 등의 생각을 서로 표출하는 모임 등, 생활에 대해 배우는 장으로서 활용할 수 있도록 정보를 제공한다.
- 재발의 조기발견을 위해서, 정기적인 외래진찰이나 검사의 필요성을 지도한다.
- 보조화학요법이 행해지는 경우, 퇴원 후도 계속되는 치료나 전이에 대한 불안 등으로 인해 환자 · 가족은 여러 걱정을 하게된다. 환자 · 가족이 치료나 앞으로의 생활에 대해 의욕을 높일 수 있도록하는 지지가 필요하다.

(竹井留美 · 前川厚子)

스토마 위치결정의 원칙과 포인트

※ 표준체형인 경우

- 배꼽보다 낮은 위치
- 복직근을 관통하는 위치
- 복부지방층의 정점
- 피부의 주름이나 반흔, 상전장골극 근처를 피한 위치
- 환자 자신이 볼 수 있어서 셀프케어가 용이한 위치
- 주위에 스토마 장비의 면판을 붙이는 평면을 확보할 수 있는 위치
- 허리선보다 아래 위치로서, 벨트나 하의의 고무밴드과 겹치지 않는 위치
- 체형, 직업이나 취미 등, 환자개별 조건을 고려한 위치

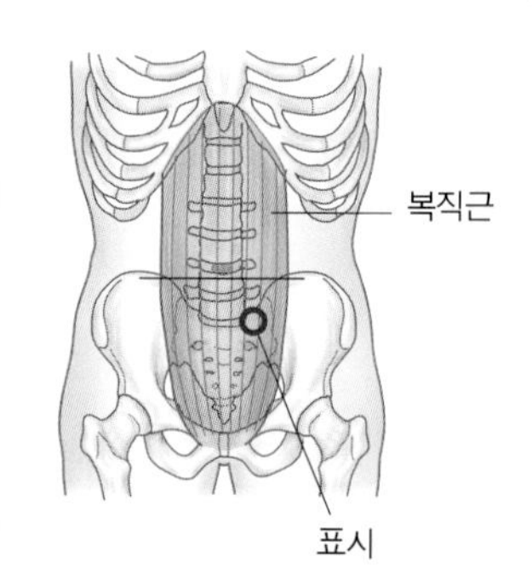

상기의 원칙과 포인트를 고려하여 위치를 결정, 표시한다

■ 그림 5-6 스토마 사이트 마킹

6 일레우스, 장중첩증 (ileus; 장폐색, intussusceptions)

遠藤 健/石川紀子

전체map

병인

- 기능적 일레우스 : 마비성은 개복술 후, 장기와상 시에 호발하고, 경련성은 담석발작 등의 통증에 기인한다.
- 기계적 일레우스 : 단순성 · 교액성 모두 개복술 후의 장관유착에 의한 것이 많다.

[악화인자] 수술, 폭음폭식

역학

- 긴급한 외과적 처치를 필요로 하는 복부질환 중에서는 급성충수염에 이어서 가장 많다.
- 치료로 개선되지만, 재발이 반복되기도 한다.

병태생리

병태생리 map p.44

- 어떤 원인에 의해서 소화관이 폐색 · 협착되어, 통과장애를 초래한 상태
- 기능적 일레우스 : 장관벽의 운동을 조정하는 신경 · 근의 이상에 의해서 일어난다. 마비성일레우스 (장관운동이 마비)와 경련성일레우스 (장관에 발생하는 경련성 수축)가 있다.
- 기계적 일레우스 : 장관의 기질적 변화에 의해서 일어난다. 단순성일레우스 (혈행장애를 수반하지 않는다)와 교액성일레우스 (혈행장애를 수반한다) 가 있다.

증상

증상 map p.46

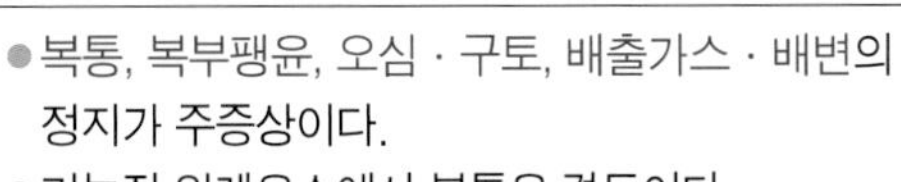

- 복통, 복부팽윤, 오심 · 구토, 배출가스 · 배변의 정지가 주증상이다.
- 기능적 일레우스에서 복통은 경도이다.

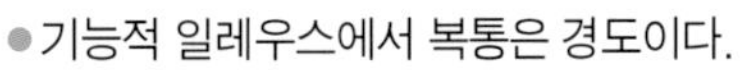

- 기계적 일레우스에서는 간헐적인 산통 (교액성일레우스에서는 지속성 격통)이 발생한다.

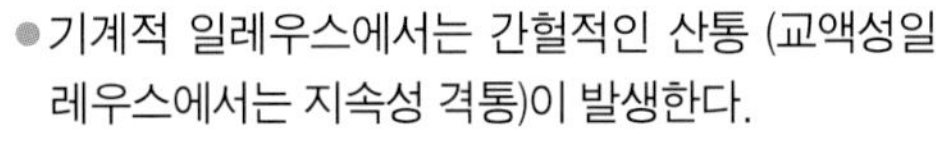

- 2세까지의 유아에서 많이 나타나는 장중첩증에서는 구토, 혈변, 복부종괴가 촉지된다.

- 단순성일레우스는 복벽긴장이 적지만, 교액성일레우스에서는 혈성 복수에 의한 복막자극증상이 출현한다.

[합병증]

- 패혈증, 쇼크

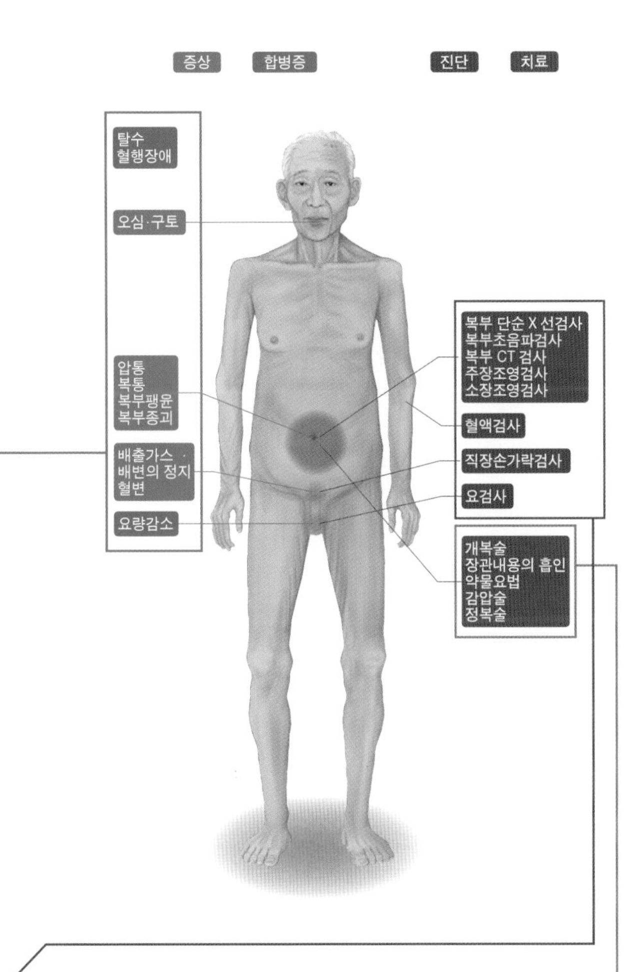

진단

진단 map p.47

- 우선 전신상태를 파악하고, 마비성일레우스인가 기계적 일레우스인가를 감별한다. 기계적 일레우스라고 진단하면 단순성인가 교액성인가를 감별해야 한다.
- 교액성에서 쇼크상태라면 그 치료를 우선시한다.
- 직장손가락검사 : 종양의 유무, 혈변의 확인이 중요하다.
- 영상진단 : 복부 단순X선검사에서 경면형성 (Niveau상)과 소장가스상이 확인되면 기계적 일레우스이다. 복수의 확인에는 복부초음파검사가, 단순성과 교액성 감별에는 복부 CT검사가 유용하다. 소아의 장중첩증에는 주장조영검사를, 수술적응의 결정에는 소장조영검사를 시행한다.
- 혈액검사 : 적혈구수, 백혈구수, 헤모글로빈치가 증가한다.

치료

치료 map p.49

- 치료법은 장폐색의 원인과 증상에 따라서 달라진다.
- 마비성일레우스 : 복막염이 원인이면 복막염을 치료한다. 일반적으로 비위관을 이용한 장관내용의 흡인과 연동항진제 (네오스티그민, 디노프로스트, 메토클로프라미드)를 이용한 치료를 시행한다.
- 단순성일레우스 : 보존적 치료 (비위관, 일레우스관을 이용한 장관내용의 흡인) 로 경감되지 않으면 수술 적응대상이다.
- 교액성일레우스 : 주장조영이나 대장내시경으로 치료할 수 있는 경우가 있지만, 쇼크증상이 나타나면 응급수술이 필요하다.

병태생리map

어떠한 원인에 의해 소화관의 통과기능에 장애가 발생한 상태를 일레우스 (장폐색) 라고 한다.

- 일레우스는 일반적으로 기능적 일레우스와 기계적 일레우스로 분류된다 (표6-1).
- 기능적 일레우스는 장관에 기질적 변화 없이, 장관벽의 운동을 지배하는 신경이나 근의 이상에 의해 발생하는 일레우스이다. 그 중 장관운동이 마비되어 생기는 병태가 마비성일레우스이며, 반대로 장관이 심하게 경련성 수축하여 장내용물의 수송에 장애가 발생한 상태가 경련성일레우스이다.
- 기계적 일레우스는 장관의 기질적 변화에 의해서 일어나는 것으로, 임상에서 중요하게 여겨진다. 기계적 일레우스는 혈행장애를 수반하지 않는 단순성일레우스와 혈행장애를 수반하는 교액성일레우스로 분류된다.

■ 표 6-1 일레우스의 분류

Ⅰ 기능적 일레우스	Ⅱ 기계적 일레우스
① 마비성일레우스	① 단순성 (폐색성) 일레우스
a) 개복수술후, 장기와상	a) 개복수술 후의 장관유착
b) 복막염에 의한 염증의 파급	b) 선천성 질환 (쇄항, 십이지장폐색)
c) 복강내출혈의 영향 등	c) 종양성병변 (대장암, 장관원발종양)
② 경련성일레우스	d) 장관내이물 (담석, 분석(糞石), 음식덩어리) 등
a) 통증에 기인 (담석발작, 신결석)	② 교액성 (복잡성) 일레우스
b) 신경인성 (외상, 히스테리)	a) 개복수술 후의 유착이나 삭상물
c) 약물중독 (니코틴, 모르핀) 등	b) 장관의 축염전, 장중첩증
	c) 감돈헤르니아 등

병인 · 악화인자

- 기능적 일레우스 : 마비성일레우스는 개복수술 후나 뇌경색 등에 의한 장기와상 시에도 흔히 경험하는데, 췌장염, 담낭염, 충수염 등 복막염에 의한 염증의 파급이나 자궁외임신, 외상 등에 의한 복강내출혈에 의해서 일어난다. 경련성일레우스는 담석발작이나 신결석에 의한 통증, 외상의 자극, 히스테리 등의 신경성 인자, 니코틴이나 모르핀 등에 의한 약물중독에 기인하여 일어난다.
- 기계적 일레우스 : 단순성일레우스의 원인으로 가장 빈도가 높은 것은 개복술 후의 장관유착으로, 그 밖에 쇄항이나 십이지장폐색 등의 선천적인 질환에 의한 것, 담석, 분석(糞石), 식사 등 장관 내 이물에 의한 것, 대장암 등 종양성 병변에 의한 것 등을 들 수 있다. 교액성일레우스의 원인으로 가장 빈도가 높은 것은 개복술 후의 유착이나 염증성 산물에 의한 교액으로, 그 밖에 장관의 축염전, 장중첩증, 감돈헤르니아 등을 들 수 있다.

기계적 일레우스

병인

선천성 질환 | 종양 | 이물에 의한 폐색 | 개복술 후의 유착 | 염증성 산물에 의한 교액 | 장축염전 | 장중첩증 | 감돈헤르니아

예후

- 기계적 일레우스와 단순성일레우스의 치료 후의 예후는 비교적 양호하지만, 교액성일레우스는 치료의 다음 기회를 놓치면 생명이 위험할 수 있으므로 주의해야 한다. 또 대장암에 의한 일레우스는 암의 진행도에 따라서 예후가 달라진다.

기계적 일레우스의 병태

감돈헤르니아

복막

복막에 있는 주머니모양의 볼록한 부분으로 소장이 들어가서 본래대로 되돌아 못한 상태

장축염전

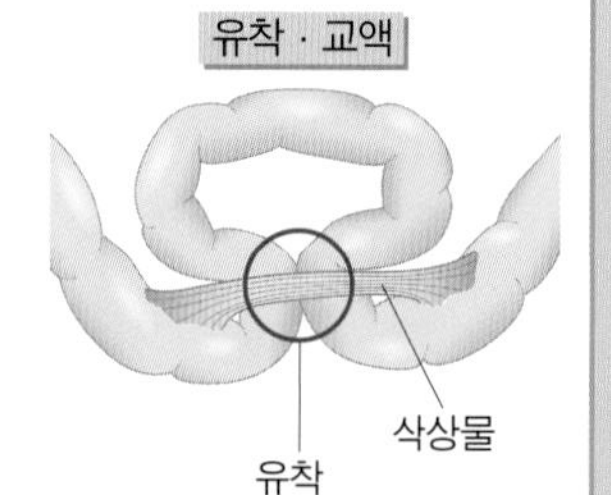

유착 · 교액

삭상물

유착

막상의 섬유조직 (삭상물)이 형성되며 교액된다

장중첩증

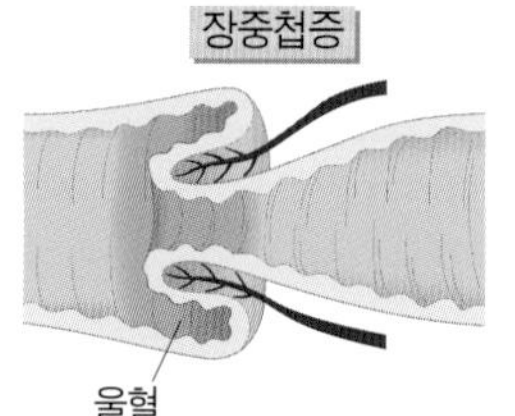

장이 장 자체 속에 함입된 상태. 함입부분의 정맥에 가해지는 압력의 상승으로, 울혈과 비대, 허혈이 나타난다.

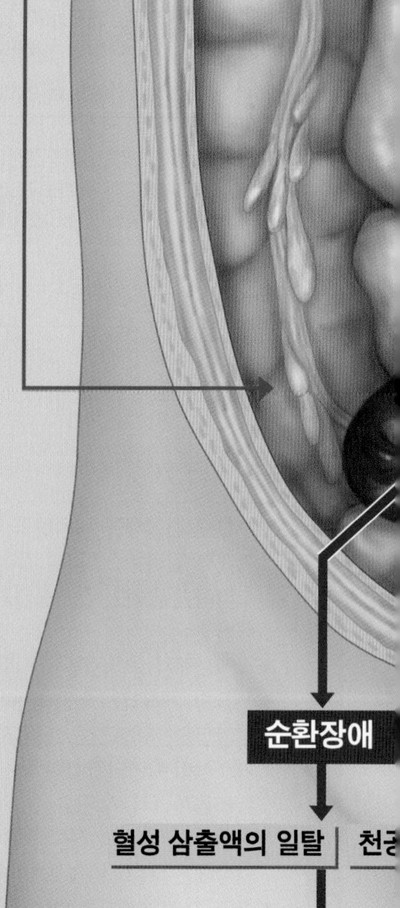

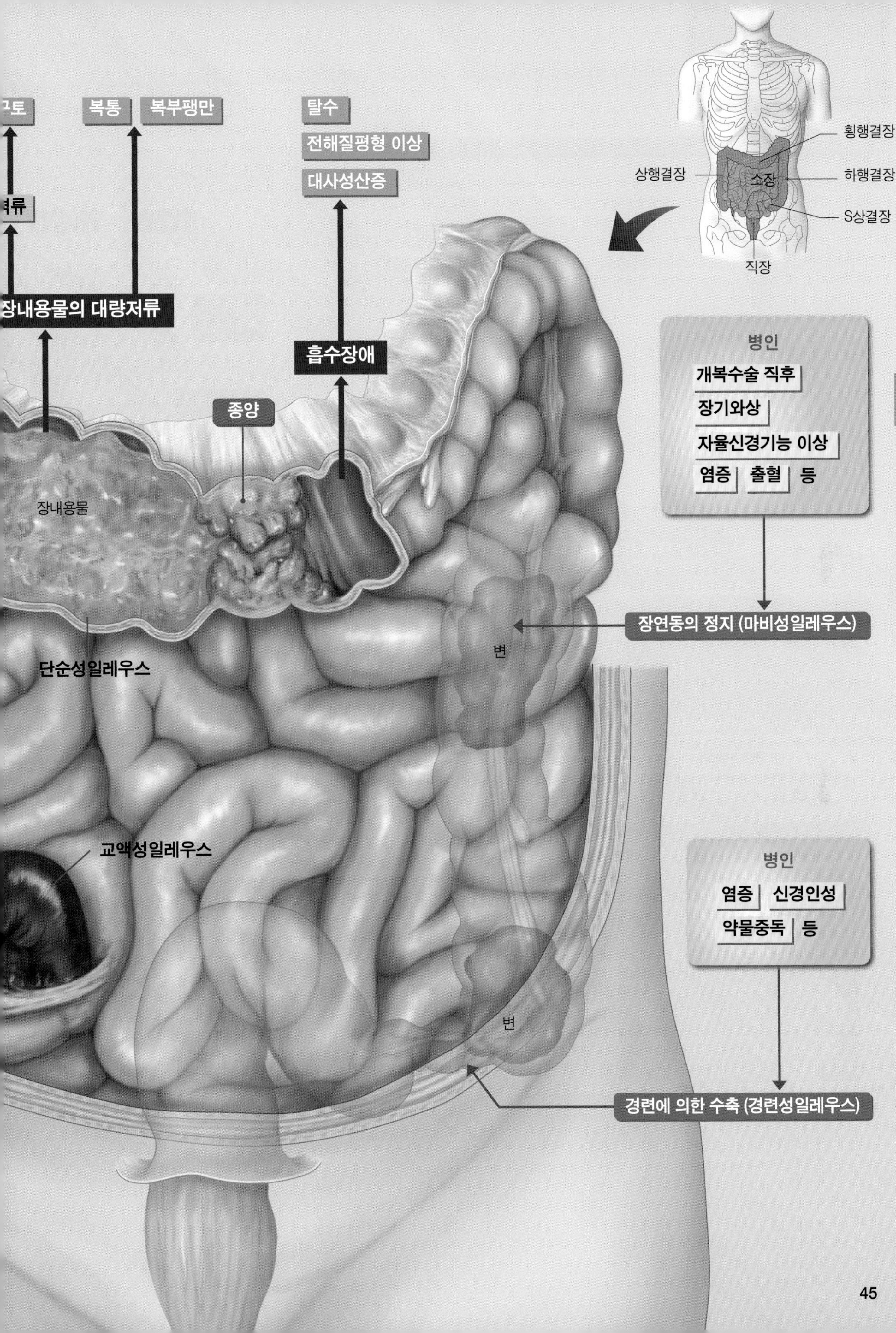

토
복통
복부팽만
탈수
전해질평형 이상
대사성산증
횡행결장
상행결장
소장
하행결장
S상결장
직장
류
장내용물의 대량저류
흡수장애
종양
장내용물
병인
개복수술 직후
장기와상
자율신경기능 이상
염증 출혈 등
장연동의 정지 (마비성일레우스)
변
단순성일레우스
교액성일레우스
병인
염증 신경인성
약물중독 등
변
경련에 의한 수축 (경련성일레우스)

전형적인 증상은 복통, 복부팽만, 오심 · 구토, 배출가스 · 배변의 정지이다.

증상

- 일레우스의 원인, 발생장소, 합병증의 유무 등에 따라서 증후가 달라진다. 마비성일레우스에서는 복통이 경도이지만, 기계적 일레우스에서는 간헐적인 산통발작으로 발생한다. 기계적 일레우스에서는 장관유착에 기인하는 경우가 많아서, 개복술의 병원력을 사정하는 것이 필수적이며, 또 같은 증상이 이전에도 있었는가의 여부도 참고가 된다. 응급대응이 필요한 교액성일레우스에서는 심한 복통을 호소하는 경우가 많아서, 복통의 강도도 중요하게 고려된다.
- 2세까지의 유아에게 흔히 볼 수 있는 장중첩증은 상기도염에 이어서 발생하는 경우가 많으며, 건강했던 아이가 갑자기 상태가 나빠지고 복통 때문에 울거나, 구토, 혈변 등의 증상이 출현하며, 복부종괴를 촉지할 수 있다.
- 복부팽윤소견은 거의 전례에서 확인되고, 마비성일레우스에서는 장음이 저하되고, 폐색성에서는 항진되는 것이 일반적이지만, 교액성일레우스에서 이미 장관이 괴사에 빠져 있는 상태라면 장음이 오히려 저하되므로 주의를 요한다(그림 6-1).
- 압통소견도 거의 전례에서 확인되지만, 단순성일레우스에서는 복벽이 일반적으로 부드러워서 복벽긴장이 적다. 한편, 교액성일레우스에서는 혈행장애로 혈성복수가 생기므로 근성방어 등의 복막자극증상이 출현한다(그림 6-1).

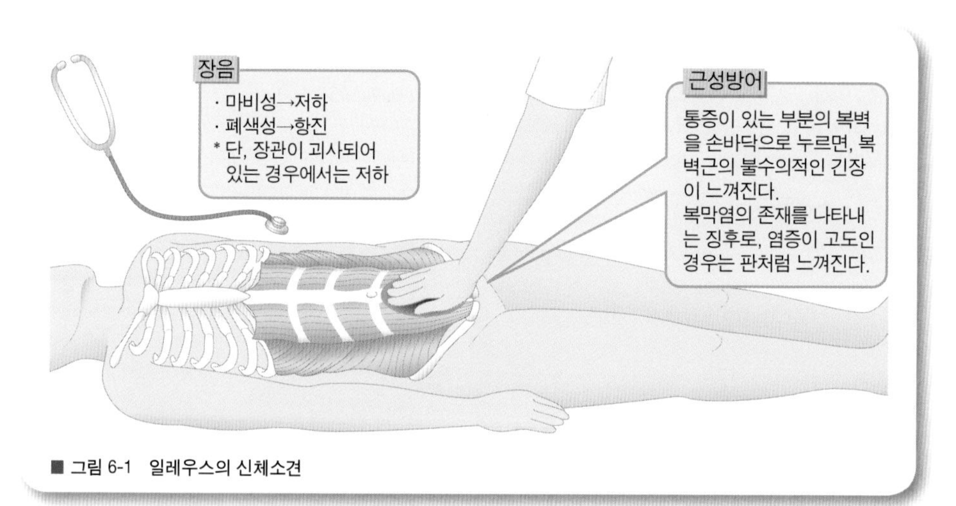

■ 그림 6-1 일레우스의 신체소견

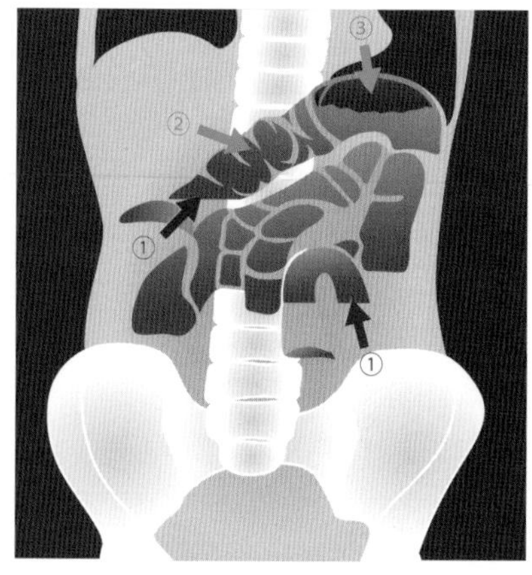

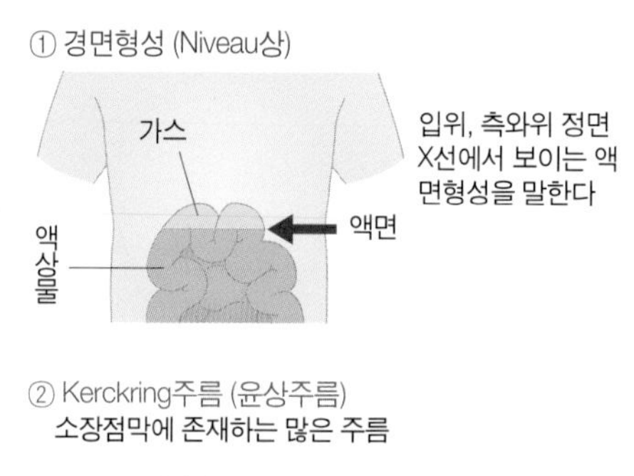

② Kerckring주름 (윤상주름)
소장점막에 존재하는 많은 주름

③ Haustra (결장팽대)
반월주름과 반월주름 사이에서 결장의 확대가 보인다

■ 그림 6-2 특징적인 X 선상

증상 합병증

탈수
혈행장애

오심 · 구토

압통
복통
복부팽윤
복부종괴

배출가스 ·
배변의 정지
혈변

요량감소

진단map

마비성일레우스인지 기계적 일레우스인지를 감별하고, 기계적 일레우스이면 단순성인지 교액성인지를 감별한다.

진단 치료

복부 단순 X 선검사
복부초음파검사
복부 CT 검사
주장조영검사
소장조영검사

혈액검사

직장손가락검사

요검사

개복술
장관내용의 흡인
약물요법
감압술
정복술

진단 · 검사치

- 일레우스 진단에서는 우선 전신상태를 파악하는 것이 중요하며, 마비성일레우스인지 기계적 일레우스인지를 감별하고 (표 6-2), 또 기계적 일레우스라고 진단내리면 단순성인지 교액성인지를 감별해야 한다 (표 6-3). 교액성일레우스에서 쇼크상태에 빠져 있는 경우에서는 진단보다 치료가 우선한다. 또 직장손가락검사도 중요하며, 종양의 유무나 혈변의 확인을 빠뜨려서는 안된다.
- 영상진단
- 복부 단순X선검사 : 일레우스가 의심스러울 때 가정 처음에 해야 하는 검사로서, 입위와 와위상의 비교가 중요하다. 입위에서의 경면형성과 와위에서의 소장가스상은 기계적 일레우스에서 특징적인 소견이지만, 상부 공장에서의 폐색이나 교액성일레우스에서 소장가스의 확장상이 없는 경우도 있어서 (gasless ileus), 주의를 요한다. 또 소장가스상 (Kerckring주름), 대장가스상 (Haustra), 가스상의 위치 등으로 병태를 판단한다 (그림 6-2).
- 복부초음파검사 : 장관 내의 액체저류나 복수의 확인, 종양성 병변의 동정 등에 유효하며, 비침습적이기에 간편하다. 경시적 검사는 수술시기를 결정하는 데에 유효한 검사법이다.
- 복부 CT검사 : 초음파검사보다 객관성이 있으며, 특히 단순성일레우스와 교액성일레우스 (그림 6-3)의 감별에 유효하다.
- 주장조영검사 : 대장의 폐색이 의심스러울 때에 행해지며, 특히 대장암에 의한 일레우스의 진단에 유효하다. 또 소아의 장중첩증에서는 진단과 동시에 정복치료도 겸한 검사법이기도 하다.
- 소장조영검사 : 일레우스 상태에서도 폐색을 일으키지 않는 경구조영제 (가스트로그라핀)를 사용하고, 폐색부위의 동정과 폐색상황을 판정하기 위해서 시행하는데, 수술적용의 결정에 중요한 검사법이다.
- 특이적인 영상을 나타내는 일레우스의 진단
- 감돈헤르니아 (그림 6-4, 5) : 복부 단순X선에서는 폐색성일레우스상을 나타내고, CT에서 감돈부위가 판명되기도 한다.
- 결장축염증 (그림 6-6) : 복부 단순X선에서 복부 전체를 차지한 거대한 대장가스상을 확인한다. S상결장의 빈도가 높지만, 횡행결장, 맹장에서도 발생한다.
- 성인장중첩증 (그림 6-7) : CT에서는 중첩장관이 층상구조 또는 도넛상을 나타내는 종괴로 나타나며, 주장조영에서는 집게모양의 음영결손이 특징적이다.
- 검사치
- 장관 내로의 장내용의 저류나 구토 등으로 인한 액체의 상실로 탈수상태가 되므로, 적혈구수, 백혈구, 헤모글로빈치의 증가가 확인된다. 또 Na, Cl, K 등 전해질의 상실로 산염기평형의 이상 (대사성알칼리즘)이 생긴다. 요량이 감소되고, 요비중의 증가가 확인된다.

■ 표 6-2 마비성일레우스와 기계적 일레우스의 감별

	마비성일레우스	기계적 일레우스
복통	경도 (없는 경우도 있다)	간헐적인 산통 교액성일 때는 지속성 격통
복부소견	부드럽다. 압통 없음 장음의 감약, 소실	단단하다. 압통 있음. 때로 근성방어 발현 장음항진, 금속음
X선상	소장과 대장이 전체적으로 확장되고, 입위와 와위의 차가 없다. 경면상을 형성하지 않는다. Kerckring주름 불명료	소장 또는 대장이 부분적으로 확장되고, 입위와 와위의 차가 명료하다. 경면상을 형성한다. Kerckring주름 명료

■ 표 6-3 교액성일레우스 진단의 포인트

① 임상증상	갑작스런 발생으로 지속적인 격통이 특징 식은땀, 안면창백, 빈맥, 발열 등을 수반한다. 중증인 경우는 쇼크상태에 빠진다.
② 복부소견	복부는 단단하고, 근긴장이 수반된다. 압통이 현저하고, 복막자극증상 (근성방어, 반동압통)이 확인된다. 복부팽만이 없는 경우도 있다.
③ 복부 단순X선소견	gasless ileus상을 나타내기도 한다.
④ 복부 초음파소견	복수의 급격한 증량 장관의 고도확장, 장관벽의 비후, 부종 Kerckring주름의 비후상 장관내용의 부동성 소실
⑤ 복부 CT소견	복수와 확장장관의 확인 장관벽의 비후 장간막의 이상 (출혈, 부종 등) 조영CT에서 장관벽 조영의 결여 장관벽 내의 가스상

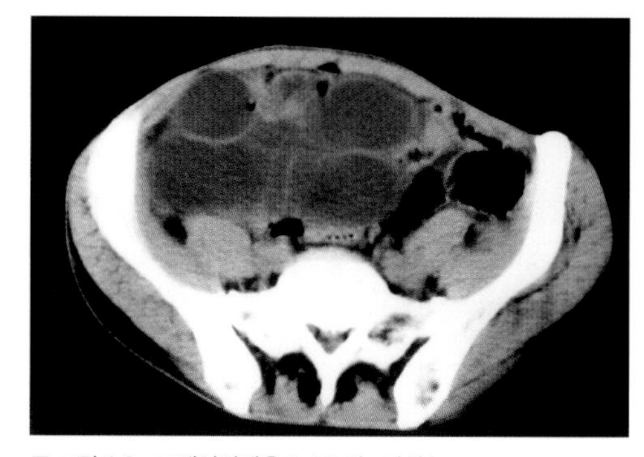

■ 그림 6-3 **교액성일레우스** (52 세 , 남성)

복부 단순X선에서는 gasless ileus였지만, CT에서 장관내용의 저류와 장관벽의 조영불량을 확인하고, 교액성일레우스라고 진단했다 .

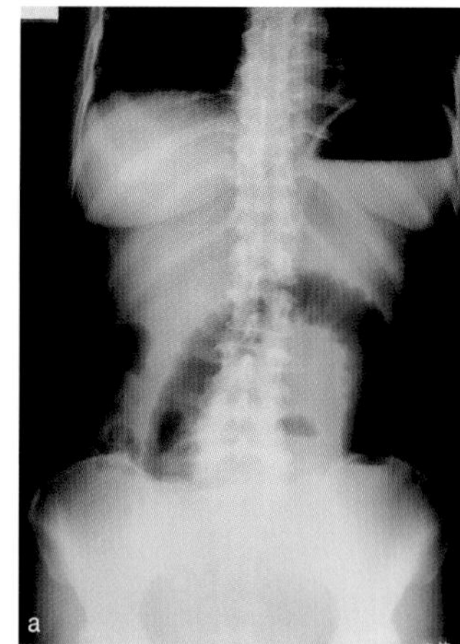

■ 그림 6-4 **배꼽감돈헤르니아** (50 세 , 여성)

복부 단순 X 선 (a) 에서 경면형성상을 확인하고 , CT (b) 에서 배꼽에 일치하는 장관의 탈출을 확인할 수 있다 .

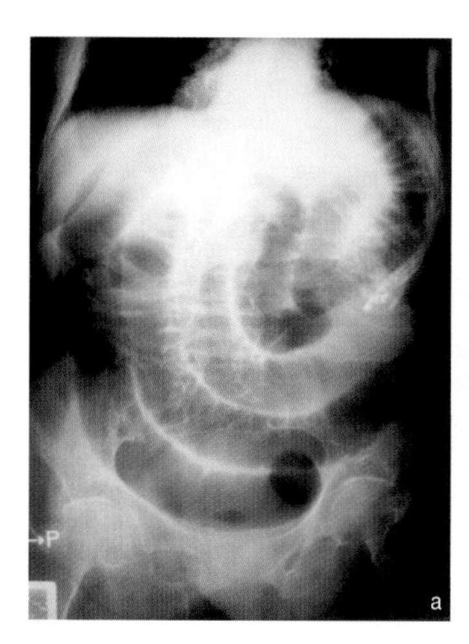

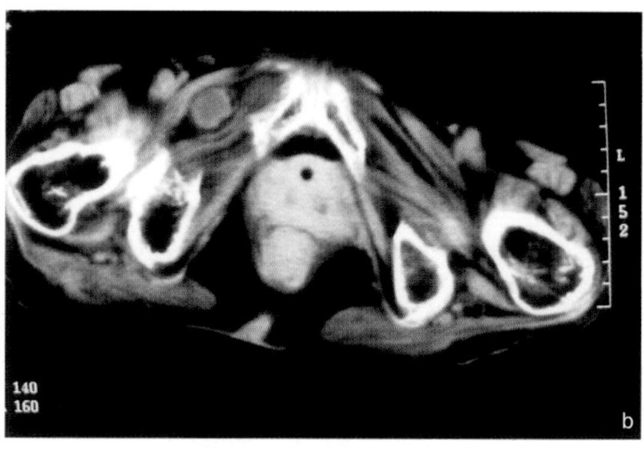

■ 그림 6-5 **폐쇄공감돈헤르니아** (82 세 , 여성)

복부 단순 X 선 (a) 에서 소장가스상의 현저한 확장이 확인되고 , CT (b) 에서 좌폐쇄공에 대한 장관의 감돈이 확인되었다 .

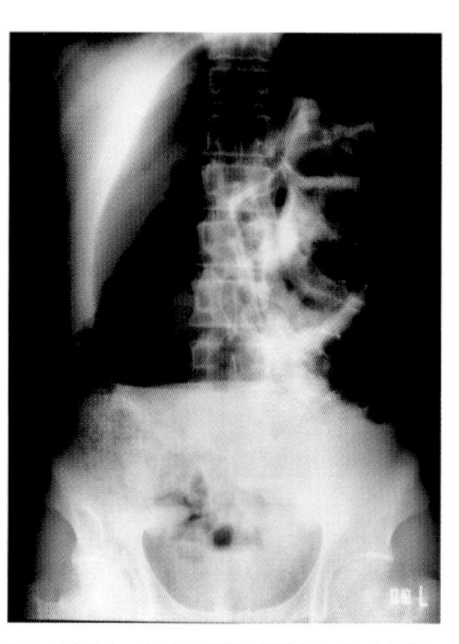

■ 그림 6-6 **S 상결장축염증** (32 세 , 남성)

복부 단순 X 선에서 거대한 대장가스상이 확인된다 . 내시경적 정복 후에 수술 대기 중인 경우이다 .

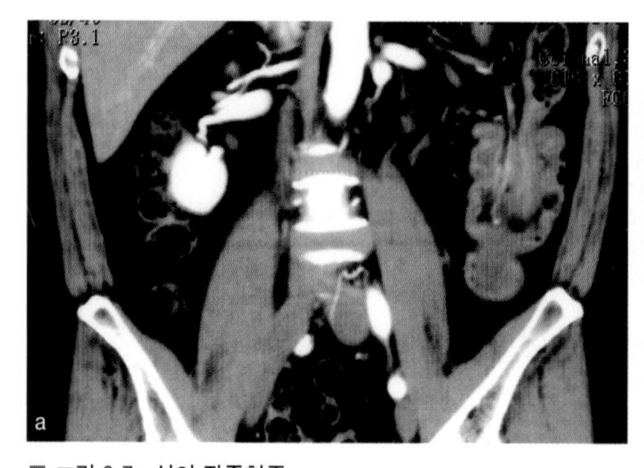

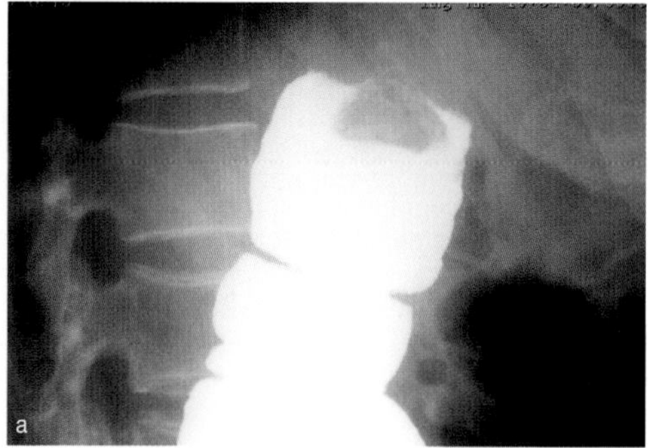

■ 그림 6-7 **성인 장중첩증**

CT (a) 에서 하행결장의 중첩이 확인되고, 주장조영 (b)에서 집게모양의 음영결손을 확인하였다. 지방종을 선진부로 하는 대장중첩이다.

일레우스 치료 시에는 원인의 규명과 증상의 파악이 매우 중요하다. 원인과 증상에 따라서 치료법이 달라지기 때문이다.

치료방침

- 마비성일레우스의 치료 : 장관마비의 원인에 따라서 치료법이 달라진다. 복막염이 원인인 경우에는 복막염치료에 준하여 개복술이 행해지기도 하는데, 통상적으로는 비위관을 이용한 장관 내용의 흡인과 연동항진제를 사용하는 약물치료가 주체가 된다. 사용하는 약제는 네오스티그민 (Vagostigmin), 디노프로스트 (Prostalmon F), 메토클로프라미드 (Primperan), 대건중탕(大建中湯) 등이 있다.
- 단순성일레우스의 치료 : 일레우스관 또는 비위관을 이용하여 장관 내용을 흡인하는 보존적 치료가 주체가 되지만, 이것만으로 경감되지 않을 때에는 수술이 고려된다.
- 교액성일레우스의 치료 : 결장축염증이나 장중첩증에서는 주장조영 또는 대장내시경만으로도 정복되는 경우가 있지만, 교액성일레우스에서는 혈행장애가 수반되는 경우가 많아서, 수술시기를 놓치지 않는 것이 중요하다.

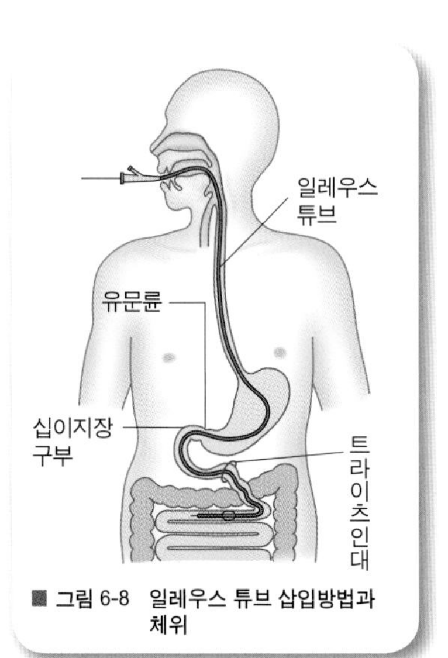

■ 그림 6-8 일레우스 튜브 삽입방법과 체위

■ 표 6-4 일레우스 (장폐색), 장중첩증의 주요 치료제

분류	일반명	주요 상품명	약효발현의 메커니즘	주요 부작용
중증 근무력증치료제	네오스티그민	Vagostigmin	소화관운동을 항진하고, 산분비를 높인다.	콜린작동성위기
판토텐산	판테놀	Pantol	생체 내의 아세틸화에 관여한다.	소화기증상
프로스타글란딘제	디노프로스트	Prostalmon F, Glandinon, 프로스타글란딘 $F_{2\alpha}$	연동운동을 항진한다.	심실세동, 심정지, 쇼크
위장기능조절제	메토클로프라미드	Primperan, Elieten, Terperan, Peraprin	연동운동을 항진하고, 위 정체를 제거한다.	쇼크, 아나필락시스양 증상

일레우스 (장폐색), 장중첩증의 병기 · 병태 · 중증도별로 본 치료흐름도

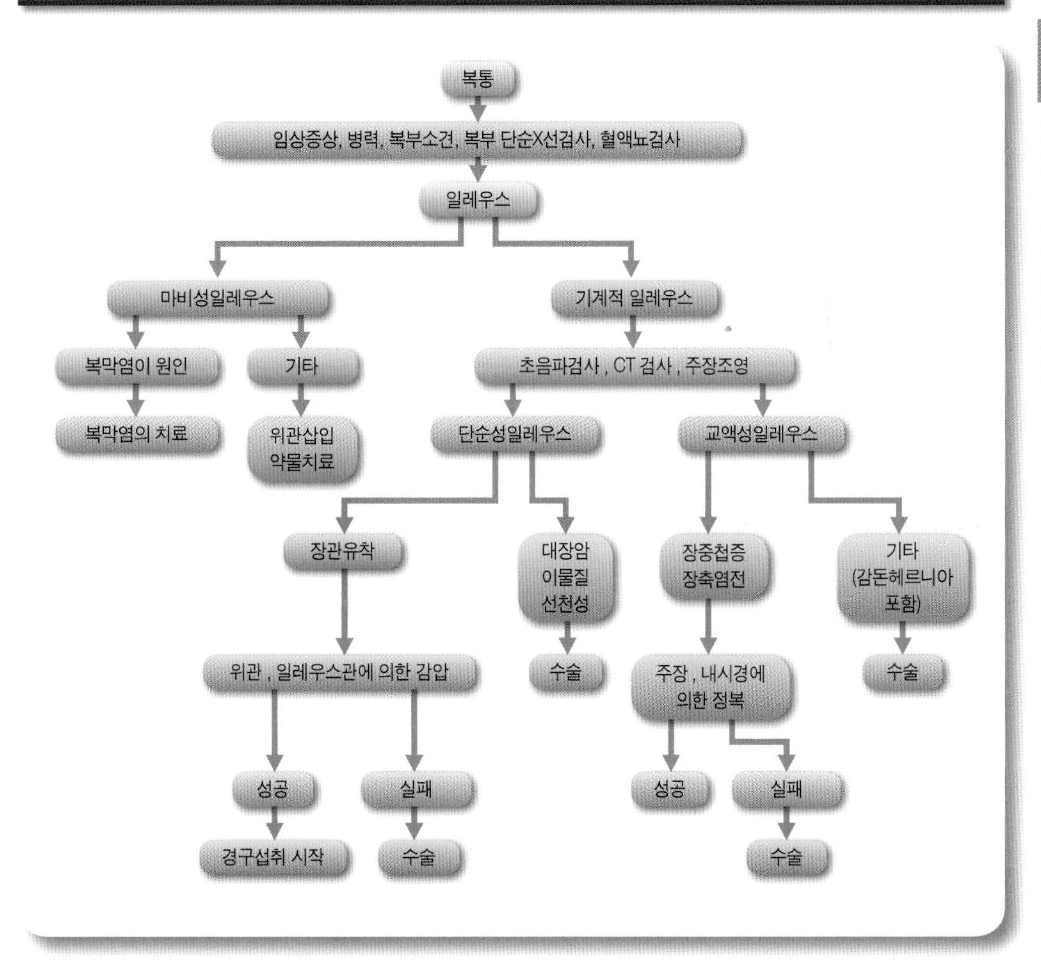

(遠藤 健)

환자케어

증상발생 후에는 증상의 정도나 병원력 등에 관한 정보를 수집하면서 조기에 검사와 치료를 시행하도록 한다. 치료 후에는 재발방지, 조기진찰 등에 관한 지도가 중요하다.

병기 · 병태 · 중증도에 따른 케어

【발생후 조기】 복통을 수반하는 경우, 통증의 강도나 주기를 확인한다. 또 병원력이나 배변 · 배출가스의 습관, 최종 식사섭취, 구토 유무도 확인하여, 조기에 검사와 치료를 시행하도록 한다. 장중첩증인 경우, 복통의 정도나 구토, 점혈변 등의 증상에 관해 경과에 따라서 확인하고, 조기에 검사와 치료를 시행하도록 한다. 또 가족의 불안을 배려하면서, 정확한 정보수집에 힘쓴다.

【비관혈적 정복시 (장중첩증)】 검사와 치료를 반복하는 중에 환아가 복통과 공포로 난폭해지기 쉬우므로, 고통의 완화를 꾀하면서 안전하게 검사나 치료를 할 수 있도록 배려한다. 정복 후에는 재발의 징후 (복통, 구토, 점혈변)가 없는지를 관찰한다.

【관혈정복시】 개복수술 후의 케어에 준하여 지지한다. 경구섭취를 시작한 후에는 구토나 복부의 팽만 출현에 주의한다. 장중첩증인 경우, 가족은 수술 후의 경과나 재발에 불안해 하므로, 정신적인 측면도 팔로업하여 배려한다.

케어의 포인트

진료 · 치료의 지지

- 환아의 관찰과 환자 · 가족의 정보수집을 신속히 하여, 조기에 치료로 연결될 수 있도록 한다.
- 행해지는 검사 · 처치나 치료내용을 파악하고, 필요물품을 준비하거나 곁에서 케어한다.
- 탈수상태가 개선되도록, 수액관리를 지시받는 대로 확실히 행한다.

신체적 고통에 대한 지지

- 조기에 치료를 시행하여 증상의 개선을 도모함과 동시에, 불안이나 긴장으로 인해 신체적 고통이 증강되지 않도록 한다.

환자 · 가족의 심리적 측면에 대한 지지

- 현재의 상황이나 행해지고 있는 처치 · 치료에 관하여 알기 쉽게 설명하고, 환자 · 환아의 심리적 혼란이나 가족의 불안이 해소될 수 있도록 지지한다.

퇴원지도 · 요양지도

- 일레우스의 재발을 예방하기 위해서, 식사내용 (소화가 잘 안되는 식사는 피한다) 이나 먹는 방법 (충분히 저작한다, 조식(早食)이나 과식을 피한다) 지도하고, 규칙적인 배변을 위한 배변 셀프케어를 촉구해 간다.
- 복부팽만이 지속되는 경우나 극심한 복통이 발생한 경우에는 일찌감치 진찰받도록 지도한다.
- 장중첩증을 치료 후에 예후가 양호한 질환이다. 그러나 재발할 가능성도 있는 점을 가족에게 전달한다. 퇴원 후에는 환아의 상태가 나쁘지 않은가에 주의하고, 복통이나 구토 등이 다시 나타날 때는 조기에 진찰받도록 가족에게 지도한다.

(石川紀子)

7 궤양성대장염 (ulcerative colitis)

長堀正和 · 渡辺 守/竹井留美 · 前川厚子

전체map

병인

- 환경인자, 특히 식사인자가 관련있다고 여겨진다.
- 흡연자의 경우, 금연이 발병의 위험이 된다.

[악화인자] clostridium difficile 장염

역학

- 환자총수는 9만명 정도이고, 남녀비는 1 : 1이다.
- 20대에서 가장 호발한다.

[예후] 본 질환 자체에 의한 사망은 매우 드물지만, 치료의 부작용이나 대장암합병에 의해 사망할 수 있다.

병태생리

- 대장에서 발생하는 원인불명인 비특이적 염증이다.
- 직장에서 연속적으로 대장의 점막이 손상되어, 미란이나 궤양이 형성된다.
- 병변의 확대에 따른 병형분류 : 전대장염형, 좌측대장염형, 직장염형

증상 합병증 진단 치료

발열
포도막염
구내염
권태감
빈혈
골다공증
점막피부질환
대장암
복통
대장천공
대장협착
설사
혈변
관절증
관절통

백혈구제거요법
식사요법
약물요법
외과요법
대장내시경검사
대장생검
복부 단순 X선검사
혈액검사
변검사

증상

- 혈성설사가 주증상이다.
- 소화기증상 : 설사, 혈변, 복통
- 전신증상 : 발열, 권태감

[합병증]

- 외과치료를 요하는 합병증 : 대장천공, 대량출혈 (응급수술), 대장협착, 대장염 (궤양성대장염 발생 후 10년을 경계로 증가)
- 장관외 합병증 : 간담도계질환, 점막피부질환, 관절증, 안구증상, 골다공증

진단

- 증상의 경과를 보아 본증이 의심스러우면 대장내시경검사, 대장조직생검으로 진단을 확정하는데 이 외에 제외진단도 중요하다.
- 변의 세균배양, CD 톡신, 충체 · 충란검사 : 진단시에 필요
- 혈액검사 : 빈혈, 적혈구침강속도 (또는 CRP)는 중증도 판정에 중요
- 복부 단순X선감사 : 중증례에서는 중독성거대결장증의 진단에 필요
- 내시경검사 : 병형을 분류하기 위한 전 결장의 관찰에 필요
- 궤양성대장염 · 크론병과의 감별이 어려운 것을 intermediate colitis (분리불능대장염)이라고 한다.

치료

- 식사요법 : 중증례에서는 저잔류식을 실행한다.
- 약물요법 : 5-아미노살리실산제 (설파살라진, 메살라진)와 부신피질호르몬제 (프레드니솔론 등)는 관해도입 · 관해유지에 유효하다. 이것이 효과가 없거나 불충분한 경우에는 면역억제제 (아자티오프린 등)를 투여한다.
- 백혈구제거요법 : 표준치료 중 하나이다. 중등증 이상으로서 스테로이드 불응 또는 투여곤란례에 적용한다.
- 외과치료 : 대장전체절제술, 회장-항문 문합술이 표준술식이고, 적응 대상은 내과치료 저항례, 중증례, 대장천공, 장폐색, 이형성, 대장암합병례이다.

병태생리map

궤양성대장염은 주로 점막을 손상하여 미란이나 궤양을 형성하는 비특이적 염증이다.

- 궤양성대장염의 병태는 대장에 발생하는 원인불명의 비특이적 염증으로 직장의 대장 점막에 연속적으로 미란이나 궤양이 형성된다(그림 7-1).

병인 · 악화인자

- 병인에 관해서는 환경인자, 특히 식사인자가 관련있다고 여겨지지만, 특정한 음식을 병인으로 증명한 연구는 없다. 역학적으로는 흡연자에게 발병이 적고, 또 금연이 발병 위험요인이라고 알려져 있다. 충수염의 수술력이 발병에 관하여 예방적이라는 점도 보고되어 있다.
- 악화인자에 관련하여 해외에서는 clostridium difficile 장염 합병증에서 사망률이 증가한다고 보고되어 있어서, 주의가 필요하다.

예후

- 의료수급자증 교부건수에서 추정되는 환자총수는 9만명 정도이다. 남녀비는 거의 1 : 1이고, 20대에서 가장 호발한다.
- 궤양성대장염 자체에 의한 사망은 매우 드물다고 하지만, 치료의 부작용으로 사망에 이를 수 있고, 또 앞으로는 장기경과례에서 대장암 합병증이 생명예후와 관련하여 문제가 되리라 생각된다.

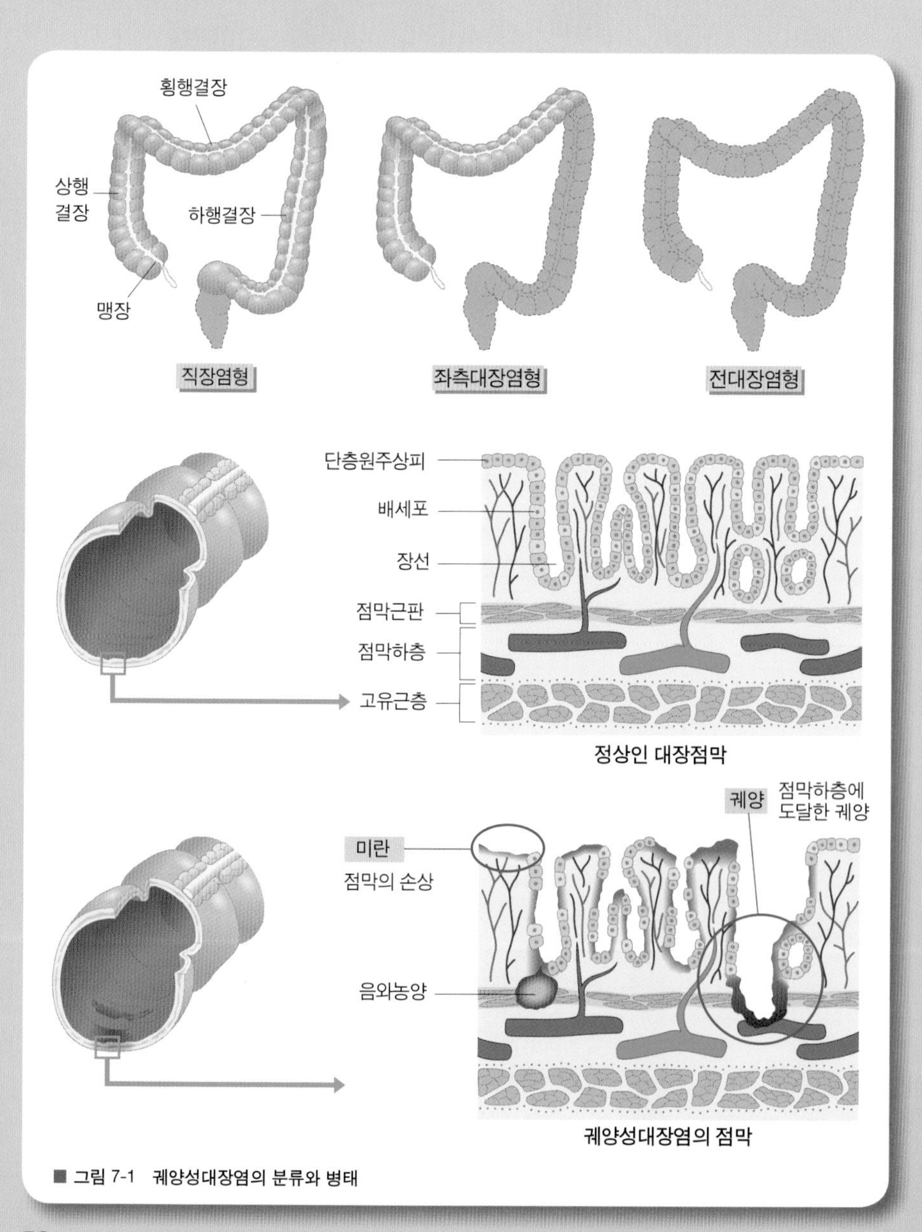

■ 그림 7-1 궤양성대장염의 분류와 병태

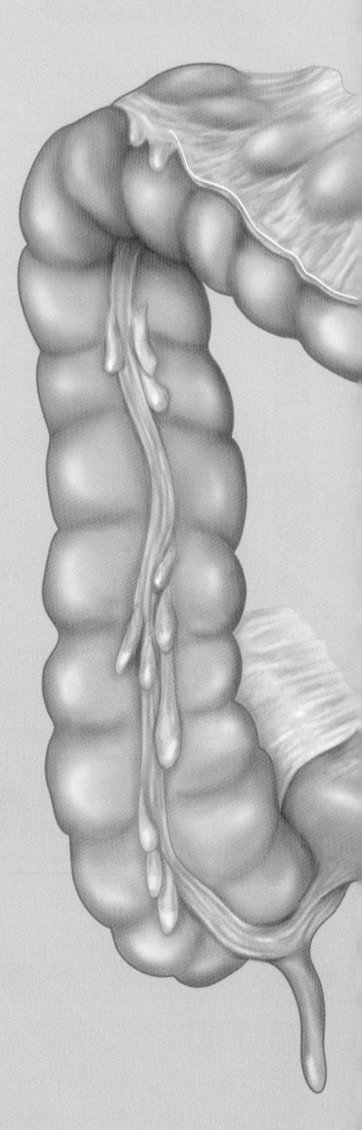

경증

직장에서 연

성으로 형성

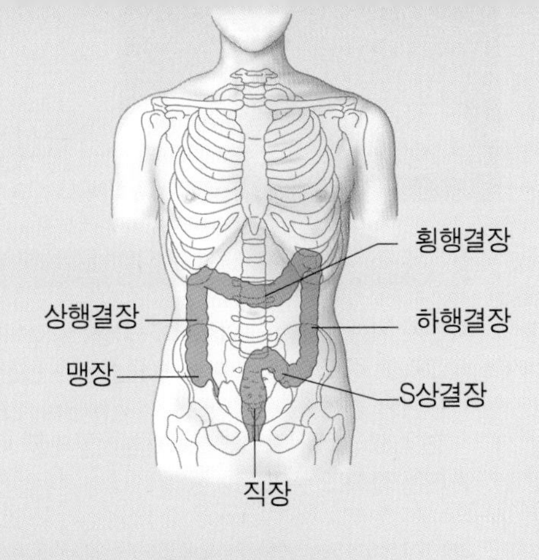

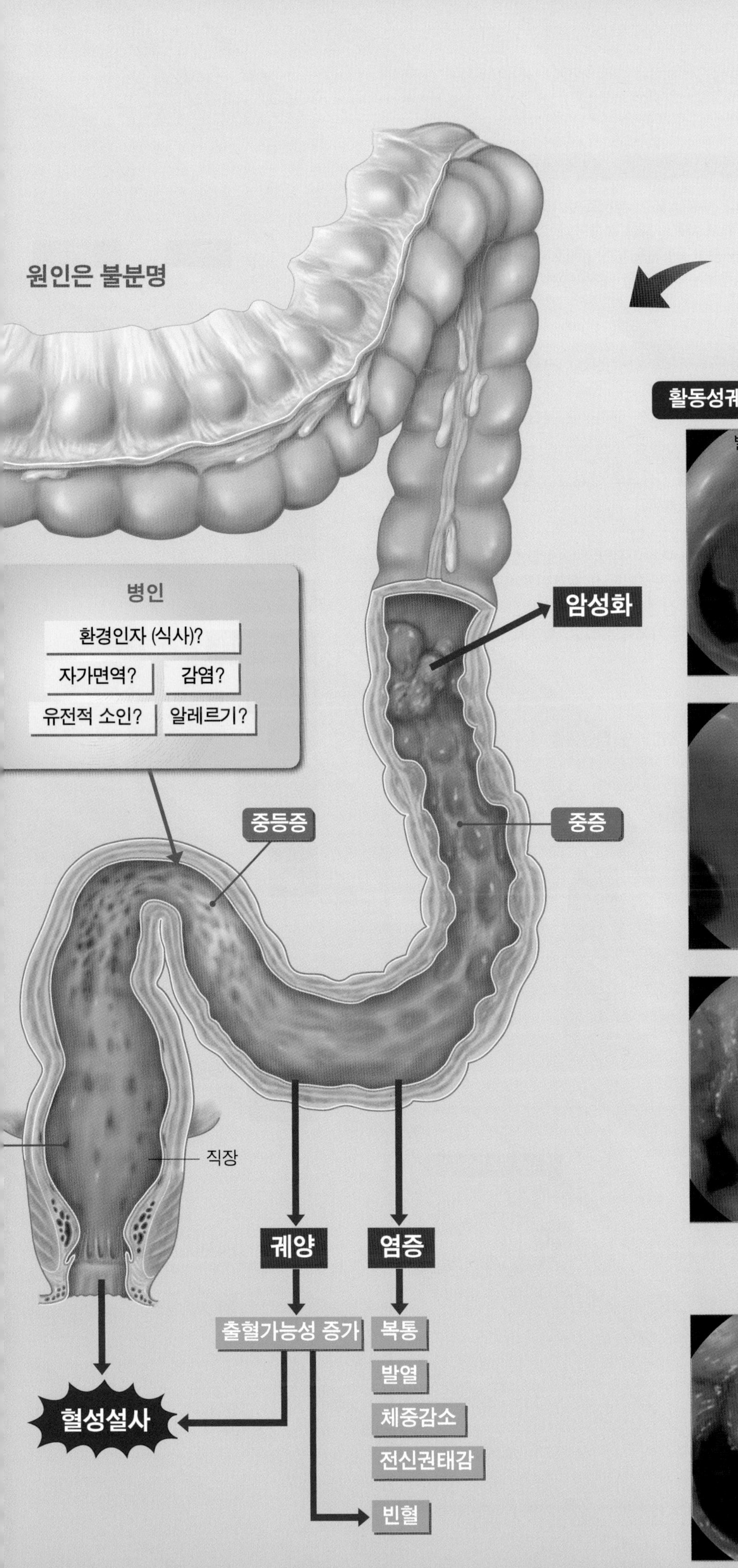

활동성궤양성대장염의 내시경상

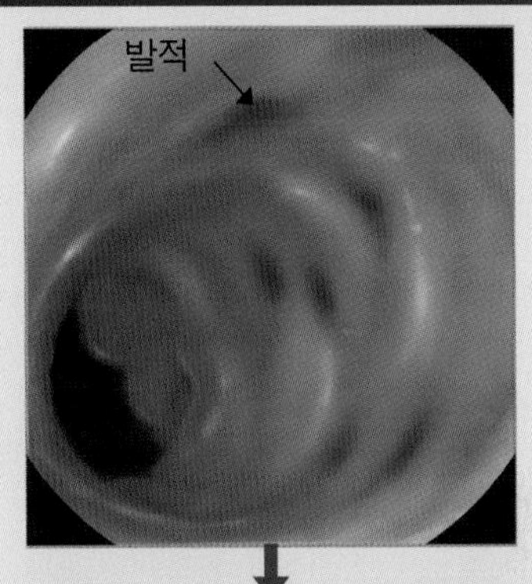

경증

궤양에 의해 결장팽대 (Haustra)가 소실된다.

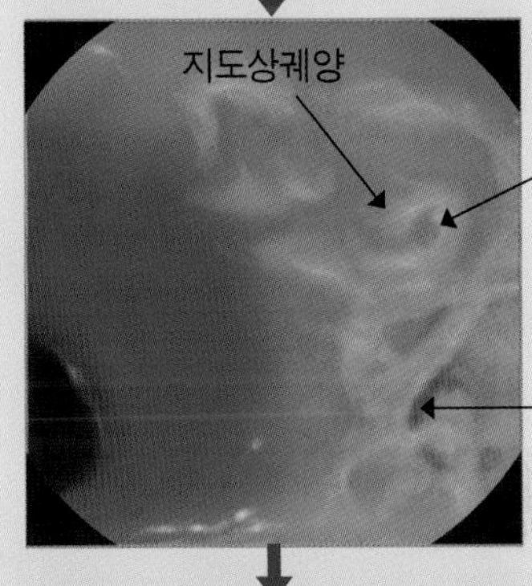

중등증

국한적인 얕은 궤양과 출혈이 보인다.

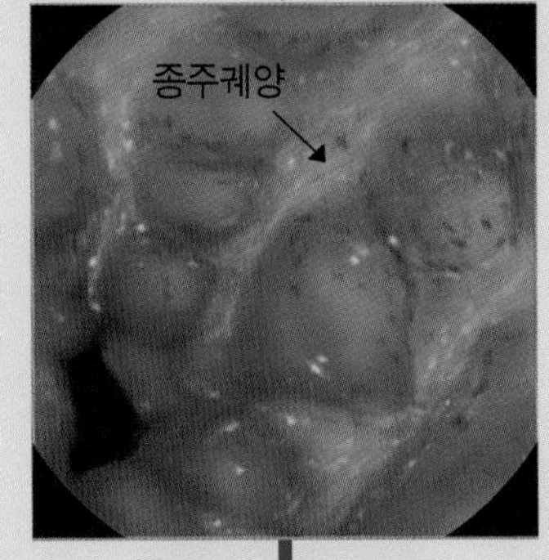

중증

고도의 자연출혈과 광범위한 궤양이 보인다.

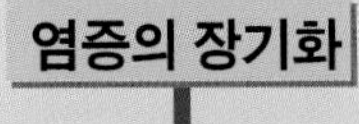

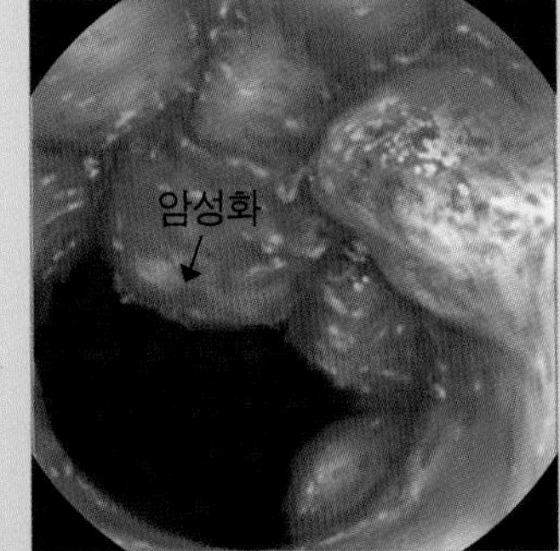

염증성 발암

염증이 장기화되면 암성화의 위험이 높아진다.

증상map

주증상은 설사, 혈변, 복통, 발열, 권태감이다.

증상

- 설사, 혈변, 복통 등의 소화기증상, 발열이나 권태감 등의 전신증상이 대표적이다 (그림 7-2). 그리고 주로 이 증상을 통한 중증도가 판정되고 치료방침이 결정된다. 그러나 장관외합병증과 관련된 증상 (구내염, 관절통, 피부증상, 안구증상 등) 에도 마찬가지로 주의를 기울여야 한다. 또 치료 (예를 들어 부신피질호르몬제를 사용하는 약물요법 등)와 관련하여 여러 증상이 출현하는 점에도 주의해야 한다.

합병증

- 외과치료를 요하는 합병증
- 대장천공, 대량출혈 (응급수술), 대장협착.
- 대장암 : 병변이 광범위한 궤양성대장염례에서, 증상발생 10년 정도를 경계로 대장암합병이 증가한다고 알려져 있다. 그러므로 증상발생 8년을 기준으로 생검을 포함한 대장내시경검사(전결장관찰)를 1~2년 간격으로 시행하는 것이 권장된다.
- 장관외합병증
- 간담도계질환 : 원발성경화성담관염 합병률은 10% 이하이지만, 대장암합병 등의 위험인자이므로 주의가 필요하다. 부신피질호르몬제 투여례에서는 지방간의 발생빈도가 높다.
- 점막피부질환 : 결절성홍반, 괴저성농피증 (전자는 장염활동기에, 후자는 관해기에도 발생하며, 치료저항성이다). 구강내 아프타성궤양 (장염활동기에 악화되고, 장염치료로 치유되는 경우가 많다).
- 관절증 : 강직성척추염, 천장관절염, 말초관절염.
- 안구증상 : 포도막염 (특히 홍채염)
- 골다공증 : 부신피질호르몬제의 부작용 뿐 아니라, 유전인자, 장관염증, 흡수장애 (Ca, 비타민 D) 등도 관련됨이 밝혀지고 있다.

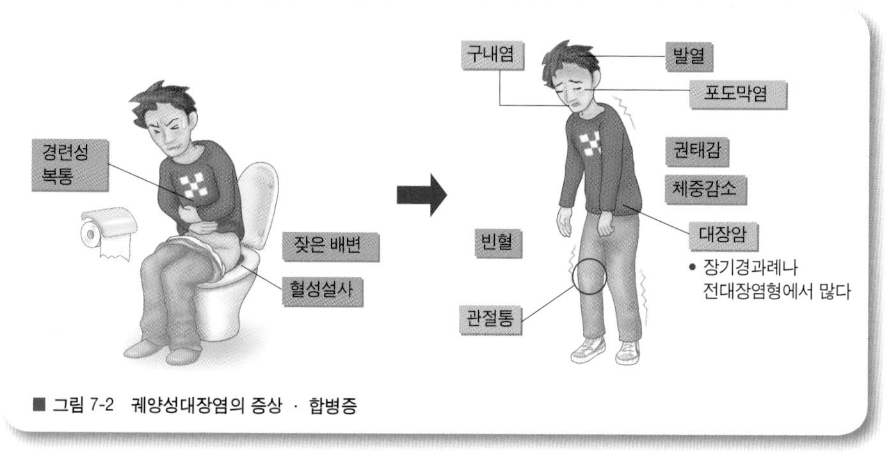

■ 그림 7-2 궤양성대장염의 증상 · 합병증

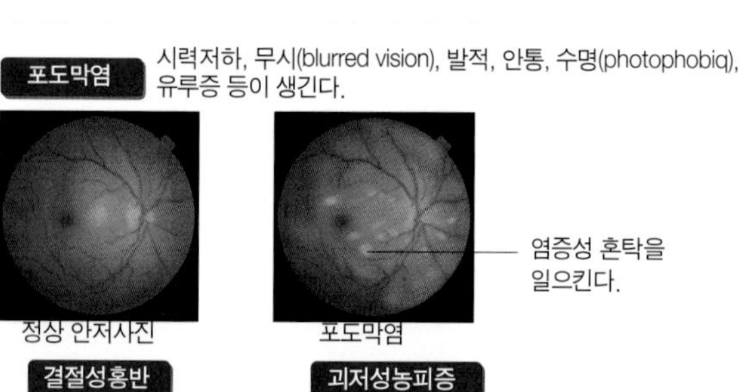

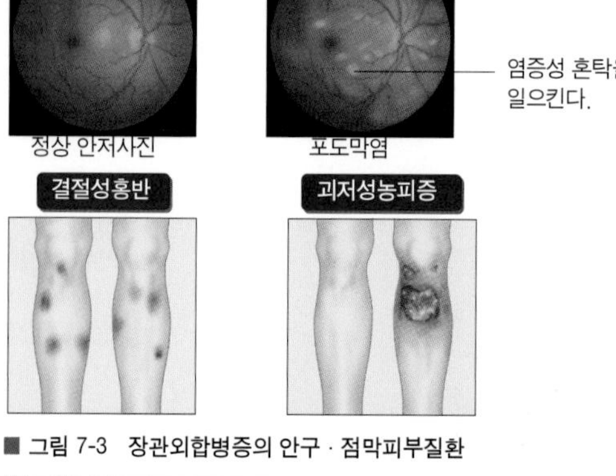

■ 그림 7-3 장관외합병증의 안구 · 점막피부질환

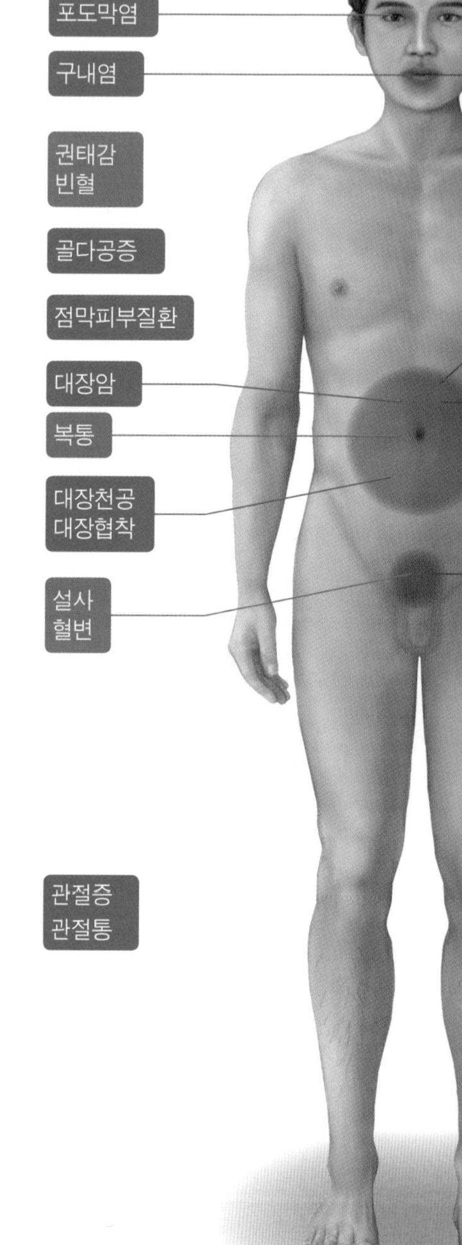

대장내시경검사, 대장생검으로 진단을 확정하면서 동시에 제외진단도 시행한다.

진단
치료
백혈구제거요법
식사요법
약물요법
외과요법
대장내시경검사
대장생검
복부 단순 X 선검사
혈액검사
변검사

진단 · 검사치

- 전기의 증상이 나타날 경우, 특히 만성 경과를 밟을 경우에 본 질환을 의심한다. 진단확정에는 대장내시경검사소견, 및 대장생검조직의 병리학적 소견이 필요하다. 그러나 이 검사에서 특이도는 그다지 높지 않으므로, 동시에 제외진단도 매우 중요하다.
- 변의 세균배양, CD 톡신, 충체, 충란검사 (특히 아메바적리)가 진단 시에 필요하다. 또 이러한 감염증이 본래 존재하는 궤양성대장염의 악화를 계기로 생기는 경우도 있을 수 있다. 감염증과 관련해서 가족력, 해외여행력 등의 생활력도 물론 중요하다.
- 크론병의 감별이 어려운 예도 드물지 않다. 치루 등 누공의 합병은 크론병을 상당히 시사하지만, 염증성장질환의 진료에 익숙한 전문의조차도 감별이 어려운 예가 존재하며, 최근에는 indeterminate colitis (분류불능대장염) 라는 질환분류도 알려지게 되었다.
- 특히 중증례에서는 중독성거대결장증을 진단하기 위해서 복부 단순X선사진은 필수적이다.
- 직장염형, 좌측대장염형, 전대장염형 등의 병변범위의 분류에는 내시경검사에 의한 전결장의 관찰이 필요하다. 그러나 병변은 대부분의 경우 직장에 연속적으로 있으며, 특히 중증례에서 장관천공 등이 염려되는 경우에는 직장관찰만으로도 진단 판정이 충분하다. 동시에 병리진단도 보조적으로 이용된다.
- 검사치
- 혈액검사의 경우 진단에 관한 특이적인 검사항목이 없다. 빈혈 및 적혈구침강속도 (또는 CRP)은 중증도 판정 시에 중요하다.

■ 표 7-1 궤양성대장염의 임상적 중증도 분류 (후생성 하산반)

	중증*	중등증	경증**
1. 배변횟수	6회 이상	중증과 경증의 중간	4회 이하
2. 혈변	(+++)		(+)~(-)
3. 발열	37.5℃ 이상		(-)
4. 빈맥	90/분 이상		(-)
5. 빈혈	Hb10g/dL 이하		(-)
6. 적혈구침강속도	30mm/시 이상		정상

* 중증 : 1 과 2 및 3 또는 4 를 충족시키고 , 6 항목 중 4 항목을 충족시키는 것
** 경증 : 6 항목 모두 충족시키는 것
(난치성 염증성 장관장애에 관한 조사연구반 프로젝트연구 그룹 : evidence와 consensus를 통합한 궤양성대장염의 진단 가이드라인, 2006년 1월)

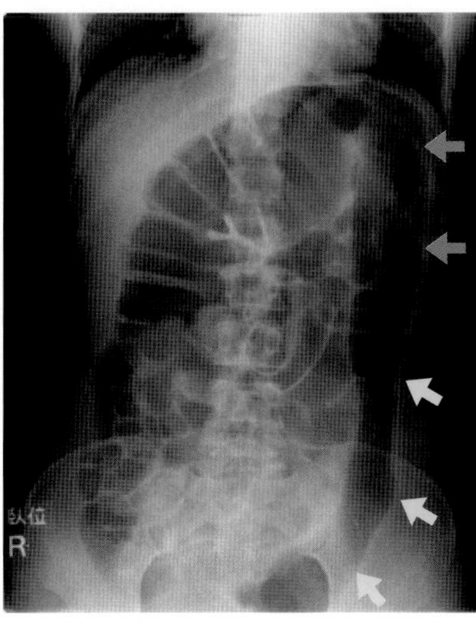

직장에서의 연속적인 결장팽대 (Haustra) 소실에 기인한 연관상과 직장의 비정상적인 확장이 확인된다.

■ 그림 7-4 궤양성대장염 · 거대결장증 환자의 복부X선사진

치료map

약물요법, 식사요법 등 내과적 치료가 중심이 된다. 중증도에 근거하여 적절한 치료법을 선택한다.

식사요법

- 입원치료가 필요한 중증례에서는 저잔류식이 권장된다. 금식 자체는 경과효과에 악영향을 미치지 않는다 (그러므로 주술기 이외에는 중심정맥영양의 역할이 적다). 한편, 완해기의 식사내용이 악화 위험을 줄인다는 연구도 존재하지 않는다.

혈구성분제거요법 (cytapheresis)

- 체외순환장치를 이용하여 말초혈 중의 활성화된 백혈구를 제거함으로써, 증상의 개선이 기대된다. 일본에서는 표준치료의 하나이지만, 해외에서는 주로 임상시험의 범위 내에서 시행되고 있다. 중증도가 중등도 이상이며, 특히 스테로이드제 불응례나(부작용이 원인) 투여곤란례가 좋은 적응대상이었다. 주1회 (첫째는 2회), 5주연속시행이 표준이 되고 있다. 부작용이 거의 없어서, 매우 안전한 치료이다.

외과치료

- 대장전체절제술, 회장-항문 문합술이 표준술식이다. 적응대상은 내과치료 저항례, 중독성거대결장증 등의 중증례, 대장천공, 장폐색, 이형성 또는 대장암합병례이다.

Key word 

- 저잔류식

자연식품을 인공적으로 처리하여 만들어진 고에너지 · 고단백의 영양제를 말하며, 장내에서 그 대부분이 흡수되어 잔류 (남은 찌꺼기)가 매우 적다는 점에서 이러한 이름이 붙여졌다.

■ 표 7-2 궤양성대장염의 주요 치료제

분류	일반명	주요상품명	약효발현의 메커니즘	주요부작용
염증성 장질환 치료제	메살라진	펜타사, 아사콜	염증성세포의 조직으로의 침윤을 억제	재생불량성빈혈 간질성폐렴
	설파살라진	사라조피린		
부신피질 호르몬제	프레드니솔론산 에스테르나트륨	Predonema	항염증작용, 항알레르기작용, 면역억제작용 외에 광범위한 대사작용	면역력 저하
	베타메타존인산에스테르나트륨	Steronema		
	프레드니솔론	Predonine, Predohan, 프레드니솔론		
면역억제제	아자티오프린	이뮤란, Azanin	면역억제작용	간기능장애, 호중구감소증, 췌장염 신장애, 경련, 골수억제
	멜칼토프린수화물	Leukerin		
	시클로스포린	산디문		

약물요법

(1) 5-아미노살리실산제 (설파살라진, 메살라진)

- 경증에서 중등증인 궤양성대장염에서는 관해도입에 효과적이다. 관해유지에도 효과적이라 생각되지만, 그 적절한 투여량은 아직 확실히 밝혀진 바 없다. 직장염형에서는 좌약을, 또 좌측대장염까지이면 주장을, 단독적용 또는 내복과 병용하면 유용하다.

(2) 부신피질호르몬제 (스테로이드제)

- 중등증 및 중증례에서 관해도입에 효과적이다. 경구 스테로이드제에 반응하지 않는 경우, 또 중증 및 증례에서는 스테로이드제의 정맥투여가 효과적일 수 있다. 통상적으로 7~10일간 투여가 행해지고, 그 시점에서 개선이 보이지 않는 경우는 면역억제제 또는 수술의 적응 대상이 된다. 또 장기 스테로이드제 투여의 관해유지 효과는 증명되지 않았으며, 그 위험이 효과를 상회한다고 한다. 따라서 스테로이드제의 이탈이 어려운 경우에서도 면역억제제를 적응한다. 또 관해 후 감량 일정이 그 후의 재발에 영향을 준다는 연구는 없고, 감량 방법이 재발률에 영향을 미친다는 연구도 없기에, 일반적으로 주 5 mg씩 감량한다.
- 스테로이드제 사용환자의 약 절반은 부작용을 경험한다. 초기에는 여드름, 달덩이 얼굴 (moon face), 부종 등의 미용상 문제, 수면 · 기분의 장애, 내당능장애 등을 흔히 볼 수 있다. 장기투여시에서는 백내장, 골다공증, 대퇴골두괴사, 근육병증, 감염 가능성 증가 등이 문제가 되기도 한다. 골다공증에 관해서는 스테로이드제 투여가 3개월을 넘어가면 골밀도를 측정하는 것이 권장된다.

(3) 면역억제제 (조절제)

- 관해유지에 효과적일 뿐 아니라, 스테로이드 감량효과도 확인되고 있다. 또 관해도입에도 효과적이지만, 효과발현까지 몇 주간 기다려야 한다. 오심, 간기능장애, 췌장염 외에, 특히 투여초기에서는 호중구감소증에 대한 주의가 필요하다.
- 시클로스포린 지속정주요법은 종래였다면 수술을 했을 중증례에서도 효과를 기대할 수 있다. 단기적인 유효율이 매우 높지만, 재발례를 생각하면 장기적으로 50% 정도의 환자가 수술을 받는게 된다. 투여 중에는 특히 신기능장애, 경련, 혈압상승 등에 대한 주의가 필요하다(총콜레스테롤 100 mg/dL 이하에서는 경련이 발생할 위험이 높다). 혈중농도를 모니터링하고, 2~4 mg/kg부터 투여를 시작하고, 혈중농도 200~400 ng/mL을 목표로 투여량을 조절해야 한다. 혈관염을 일으키는 경우가 많으므로, 때에 따라서 중심정맥에서의 투여가 필요하다. 통상적으로 효과가 1주 이내에 출현하므로, 이 시점에서 효과가 나타내지 않는 중증례에서는 수술을 요하는 경우가 많다.

Px 처방례 염증성 장질환치료제

- 펜타사정 (250 mg) 8~16정 分 3~4 ← 5-아미노살리실산제
- 사라조피린정 (500 mg) 8~12정 分 3~4 ← 5-아미노살리실산제
- 아사콜정 (400 mg) 6~9정 分 3 ← 5-아미노살리실산제
- 사라조피린 좌약 (500 mg) 1회 0.5~1.0g 1~2회 직장내삽입 ← 5-아미노살리실산제
- 펜타사 주장 (1 g) 1회 1g 수면전 직장내주입 ← 5-아미노살리실산제

Px 처방례 부신피질호르몬제

- Predonema 주장 (60 mL) 프레드니솔론으로 20~40 mg 직장내주입 ← 프레드니솔론류
- Steronema 주장 (100 mL) 베타메타존으로 3~6 mg 직장내주입 ← 베타메타존류
- Predonine정 (5 mg) 6~8정 (또는 1 mg/kg) 1회 ← 프레드니솔론류
- 수용성 Predonine주 1 · 1.5 mg/kg/일 분할 또는 지속투여 ← 프레드니솔론류

Px 처방례 면역억제제

- 이뮤란정 (50mg) 2.0~3.0 mg/kg ← 면역억제제
- Leukerin산 1.0~1.5 mg/kg (보험적용외) ← 면역억제제
- 산디문주 2~4 mg/kg 지속점적 ← 면역억제제

궤양성대장염의 병기 · 병태 · 중증도별로 본 치료흐름도

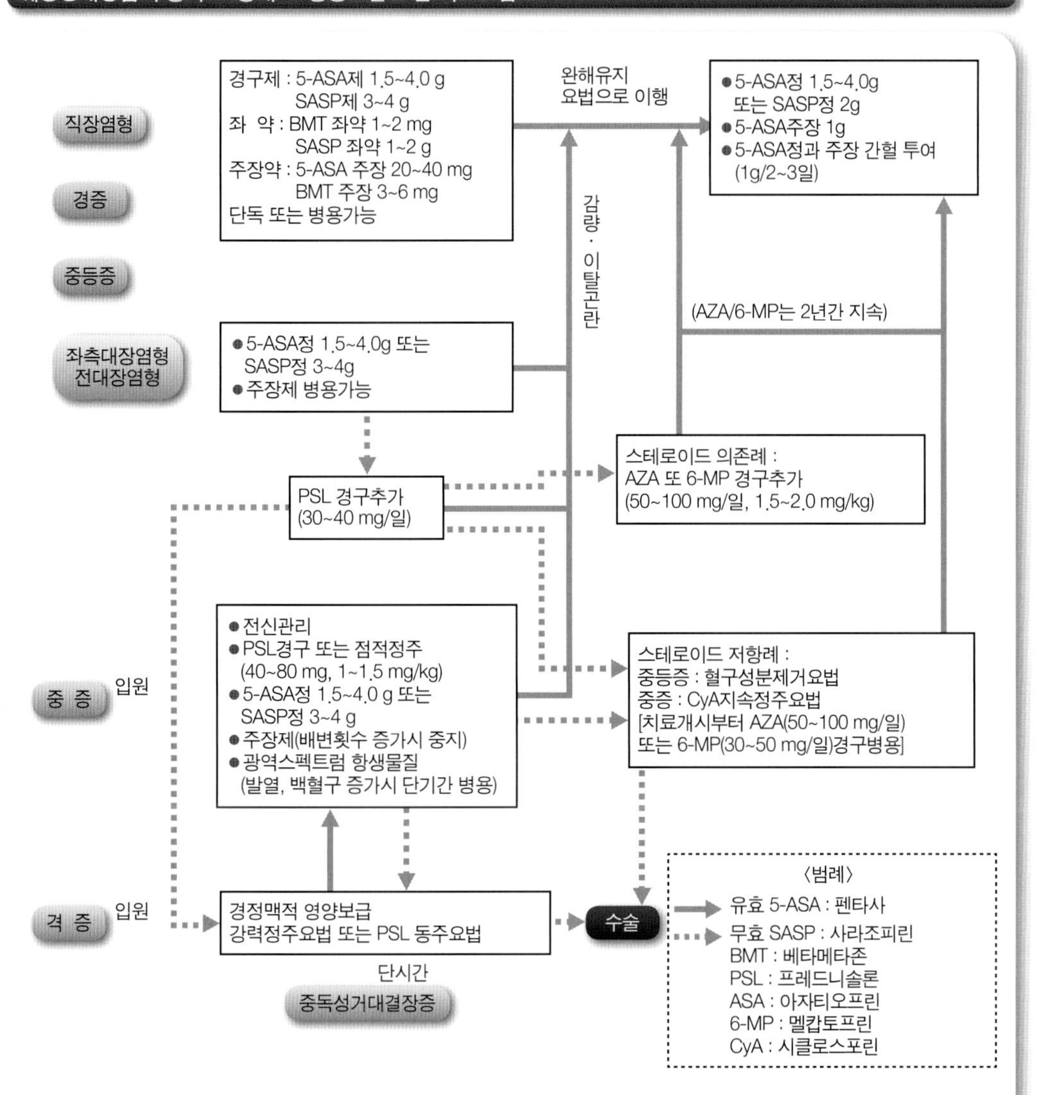

※스테로이드 저항례, 의존례인 중등증 및 중증례에서는 타크로리무스 (프로그래프)가 사용되기도 한다.

(棟方昭博 : 2005년도 궤양성대장염 치료지침 개정안, 후생노동과학연구비 보조금 난치성 질환극복대책연구사업「난치성 염증성 장관장애에 관한 조사연구」2005년도 연구보고서, p.13-15, 2006)

(長堀正和·渡辺 守)

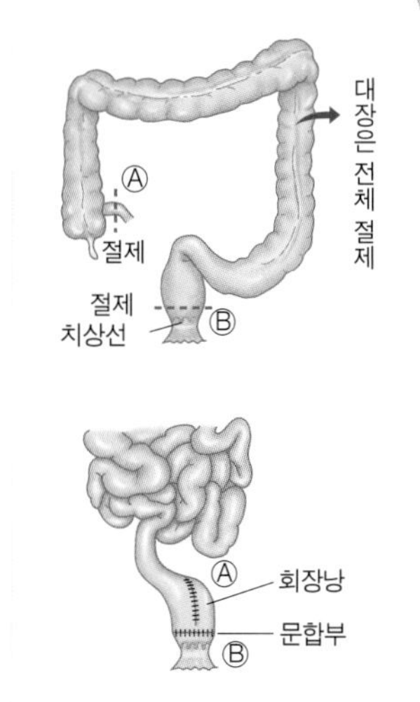

회장낭 (회장에서 만든 변을 모으는 주머니) 을 만들고, 항문관과 문합한다. 회장-항문 문합술 전에 일시적으로 인공항문을 조설하기도 한다

■ 그림 7-5 회장-항문 문합술

환자케어

증상이 일상생활에 크게 영향을 미친다. 따라서 활동기는 증상완화에 힘쓰고, 관해기는 재발예방을 목표로 셀프케어능력을 높이는 지지가 중요하다.

병기 · 병태 · 중증도에 따른 케어

【활동기】 대량출혈이나 빈번하게 일어나는 설사, 복통, 발열에 수반하는 고통이나 불쾌감이 강하고, 수면이나 배설 등 일상생활에 크게 영향을 미치므로, 증상완화를 중심으로 한 케어가 중요하다. 증상에서 기인하는 스트레스에 더하여, 식사요법이나 약물요법에 수반되는 스트레스도 상당하므로, 치료를 효과적으로 할 수 있도록 지지한다.

【관해기】 재발예방을 목표로, 증상을 유지할 수 있도록 셀프케어능력을 높이는 지지가 필요하다. 식사요법이나 약물요법 등 치료의 필요성이나 주의점에 대한 이해와 재발인자의 인식을 촉구하고, 장기에 걸쳐 예방에 관한 대처를 지지해 가는 것이 중요하다. 또 가족에게도 치료에 관한 지도와 더불어 심리적인 지지가 필요하다.

재발예방에는 재발인자의 인식과 환경조정 · 생활조정이 중요하다

■ 그림 7-6 관해기의 케어

케어의 포인트

증상에 따른 고통의 완화

- 복통이나 설사의 증상 유무와 정도를 관찰하고, 그 증상에 따라 적절히 지지한다.
- 수반증상의 유무와 정도를 관찰하고, 고통완화를 목표로 지지한다.
- 증상이 심해지면 셀프케어가 불충분해지는 경우가 있으므로, 환자의 자기효력감을 높이는 지지가 필요하다.
- 배변이 빈번한 경우, 경제적인 부분을 충분히 고려한 개인병실의 조정, 편안한 화장실 사용이나 화장실과 병실의 거리 등 배변환경에 대한 배려가 중요하다.
- 빈번한 설사에 수반되는 항문 주위의 피부장애에 대해서 예방적으로 케어한다.
- 증상이 계속됨으로써 장래를 예측할 수 없는 초조함 등이 나타나므로, 심리적인 고통에 대한 지지가 필요하다.
- 금식이나 투약의 필요성을 설명하고, 고통을 완화시키는 효과적인 치료를 할 수 있도록 지지한다.
- 고통상태에 있는 환자 · 가족의 생각을 고려하여 지지한다.

치료의 지도

- 치료 목적인 관해기로의 이행과 유지에 관한 인식을 강화하도록 지지한다.
- 약물요법을 계속할 필요성과 중요성에 관하여 설명하고, 적절한 치료행동을 할 수 있도록 지지한다.
- 스테로이드제 치료에서는 효과와 부작용을 충분히 설명하고, 감염 가능성 증가나 골절에 관한 일상생활에서의 예방행동을 지도하는 것이 중요하다. 또 임의적인 스테로이드제 투여중지의 위험성에 관하여 설명한다.
- 증상이 심한 경우, 금식 등의 식사요법의 필요성을 설명하고, 적절한 치료행동을 할 수 있도록 지지한다.
- 식사요법의 필요성을 설명하고, 장관에 저자극 식재를 사용한 메뉴 등을 고안 · 궁리할 수 있도록 돕는다.
- 치료의 중요성을 가족에게 지도하고, 환자에 대한 협력의 필요성을 설명한다.

유발인자에 관한 지도

- 일반적인 유발인자에 관한 정보제공, 지식의 확인과 더불어, 환자의 지금까지의 생활에서 일어날 수 있는 유발인자에 관하여 생각해 갈 수 있도록 지지한다.
- 가족 등 주위의 서포트상황을 확인하고, 관해기 유지를 목표로 하는 협력의 필요성을 설명한다.

사회자원의 활용에 대한 지지

- 주위의 이해 부족으로 인한 정신적 스트레스가 유발인자가 되어 재발하는 것을 예방하기 위하여, 학교나 직장에 연락하여 협조를 얻을 수 있도록 조정한다.
- 염증성 장질환 환자모임의 정보 등, 같은 질환의 환자나 가족들과의 협력의 장을 제공한다.
- 스토마보유자는 사회보장제도에 관한 정보제공이나 사례담당자와 연락을 도모한다.

퇴원지도 · 요양지도

- 유발인자를 제거하고, 심신의 안녕을 도모할 수 있도록 환경조정을 지지한다.
- 약물요법의 장기적이고 계속적인 필요성을 확인하고, 증상의 변화를 주치의에게 보고하도록 지도한다.
- 스테로이드제를 포함한 약물의 부작용과 그 예방방법을 설명하고, 부작용 출현 시에는 바로 연락하도록 지도한다.
- 식사요법을 계속할 수 있도록, 환자의 식습관이나 생활배경을 고려하여 지도한다.
- 장기에 걸친 계속적인 외래진료의 필요성을 설명한다.
- 임신이나 출산을 희망하고 있는 경우는 상황에 따른 정보를 제공한다.
- 장기경과례에서는 대장암이 합병되는 수가 있으므로, 정기적인 검사의 필요성을 설명한다.

(竹井留美·前川厚子)

8 크론병 (Crohn's disease)

長堀正和・渡辺 守/佐藤正美

전체map

병인

- 유전인자, 세균인자, 면역인자, 환경인자가 병인으로 시사되고 있다.

[악화인자] 흡연

역학

- 환자총수는 약 3만명이고, 남녀비는 2 : 1이다.
- 10대 후반~20대에서 가장 호발한다.

[예후] 본 질환 자체에 의한 사망은 매우 드물지만, 치료의 부작용, 수술합병증, 대장암합병에 의해 사망할 수 있다.

병태생리

- 소화관에 만성염증이나 궤양을 일으키는 원인불명의 염증성 장질환이다.
- 소화관의 모든 부위 (구강에서 항문까지)에 발생하고, 비연속성으로 전층성 만성염증을 일으킨다.

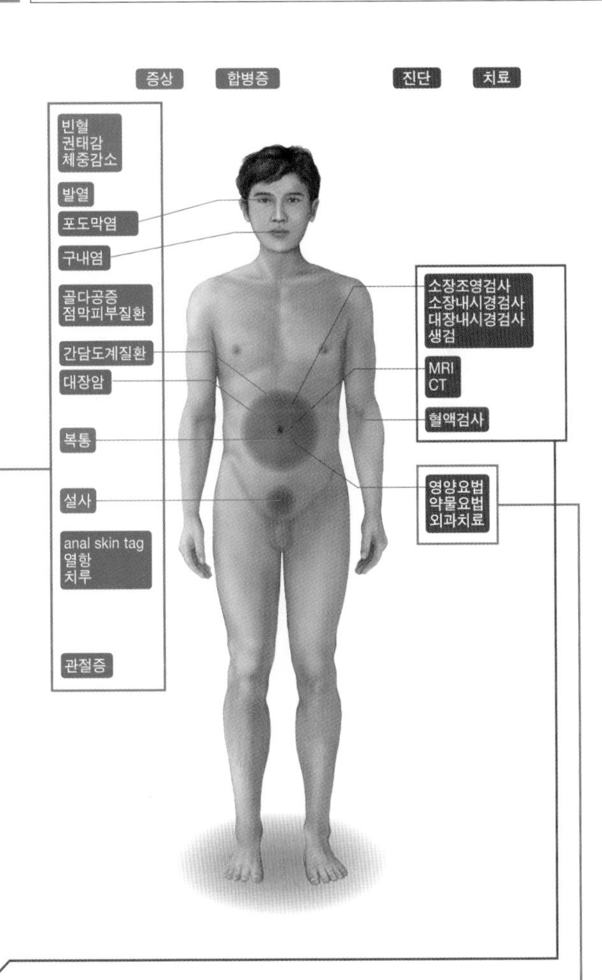

증상

- 복통, 설사가 주증상
- 복통, 설사 등의 소화기증상과 발열, 권태감 등의 전신증상이 대표적이지만, 궤양성대장염에서 볼 수 있는 혈변은 비교적 드물게 나타난다.

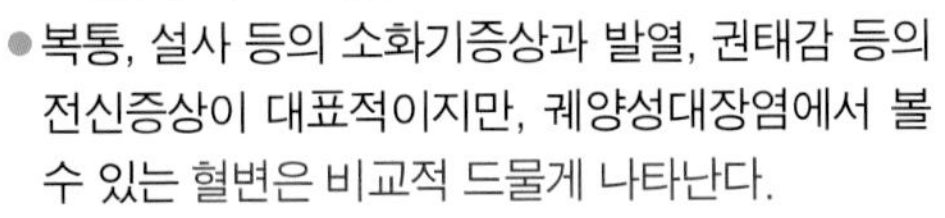

[합병증]

- 항문병변 (항문 피부의 처짐, 열항, 치루)이 높은 비율로 합병된다.
- 외과치료를 요하는 합병증 : 천공, 대량출혈 (응급수술), 협착, 대장암
- 장관외합병증 : 간담도계질환, 점막피부질환, 관절증, 안구증상, 골다공증

진단

- 만성으로 진행되는 임상증상과 내시경소견, 병리소견을 얻게 되면 진단이 용이하다.
- 혈액검사 : 빈혈, 저단백혈증을 확인한다.
- 소장병변의 평가에는 소장조영검사, 소장내시경검사가 유용하다.
- 대장내시경검사 : 진단에 가장 유효한 검사로, 종주궤양, 포석상(작은 돌들이 깔린 형상)을 확인한다. 생검에서는 비건락성유상피세포육아종이 주요소견이고, 장결핵의 제외가 필요하다.
- 농양의 합병이나 치루의 해부학적 평가에는 MRI, CT가 유용하다.

치료

- 원인불명이기 때문에 근본적인 치료법은 없다.
- 영양요법 : 경장영양법 또는 중심정맥영양법을 시행한다.
- 약물요법 : 경증~중등증에는 5-아미노살리실산제 (설파살라진, 메살라진), 메트로니다졸을 중등증~중증에는 부신피질호르몬제 (프레드니솔론)를 사용하는데, 경우에 따라서는 면역억제제 (아자티오프린), 인플릭시맙 등도 사용한다.
- 외과치료 : 항문병변, 협착천공 (농양), 대량출혈, 내과치료 불응, 암성화에 적용한다.

크론병

병태생리map

크론병이란 소화관에 만성염증이나 궤양이 유발되는 원인불명의 염증성 장질환이다.

- 구강에서 항문까지 소화관의 모든 부위에 비연속성으로 전층성 만성염증을 일으키는 원인불명의 질환이다.

병인 · 악화인자

- 병인으로 유전인자 (쌍생아의 높은 일치율 등), 세균인자 (무균장염 모델에서 장염은 발생하지 않는 등), 면역인자 (세균항원에 대한 면역학적 비관용 등), 환경인자 (서양형 식습관과 발병의 관련이나 스트레스가 장관에 미치는 영향 등) 등이 시사되고 있다.
- 흡연이 크론병에 미치는 영향은 많은 연구에서 시사되고 있으며, 발병의 위험인자이면서 또 술후 재발 등의 예후에도 악영향을 미친다고 알려져 있다.

역학 · 예후

- 의료수급자 교부건수에서 추정되는 환자총수는 3만명 정도이다. 남녀비는 거의 2 : 1로 남성에게 많으며, 10대 후반부터 20대에서 가장 호발한다. 크론병 자체에 의한 사망은 매우 드물지만, 치료의 부작용이나 수술의 합병증과 관련하여 사망할 수 있고, 또 앞으로는 장기경과례에서 대장암합병이 생명예후와 관련하여 문제가 되리라 생각된다.

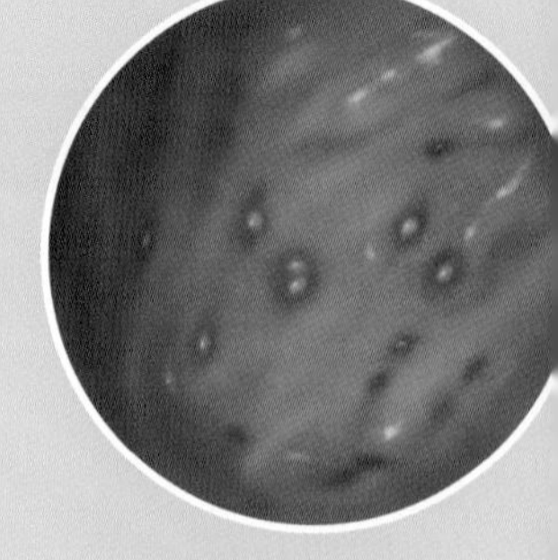

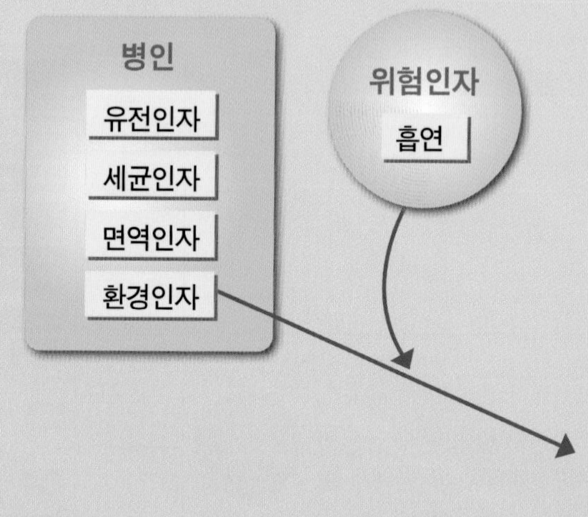

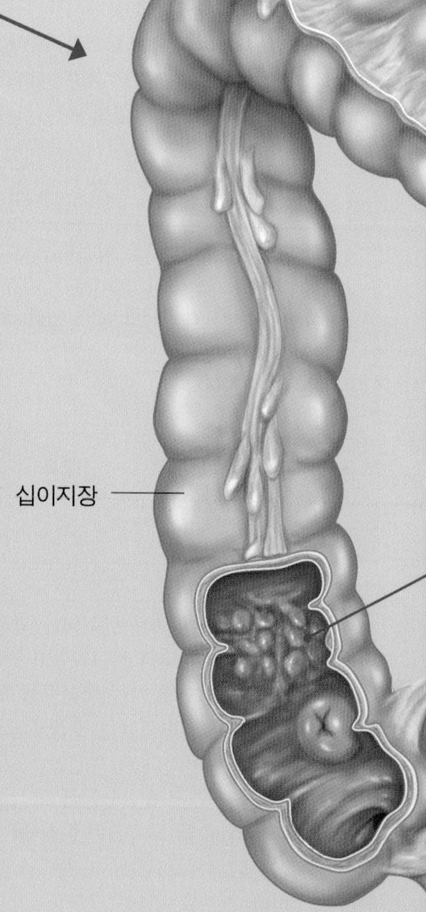

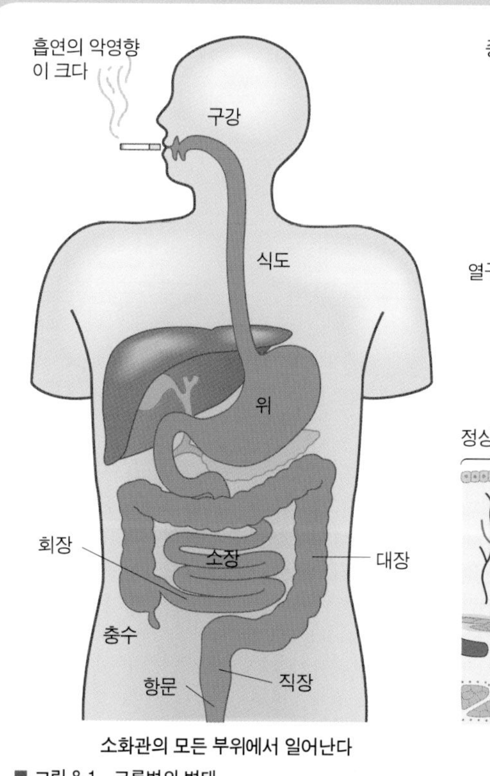

소화관의 모든 부위에서 일어난다

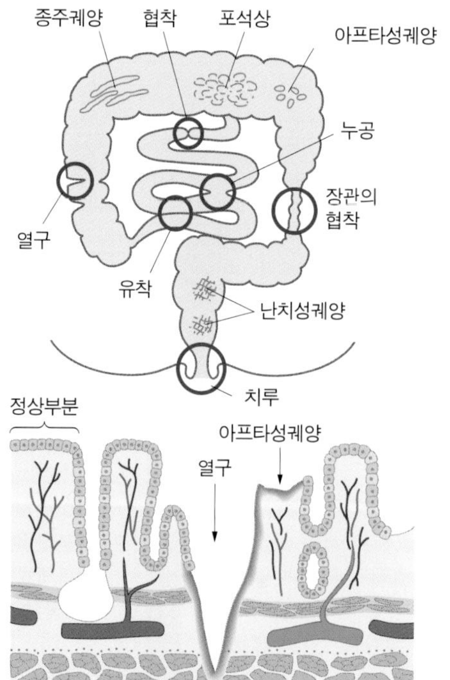

비연속성 병소=정상부분도 남는다

■ 그림 8-1 크론병의 병태

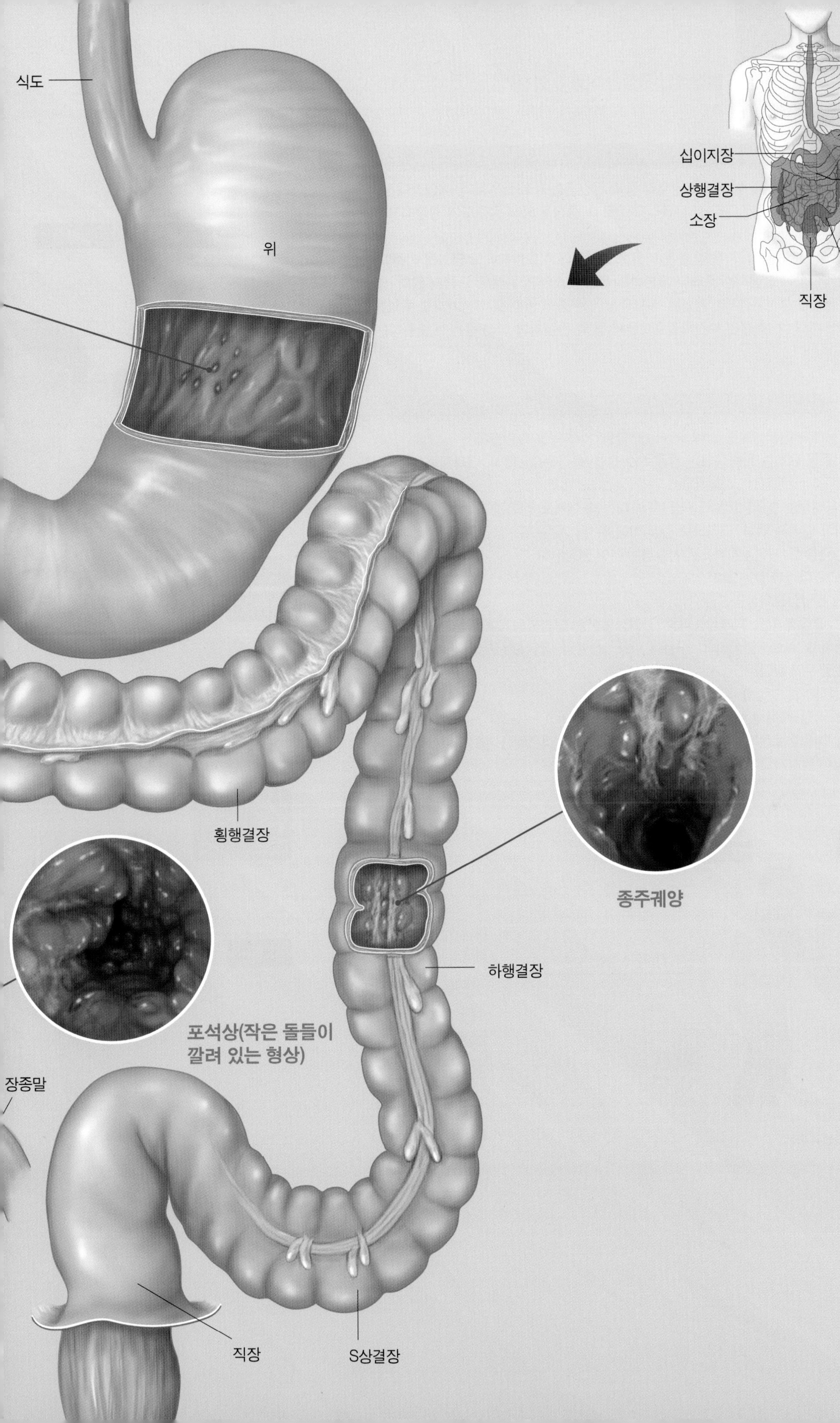

식도
위
십이지장
상행결장
소장
위
횡행결장
하행결장
직장
S상결장
횡행결장
종주궤양
하행결장
포석상(작은 돌들이
깔려 있는 형상)
장종말
직장
S상결장

크론병

증상map

특징적인 증상은 복통과 설사이다.

증상

- 복통, 설사 등의 소화기증상, 발열이나 권태감 등의 전신증상이 대표적이다. 궤양성대장염과는 달리 혈변은 비교적 드물게 나타난다. 그리고 주로 이 증상을 통해 중증도가 판정되고 치료 방침이 결정된다.
- 항문병변 (anal skin tag, 열항, 치루)이 높은 비율로 합병되어 치료방침에도 영향을 미친다. 이 항문병변이 장관증상에 선행하는 증례나 크론병의 유일한 소견인 증례도 드물지 않다. 또 장관외합병증에 관련된 증상 (구내염, 관절통, 피부증상, 안구증상 등)에도 마찬가지로 주의를 기울여야 한다. 또 치료 (예를 들면 부신피질호르몬제 등)와 관련하여 여러 증상이 출현하는 경우에도 주의해야 한다.

합병증

- 항문병변인 항문 피부연성섬유종 (anal skin tag), 열항, 치루 등을 확인한다.
- 그 밖의 외과치료를 요하는 합병증에는 천공, 대량출혈 (응급수술), 협착, 내과치료 불응례, 대장암이 있다.
  - 대장암 : 궤양성대장염 뿐 아니라, 크론병 (특히 대장형) 에서도 장기경과례의 경우 대장암합병이 증가한다고 알려져 있다. 그러므로 증상 발생 8년을 기준으로, 생검을 포함한 대장내시경검사 (전결장관찰)를 1~2년 간격으로 시행하는 것이 권장된다.
- 장관외합병증으로 다음과 같은 것이 있다.
  - 간담도계질환 : 원발성경화성담관염.
  - 점막피부질환 : 결절성홍반, 괴저성농피증 (결절성홍반은 장염활동기에, 괴저성농피증은 관해기에도 발생하고, 치료저항성이다), 구강내 아프타성궤양 (장염활동기에 악화되고, 장염치료로 치유되는 경우가 많다).
  - 관절증 : 강직성척추염, 천장관절염, 말초관절염.
  - 안구증상 : 포도막염 (특히 홍채염).
  - 골다공증 : 부신피질호르몬제의 부작용뿐 아니라, 유전인자, 장관염증, 흡수장애 (Ca, 비타민 D) 등도 관련됨이 밝혀지고 있다.

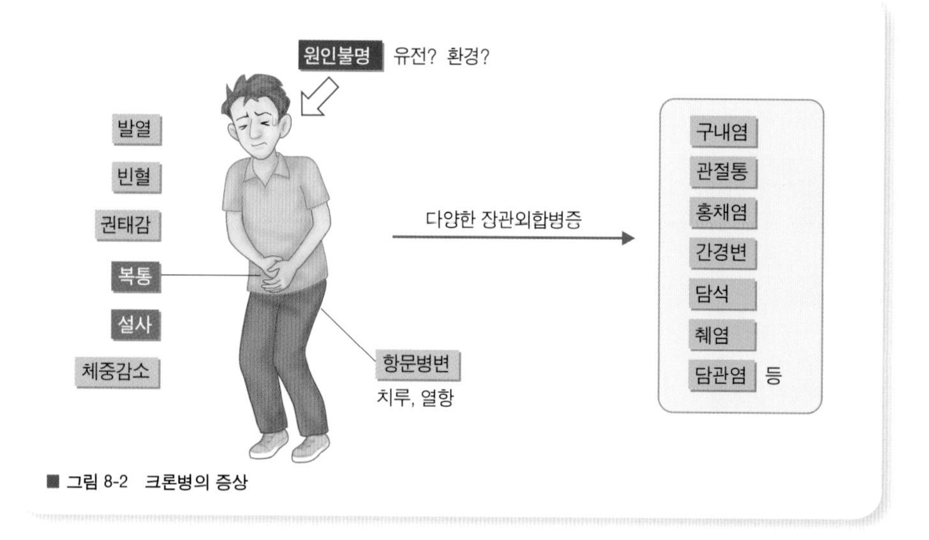

■ 그림 8-2 크론병의 증상

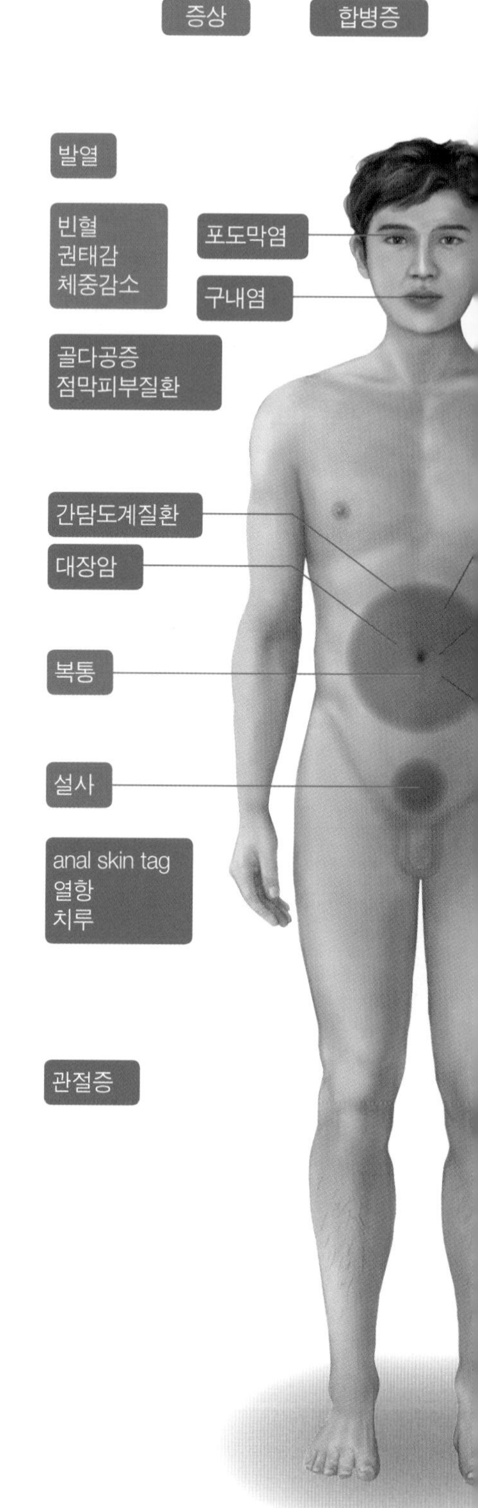

임상증상, 내시경소견, 병리조직소견으로 진단을 내리는데, 이때 반드시 장결핵과 감별해야 한다.

진단 치료

진단 · 검사치

- 전기의 임상증상이 존재하고, 특히 만성적으로 진행되며 후술하는 특징적인 내시경소견, 병리조직소견을 얻게 되면 진단이 용이하다. 이때, 장결핵은 가장 주의해야 하는 감별진단 시의 질환이다. 병리조직학적으로 결핵균을 증명하기가 그다지 용이하지 않아서, 장결핵의 증거를 확인하지 못하는 경우도 적지 않다. 감별이 어려운 증례에서는 항결핵제로 치료하고, 내시경소견 등으로 효과를 판정하는 경우도 드물지 않다.
- 소장병변의 평가에는 종래의 소장조영검사에 추가하여, 여러 소장내시경검사의 유용성이 보고되고 있다.
- 대장내시경검사는 진단에 가장 유효한 검사이며, 종말회장까지 관찰하면 대부분의 증례에서 진단이 가능하다. 종주궤양, 포석상, 생검조직소견에서의 비건락성유상피세포육아종이 주요소견인데, 이때 반드시 장결핵을 제외해야 한다. 또 내시경검사에서 위나 십이지장에서 병변을 확인하기도 한다.
- 농양의 합병이나 치루의 해부학적 평가에는 MRI (또는 CT)가 유용하다.
- 검사치
- 혈액검사에서는 진단에 관한 특이적인 검사항목이 없지만, 빈혈, 저단백혈증을 확인하기도 한다.

소장조영검사
소장내시경검사
대장내시경검사
생검

MRI
CT

혈액검사

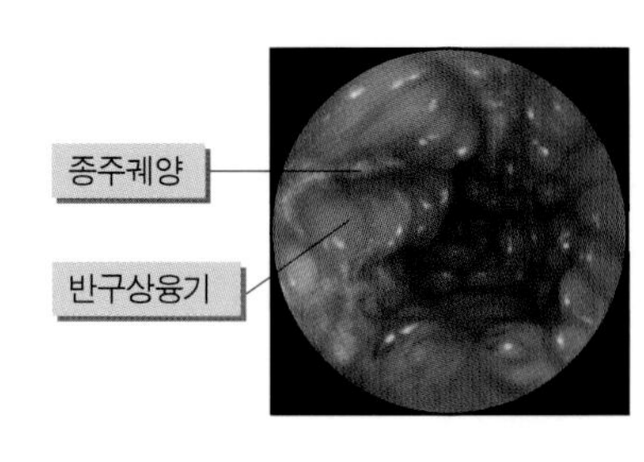

전형상은 종주궤양과 횡주하는 열구와 그것에 둘러싸인 점막이 반구상으로 융기 (점막하층의 부종이나 세포침윤에 의한다) 함으로써 형성된다. 이 외에도 다양한 변형이 있다.

■ 그림 8-3 포석상

Key word

- 비건락성유상피세포육아종

유상피세포는 단구나 조직구에서 유래하는 세포로, 그 형태가 상피세포와 유사하여 이 명칭이 붙게 되었다. 통상적으로 다수의 세포가 밀집하여 유상피세포성 육아종이라는 소결절을 형성한다. 비건락성 유상피세포성 육아종은 건락괴사를 수반하지 않는 유상피세포성 육아종을 가리킨다.

영양요법
약물요법
외과치료

크론병의 병기 · 병태 · 중증도별로 본 치료흐름도

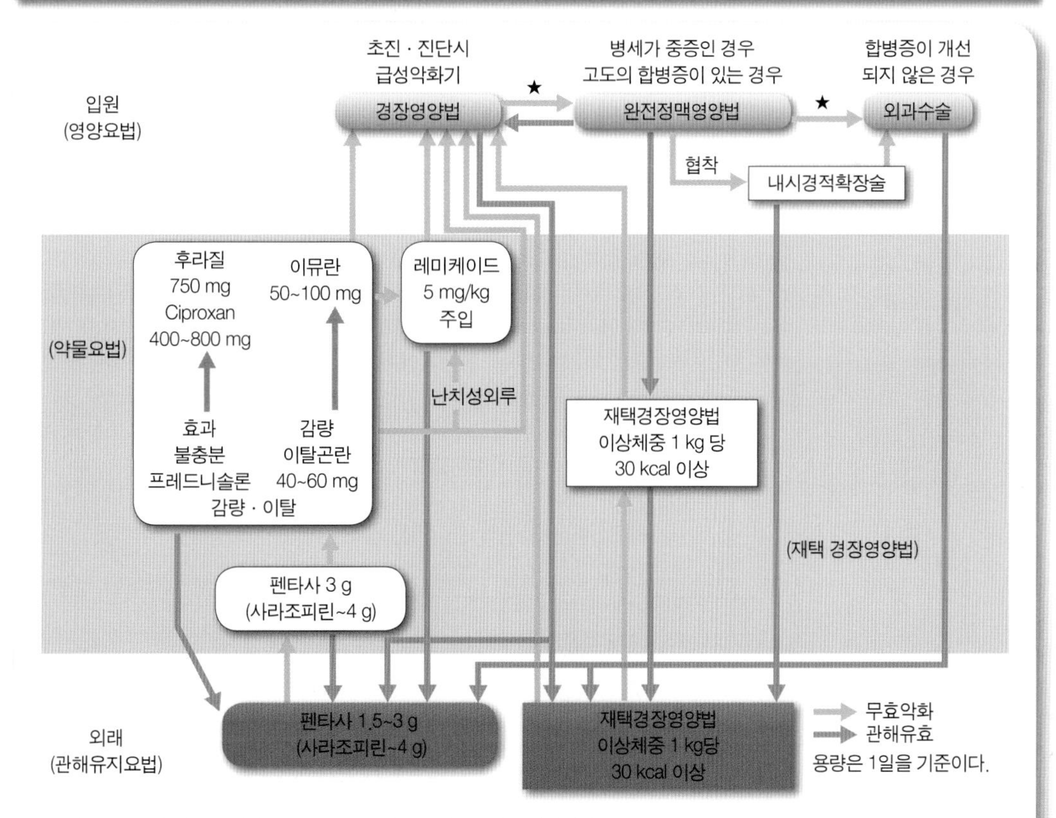

★영양요법이 효과가 없거나 증상이 중증인 경우는 약물요법을 병용한다.

(飯田三雄 : 크론병 치료지침개정안(2005), 후생노동과학연구비보조금 난치성 질환극복대책연구사업「난치성 염증성 장관장애에 관한 조사연구」반, 2004년도 연구보고서, p.18-19, 2005에서 2008년도판을 참고로 일부를 개편)

치료map

근본적인 치료법은 없다. 영양요법, 약물요법, 외과치료를 병태에 따라서 선택한다.

치료방침

- 크론병은 원인이 불분명하므로 근본적인 치료법이 없지만, 내과적 치료로 영양요법이나 약물요법이 행해진다. 외과치료가 필요한 경우도 많다.

외과치료

- 항문병변 : 항문주위 농양합병례에서는 절개배농이 필요하다. 치루의 치료는 내과적 치료만으로는 한계가 있으며, 시톤 (세톤) 법이 유용하다(레미케이드 투여를 병용하기도 한다).
- 협착 : 크론병의 경우, 수술례의 대부분은 협착에 관한 것이다. 장절제 외에도 염증이 진정되고 협착길이가 길지 않은 예에서는 장관을 온전히 보존할 목적으로 협착성형술도 널리 행해지게 되었다.

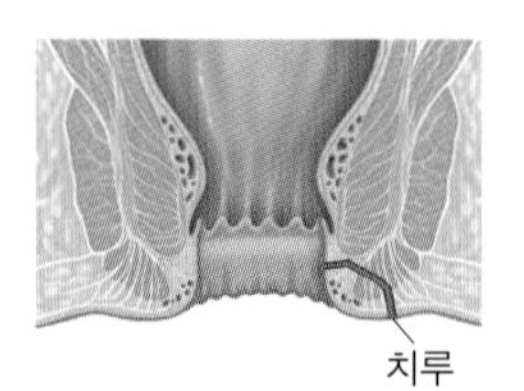

직장 개구부와 피부 개구부에 고무밴드, 실을 통과시켜 묶는다.

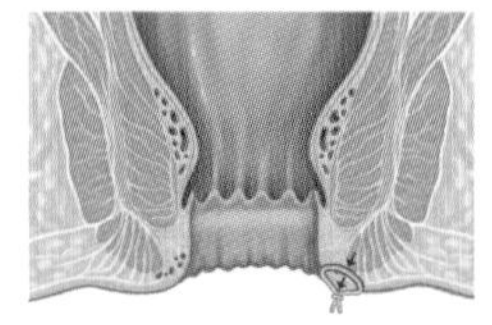

몸의 이물을 밀어내려는 작용으로 누관이 서서히 얕아진다.

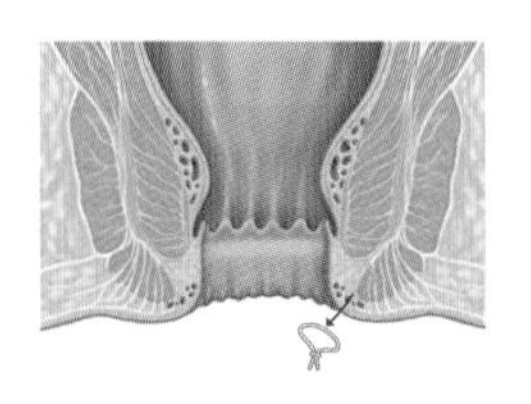

■ 그림 8-4 시톤(세톤)법

■ 표 8-1 크론병의 주요 치료제

분류	일반명	주요 상품명	약효발현의 메커니즘	주요 부작용
염증성 장질환 치료제	설파사라진	사라조피린	염증성세균의 조직으로의 침윤을 억제한다.	재생불량성빈혈, 간질성폐렴
	메살라진	펜타사		
항균제	메트로니다졸	후라질	혐기성균에 작용한다.	말초신경장애
	염산시프로프록사신	Ciproxan	항균력이 강하고, 용균작용도 있다.	쇼크, 아나필락시스양 증상
부신피질호르몬제	프레드니솔론	Predonine, Predohan, 프레드니솔론	항염증작용, 면역억제작용이 있다.	감염 가능성 증가
면역억제제	아자티오프린	Azanin, 이뮤란	면역억제작용이 있다.	호중구감소증
	멜캅토프린수화물	Leukerin	면역억제작용이 있다.	간기능장애췌장염
항TNF-α 제	인플릭시맙	레미케이드	활성화된 백혈구 (단핵구)의 apoptosis (세포사)를 유도한다.	패혈증, 폐렴, 결핵

영양요법

- 영양요법은 크론병치료의 중심적 역할을 담당해 왔는데, 인플릭시맙을 비롯한 매우 효과적인 약물치료의 출현으로 그 역할이 재평가되고 있다. 그 안전성 평가에는 흔들림이 없지만, 유효성의 경우 서구에서는 부신피질호르몬제보다 떨어진다고 알려져 있다. 또 관해유지가 목적이란 점을 감안하면, 대부분의 환자가 영양요법을 지속하기는 힘들다. 따라서 QOL에 미치는 영향을 재평가할 필요가 있다.
- 성분영양제 (Elental)나 소화능영양제 (Enterued 등)가 이용되며, 경비튜브에서 수액펌프로 투여된다. 투여량은 1일 600kcal 정도에서 시작하여 점진적으로 증량하고, 2,000kcal 정도를 유지량으로 투여한다. 재택경장영양은 유지요법으로 행해지는데, 필요에너지의 약 절반 정도를 일중 경구섭취하고, 나머지를 야간에 자가삽입한 경비튜브를 통해 성분영양제 또는 소화관운동기능영양제를 투여함으로써 보충한다(1,200kcal 정도).
- 중심정맥영양법은 고도협착 등이 있어 경장영양이 어려운 경우나 단장증후군에 적용한다.

약물요법

- 5-아미노살리실산제 (5-ASA)인 설파살라진 (사라조피린) 및 메살라진 (펜타사)은 경증에서 중등증인 환자에게 적용한다. 관해도입을 목적으로 할 경우, 사라조피린이 유효하다는 연구가 있지만, 그 효과를 소장형에서는 기대할 수 없다. 펜타사는 소장, 대장에 5-아미노살리실산을 분배하는데, 활동기 크론병에 효과가 없었다는 연구도 많아서 관해유지효과가 있는가에 대해 많은 전문의가 회의적이다.
- 부신피질호르몬제 (프레드니솔론)는 중등증에서 중증인 환자에게 유효하다. 경구투여 또는 입원후 정맥투여하기도 한다. 관해유지효과는 증명되지 않았다.
- 메트로니다졸 (후라질)이나 염산시프로프록사신 (Ciproxan)은 단독 또는 병용으로 투여된다. 대장형, 항문부 병변에 유효하며, 몇 개월간 투여된다.
- 면역억제제 [아자티오프린 (이뮤란) 및 그 대사산물인 멜캅토프린수화물 등]의 경우, 일본에서는 아자티오프린의 1일용량을 50~100mg으로 한정하지만 서구에서는 체중에 따라서 아자티오프린은 2.5mg/kg까지, 멜캅토프린수화물은 1.5mg/kg까지 증량하여 투여하고 있다. 소장형, 대장형, 항문부병변에도 유효하며, 활동기 뿐 아니라 관해유지효과도 확인되고 있다.
- 인플릭시맙 (레미케이드)은 부신피질호르몬제, 면역억제제 등에 대한 치료저항례나 그 부작용 등으로 인하여 투여할 수 없는 경우 등에 적용되며, 외루에도 유효하다.

Px 처방례

- 사라조피린정 (500 mg) 8~12정 分 3 ← 5-아미노살리실산제
- 펜타사정 (250 mg) 8~12정 分 3 ← 5-아미노살리실산제
- 후라질내복정 (250 mg) 2~4정 分 2 보험적용외 ← 트리코모나스치료제
- Ciproxan정 (100 mg) 0.4~1 分 2 보험적용외 ← 신(新)퀴놀론계 항균제
- 프레드니솔론정 (5 mg) 40~60 mg 分 1 ← 부신피질호르몬제
- Azanin정 (50 mg) 1~2.5 mg/kg 分 1 아침 ← 면역억제제
- Leukerin산 (10%) 1~1.5 mg/kg 分 1 아침 ← 면역억제제
- 레미케이드주 (100 mg) 1회 5 mg/kg 점적정주 ← 항TNF-α 제

※ 유효하고 가능하면 2, 6주, 또 8주마다 유지요법

(長堀正和·渡辺 守)

크론병

환자케어

셀프케어가 질환의 진전과 QOL에 크게 영향을 미친다. 자기효력감을 유지할 수 있도록 지지한다.

병기 · 병태 · 중증도에 따른 케어

【진단기】 타질환과의 감별이 어려워서 아직까지 낯설은 질환이므로, 대부분의 경우는 원인불명의 장염이라고 진단하는 경우가 많다. 크론병이라고 진단하는 진단기는 앞으로의 장기적인 질환에 마주하게 되는 출발점이다. 셀프케어가 질환의 진전과 QOL에 크게 영향을 미친다는 점에서, 환자와 가족이 질환을 이해하는 것이 중요하다. 그러나 갑자기 금시초문의 질환에 직면하는 환자와 가족은 질환을 이해하기 어렵기 때문에, 몇 차례에 나누어 질환이나 그 치료에 관하여 설명해야 한다. 알기 쉬운 자료를 이용하거나, 환자모임의 정보를 제공하는 것이 효과적이다.

【관해기】 조금이라도 오래 관해기가 지속되도록, 적절한 영양요법과 약물요법을 계속할 수 있도록 지지하는 것이 중요하다. 사회생활을 하면서, 매일 빠뜨리지 않고 영양요법과 약물요법을 계속하는 것은 어려운 일이기도 하다. 식사는 신체에 필요한 영양을 흡수하는 행위일 뿐 아니라, 사교의 장으로도 중요하기 때문이다. 특히 식사를 중심으로, 영양요법이나 약물요법을 시행하면서 어떻게 사회와 접점을 가지고 생활하는가, 주위의 이해와 협력을 어떻게 얻어 가는가가 지원 시의 중요한 포인트이다.

【재발기】 복부 및 장관으로의 자극을 피하고, 염증반응의 진정 및 증상의 완화를 도모한다. 충분한 영양섭취가 어려운 시기이므로, 영양상태의 사정을 게을리하지 말고 영양부족이 되지 않도록, 팀으로서 활동해야 한다.

케어의 포인트

질환과 치료의 이해를 돕는다

- 크론병에 관하여, 해명되지 않은 점도 포함하여 원인과 병태, 증상이나 치료방법, 앞으로 예상되는 치료방법에 관하여 의사와도 상담하게 하고, 필요에 따라서 알기 쉽게 몇 번이고 설명하는 기회를 갖는다.
- 필요에 따라서 같은 질환을 가지고 사회생활을 하고 있는 동료나 환자모임 등을 소개한다.
- 환자로부터 요구가 있다면 알기 쉬운 자료를 제공한다.
- 필요에 따라서 의사나 영양사 등, 다른 전문가로부터 얘기를 들을 수 있도록 조정한다.

증상완화, 악화예방

- 복통이나 설사 등의 고통이 악화되지 않도록 식사내용에 주의를 기울인다.
- 증상이나 권태감이 심할 때에는 안정화를 위해 신체를 쉬게 하고 에너지를 보존한다.
- 증상이 심할 때에는 경구섭취를 삼간다.
- 항문 주위를 청결하게 유지하도록 자극이 적은 방법으로 케어한다.
- 항문병변의 출현이나 변화에 주의하여 관찰한다.

약물요법이 효과적으로 진행되도록 지지한다.

- 약물은 종류에 따라서 복용방법이 다르므로, 실수하지 않도록 설명한다.
- 처방대로 약물이 복용되고 있는가 확인한다.
- 복용하고 있는 약물의 부작용과 주의점에 관하여 알기 쉽게 설명한다.

영양상태의 개선과 유지

- 체중을 측정하고, 변화를 기록한다.
- 신체계측 (신장 · 체중, 상완삼두근 피하지방 두께, 상완근 둘레 등), 혈액검사데이터, 피부나 점막의 상태를 확인하여 영양상태를 사정한다.
- 연령에 맞게 신체기능이 발달 (2차성징의 발현 등) 하고 있는가를 확인한다.
- 병상에 맞추어 영양섭취방법과 내용을 검토한다.
- 영양사나 주치의와 협력하여 환자에게 맞는 식품이나 식사법을 찾아간다.
- 조금이라도 식사를 즐길 수 있도록 서로 의논한다.
- 재발한 경우, 어떤 식품이 원인이 되었는가 함께 검토한다.

자기효력감을 유지하고 셀프케어할 수 있도록 지지한다.

- 할 수 있다는 점을 전달하여, 자신감을 가질 수 있도록 지지한다.
- 질환의 관해상태를 유지하고, 재발을 예방하기 위해서 할 수 있는 것을 함께 생각한다.
- 생활과 질환이 조화롭게 균형잡히도록 서로 의논한다.
- 환자 자신이 할 수 있는 일이나 결정사항에 관해서 끝날 때까지 응원하면서 조용히 기다린다.
- 질환 이외에 가능한 일에 도전하는 자세를 격려하고, 자신의 자기효력감이나 통제력을 키울 기회로 삼는다.
- 환자가 치료에 적극적으로 참가하고 있다고 실감할 수 있도록, 치료에 대한 희망이나 의견을 청취하고, 이를 의사에게도 솔직하게 전달하는 다리역할을 한다.
- 환자 자신이 무엇을 소중히 하는 생활을 하고 싶은가, 무엇을 우선하여 생각하는가에 관하여 의료진에게 전달할 수 있도록 지지한다. 또 하고자 하는 생활이나 소중히 하고자 하는 것을 존중하여 치료가 진행되도록 지지한다.

사회생활을 유지하기 위한 사회자원활용 등을 지지한다.

- 학교나 회사, 자택 등에서 생활하는 데에 어떤 지지가 필요한가 의논한다.

■ 표 8-2 염증성 장질환에서 피해야 할 식품

분류	피해야 할 식품
곡류	현미, 적반, 크로와상, 데니슈류, 중화면, 인스턴트라면, 패스트푸드
감자류	곤약류
과자류	양과자류, 콩과자, 초콜릿, 스낵과자
유지류	버터, 마가린, 리놀산계 샐러드유
콩류	껍질이 있는 콩류 (대두, 비지, 팥)
어패류	게, 문어, 말린오징어, 굴 이외의 조개류, 훈제
고기류	지방이 많은 부위, 베이컨, 이탈리아식 소세지
우유 · 유제품	고지방 우유, 생크림
야채류	송이버섯, 산채, 우엉, 연근, 셀러리, 부추, 콩나물, 숙주, 아스파라가스
과일류	파인애플, 배, 감
버섯류	표고버섯, 송이버섯, 팽이버섯
해조류	녹미채, 다시마, 미역
기호음료류	알콜, 커피, 탄산음료
조미료류	마요네즈, 드레싱, 매운 향신료, 카레류

(齊藤惠子 : 크론병, 中村丁次 외 : 계통학강좌, 별권 영양식사요법, p.55. 의학서원, 2010)

- 필요한 사회자원 (학교나 회사, 지역사회의 서포트 등) 을 제공해 주는 시설이나 시스템이 없는지 상담한다(의료 사례담당자와 상담하는 것이 바람직하다).

환자 · 가족에 대한 심리적 지지

- 원인을 특정할 수 없어서 치료도 확립되지 않은 질환에 직면하면서 고민이 많으므로, 환자 · 가족의 심리상태에 관하여 지도한다.
- 필요에 따라서 전문가의 카운슬링을 받을 수 있도록 조정한다.
- 안정된 생활을 할 수 있도록 상담한다.
- 환자나 가족이 고민을 상담할 곳이 있는가 물어보고, 필요에 따라서 그 장소를 설정한다.
- 의료진이 언제나 응원하고 있으며, 지지하는 마음가짐으로 있다는 것을 전달한다.
- 크론병은 후생노동성에 의한 특정질환 치료연구사업의 대상질환으로 인정되어 있어서, 치료비가 공비로 부담된다. 따라서 신청방법 등의 정보를 제공한다.

퇴원지도 · 요양지도

- 완해기가 가능한 오래 지속될 수 있도록, 환자와 가족이 식사내용의 주의점을 이해하고 있는가 확인한다.
- 필요에 따라서 중심정맥영양법이나 경장영양법의 실시방법과 주의점을 지도한다.
- 영양상태의 기준을 정하기 위해서, 체중을 정기적으로 측정하도록 전달한다.
- 몸의 상태가 좋지 않은 날을 잘 지내는 방법에 관하여 의논하고, 가족의 협력도 얻을 수 있도록 설명한다.
- 약물의 부작용과 주의점에 관하여 확인한다.
- 어려울 때의 상담창구나 그 밖의 사회자원에 관하여 설명한다.
- 항문병변 등, 병상의 진행과 더불어 예상되는 증상 등에 관하여 설명하고, 모니터링하도록 얘기한다.
- 구급외래에서의 진찰이 필요한 증상이라고 생각되는 병태에 관하여 설명한다.

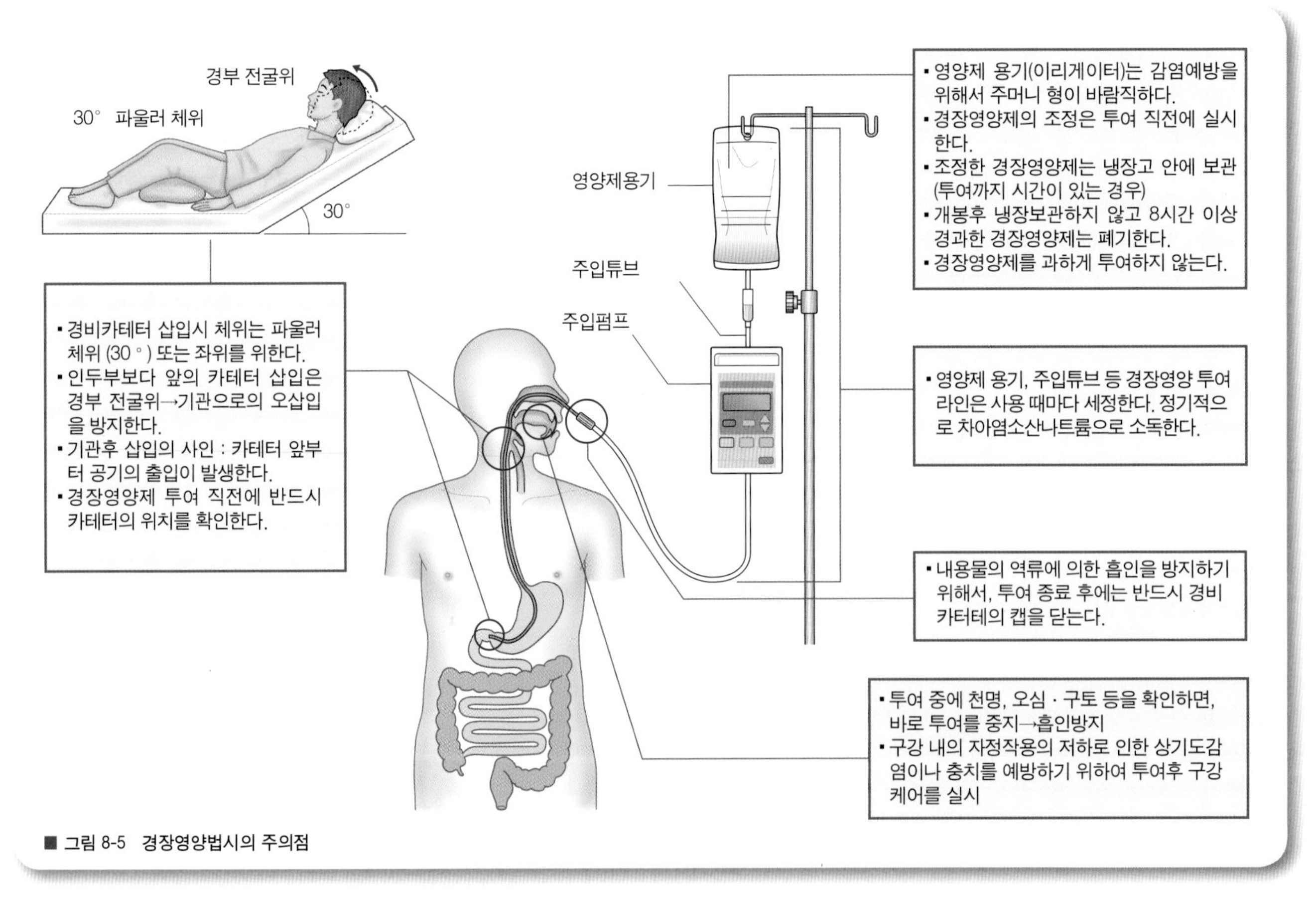

■ 그림 8-5 경장영양법시의 주의점

(佐藤正美)

9 치핵 (hemorrhoid)

清水紀香・杉原健一 / 佐藤正美

전체map

병인

● 정맥의 울혈이 주원인이다.

[악화인자] 변비, 설사, 임신, 간경변, 천식 등으로 인한 기침, 앉거나 선 상태로 행해지는 장시간 작업

역학

● 남녀차는 없다.

● 항문병변의 약 60%를 차지하고, 가장 빈도가 높은 질환이다.

[예후] 양호하다.

병태생리

● 직장, 항문관영역의 정맥총에 발생하는 정맥류를 치핵이라고 하며, 외치핵과 내치핵으로 구분된다.

● 외치핵 : 항문관의 치상선보다 항문측에 있는 하직장정맥류에서 발생한 치핵, 이 중, 정맥 내에 혈전이 생긴 것을 혈전성외치핵이라고 한다.

● 내치핵 : 치상선보다 구측(口側) 상직장정맥류에서 발생한 치핵이다.

증상

● 출혈 : 배변 시에 선홍색 출혈이 보이는데, 배변활동이 종료되면 출혈도 멎는다.

● 통증, 탈출, 종창, 위화감이 출현한다.

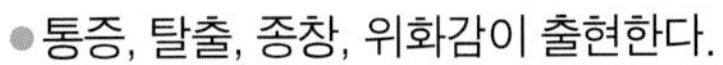

● 혈전성외치핵에서는 갑작스런 심한 통증과 종창이 발생한다.

[합병증]

● 술후의 출혈, 감염

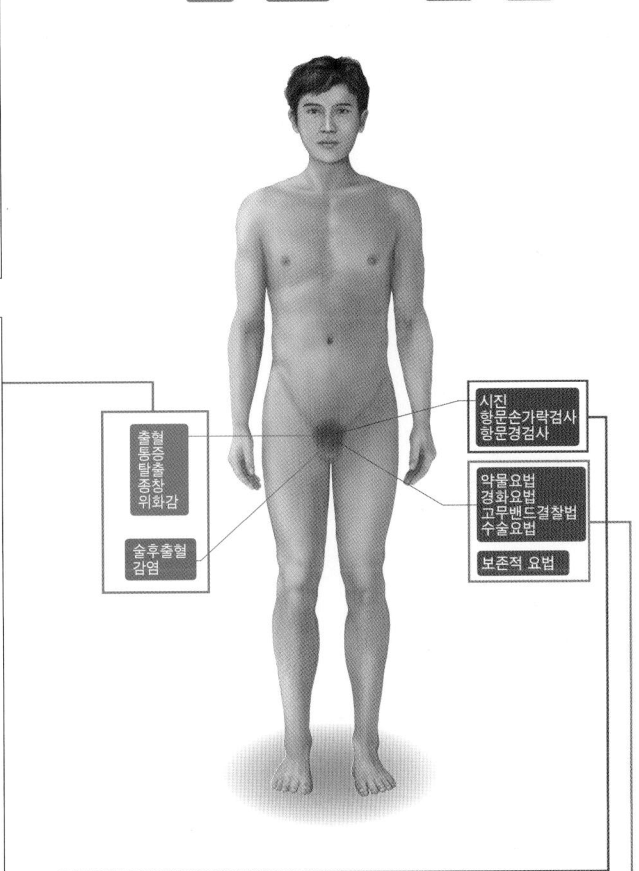

진단

● 진찰할 때는 환자의 수치심을 충분히 배려한다.

● 시진 : 외치핵은 시진으로 진단 가능하다.

● 항문손가락검사 : 항문부에 손가락을 삽입하고, 통증부나 종괴의 유무, 손가락 끝에 부착되는 변의 성상을 확인한다.

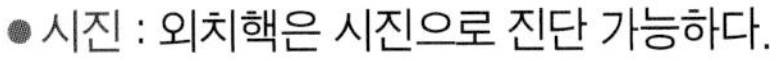

● 항문경검사 : 항문경으로 항문 속을 검사한다. 깊이나 위치를 알 수 있다.

● 내치핵의 호발부위는 3시, 7시, 11시이고, 탈출도에 따라서 I~IV도로 분류한다(Goligher분류).

치료

● 보존적 요법 : 섬유질을 섭취하고 용변 문제를 조정하여 배변시 배에 힘을 주는 것을 삼간다.

● 약물요법 : 통증, 출혈, 종창의 완화를 목적으로 치질치료제, 소염・진통좌약을 투여한다.

● 경화요법 : 출혈례의 치핵국소에 약물을 직접 주사한다.

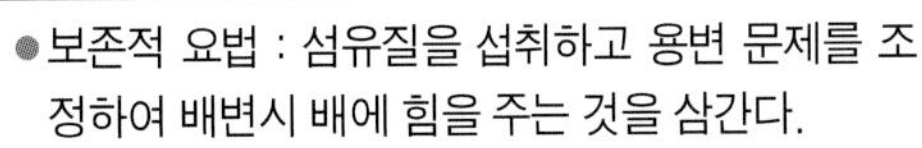

● 고무밴드결찰법 : 탈출증례의 치핵을 고무밴드를 이용하여 괴사・탈락시킨다.

● 외과치료 : 혈전성외치핵에는 국소마취하에 혈전제거술을, III도 내치핵에는 결찰절제술을 시행한다. 자동환상봉합기를 사용하는 PPH법도 있다.

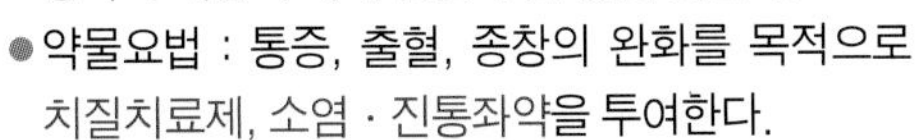

병태생리map

치핵은 직장, 항문관영역의 정맥총에 발생하는 정맥류이다.

- 치핵은 외치핵과 내치핵으로 분류된다.
  - 외치핵 : 항문관의 치상선보다 항문측에 있는 하직장정맥류에서 발생한 것이다. 이 중, 정맥내혈전을 형성하는 것은 혈전성외치핵이라고 하며, 심한 통증을 일으킨다.
  - 내치핵 : 치상선보다 구측의 상직장정맥류에서 발생한 것이다.

병인 · 악화인자

- 주로 정맥의 울혈이 원인이다.
- 변비, 설사, 임신, 간경변, 천식 등에 의한 기침, 앉거나 선 상태로 행하는 장시간 작업이 악화인자가 된다.

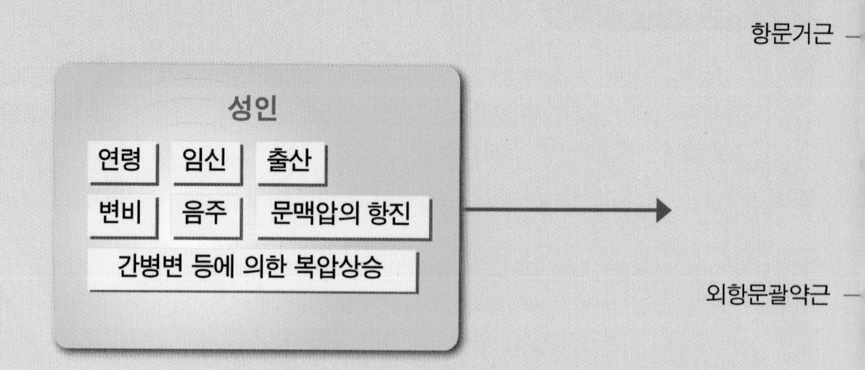

악화인자

변비 | 설사 | 임신 | 간경변 | 기침 | 앉거나 선 상태로 행하는 장시간 작업

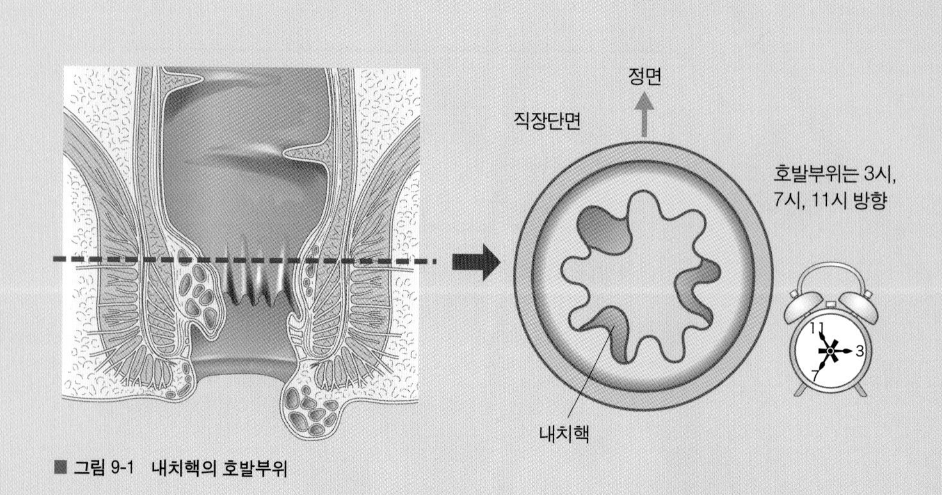

■ 그림 9-1 내치핵의 호발부위

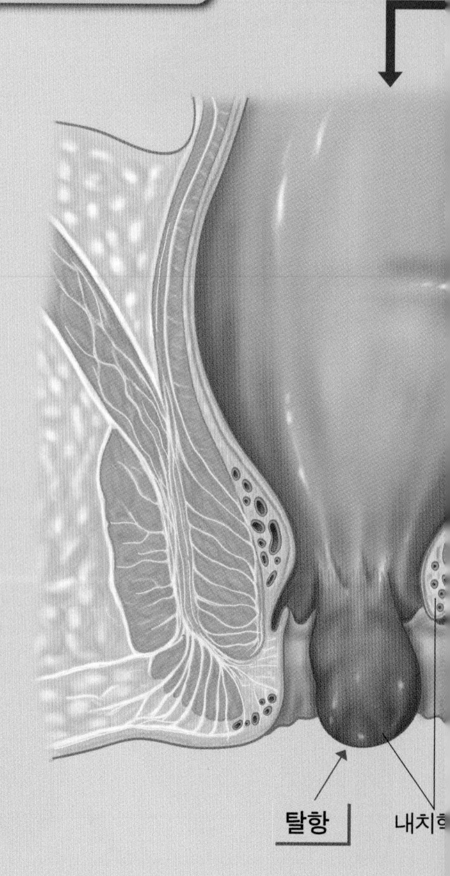

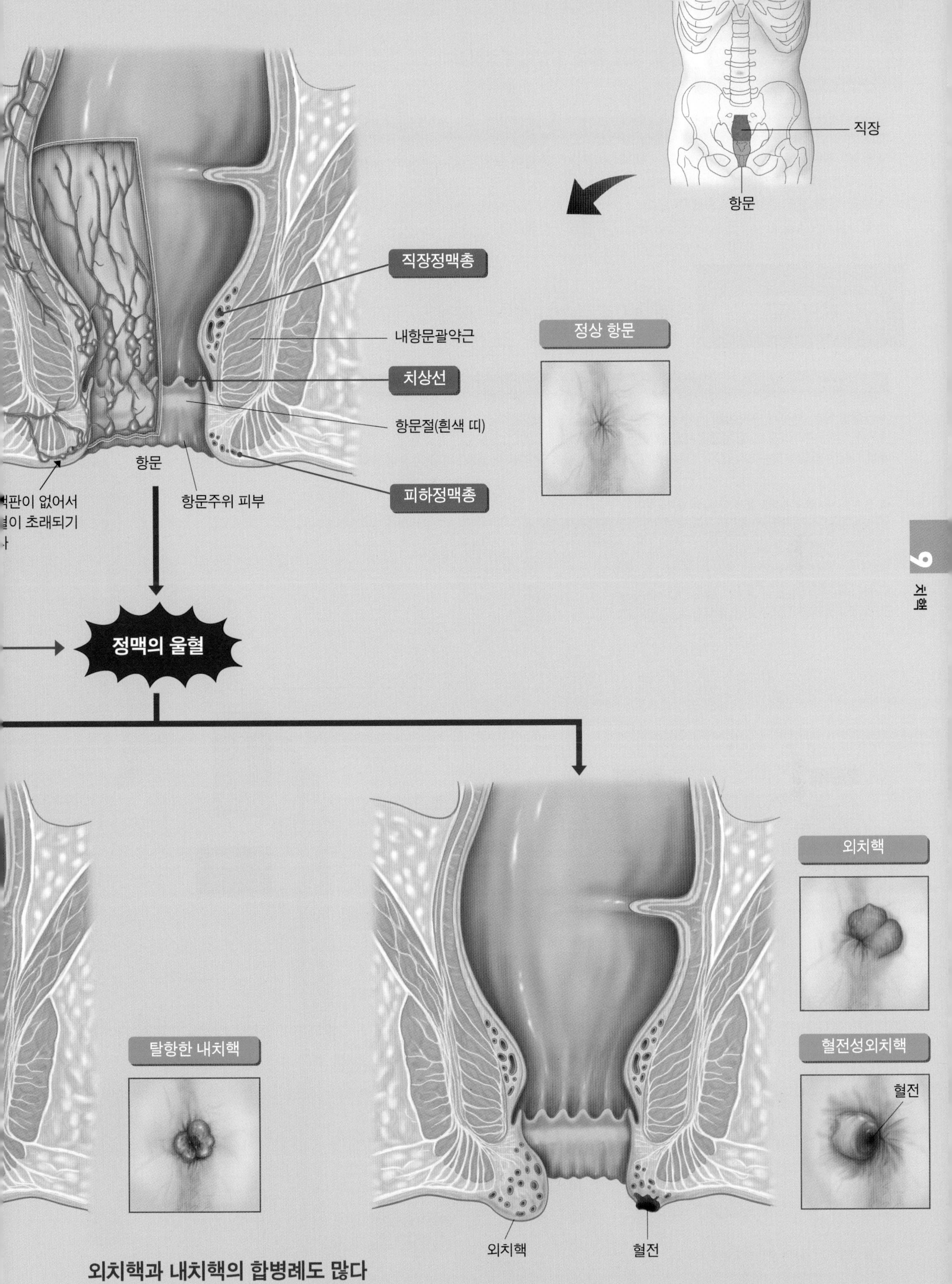
직장
항문
직장정맥총
내항문괄약근
치상선
항문절(흰색 띠)
항문
항문주위 피부
피하정맥총
정상 항문
정맥의 울혈
탈항한 내치핵
외치핵
혈전성외치핵
혈전
외치핵
혈전
외치핵과 내치핵의 합병례도 많다

치핵

증상map

출혈, 통증, 탈출, 종창이 주증상이다.

증상

- 출혈 : 배변 시에 '내뿜어지는' 출혈, '뚝뚝 떨어지는' 출혈이 보인다. 선홍색으로, 일반적으로 배변활동 종료 후에는 출혈이 멎는다.
- 통증, 탈출, 종창, 위화감이 출현한다.
- 혈전성외치핵은 갑작스런 심한 통증과 종창으로 증상이 발생한다.

시진, 항문손가락검사, 항문경검사를 실시한다.

진단 · 검사치

- 진찰할 때는 환자가 수치심을 느끼며 진찰받는 점을 충분히 배려한다.
- 시진, 항문손가락검사, 항문경검사를 실시한다.
- 내치핵의 호발부위는 3시, 7시, 11시이다 (그림9-1). 탈출도에 따라서 표9-1과 같이 분류된다.

■ 표 9-1 내치핵의 진행도 분류(Goligher 분류)

	분류
I 도	배변 시에 울혈, 팽윤된다.
II 도	배변 시에 탈출하지만, 배변 후에 자연적으로 되돌아간다.
III도	항상 항문 밖으로 탈출하지만, 손으로 되돌릴 수 있다.
IV도	손으로도 완전히 되돌릴 수 없다.

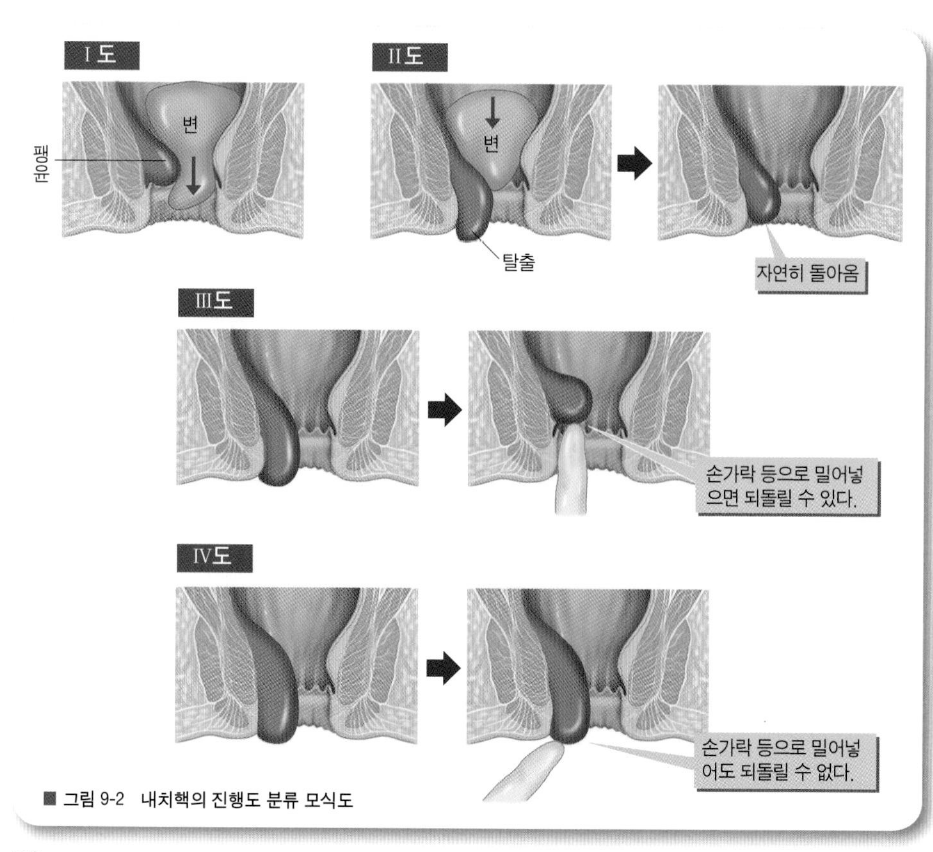

■ 그림 9-2 내치핵의 진행도 분류 모식도

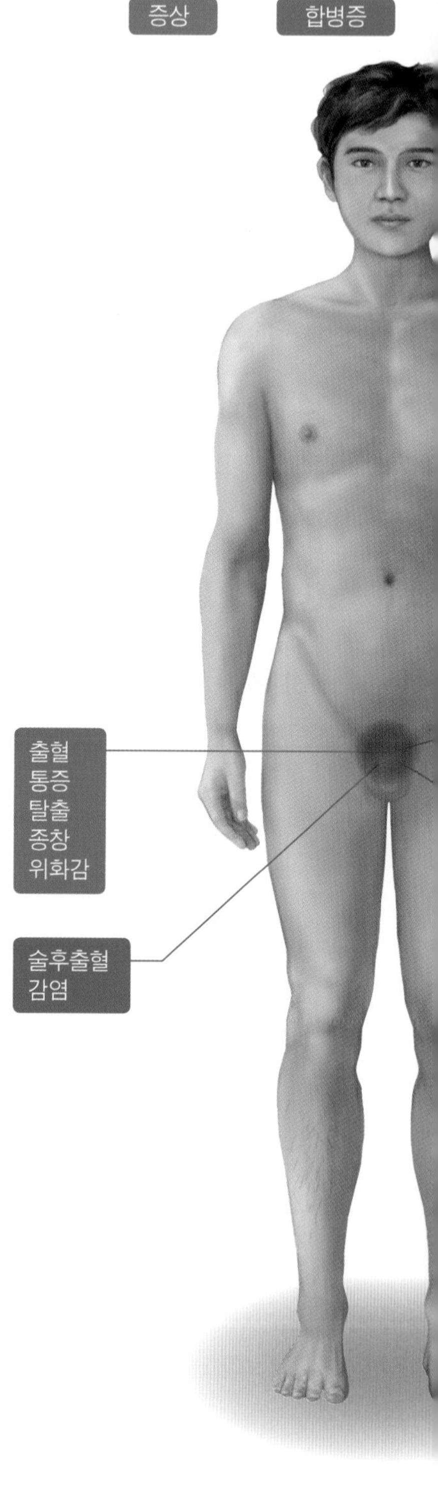

치료map

진행도 분류에 맞추어 약물요법, 경화요법, 고무밴드결찰법, 수술요법을 선택한다.

치료방침

- 보존적 요법, 연고 · 좌약에 의한 약물요법, 경화요법, 고무결밴드결찰법, 수술요법으로 크게 나눌 수 있다.
- 섬유질을 섭취하고 용변문제를 조정하여 배변시 배에 힘을 주는 것을 삼가는 것이 보존적 치료의 원칙이다.

진단 치료

시진
항문손가락검사
항문경검사

약물요법
경화요법
고무밴드결찰법
수술요법

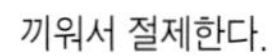

■ 표 9-2 치핵의 주요 치료제

분류	일반명	주요 상품명	약효발현의 메커니즘	주요 부작용
치질치료제	히드로코르티존 · 프라디오마이신합제	프록토세딜	항염증, 항부종, 진통작용이 있다.	뇌하수체 · 부신피질계 기능억제
	길초산디플루코르톨론 · 리도카인합제	Neriproct		
	대장균사균 · 히드로코르티존	강력 포스테리산, 포스테리산F		녹내장, 후낭백내장
	트리베노시드	Hemocuron		다형삼출성홍반
소염 · 진통좌약	인도메타신나트륨	인도신, Indomecin, Inteban	항염증작용과 진통작용이 있다.	직장점막자극증상

약물요법

- 통증, 출혈, 종창을 완화하는 효과가 있다. 치핵 자체가 완전히 사라지지는 않는다. 경구제, 연고, 좌약을 적당히 병용한다.

Px 처방례
- 프록토세딜연고 4 g 分 2 (아침 · 저녁) ← 치질치료제
  또는 강력 포스테리산연고 4 g 分 2 (아침 · 저녁) ← 치질치료제
- Hemocuron캅셀 (200 mg) 2캅셀 分 2 (아침 · 저녁) ←치질치료제

Px 처방례 통증이 심한 증례
- Neriproct연고 4g 分2 (아침 · 저녁) ← 치질치료제
  또는 Neriproct좌약 4g 分 2 (아침 · 저녁) ← 치질치료제
- 인도신좌약 (50mg) 2개 分 2 ← 소염 · 진통좌약
- Hemocuron캅셀 (200mg) 2캅셀 分2 (아침 · 저녁) ← 치질치료제

경화요법

- 치핵국소에 약물을 직접 주사하는 치료법으로, 유성 페놀아몬드오일 (PAO), 수용성 ALTA (지온주)를 사용한다.
- 주증상이 출혈인 경우에 적용한다.

고무밴드결찰법

- 전용 고무밴드을 내치핵의 기시부에 걸고, 고무밴드를 수축시켜 치핵을 괴사 · 탈락시키는 방법이다.
- 주증상이 탈출인 경우에 적용한다.

수술요법

- 통증이 심한 혈전성외치핵인 경우는 국소마취하에 혈전제거술을 시행한다.
- Ⅲ도 내치핵에는 다음의 방법을 적용한다.
  · 결찰절제술 (Milligan-Morgan법) : 치핵조직을 절제하고, 근부(根部)를 혈관과 함께 결찰하는 수술방식.
  · PPH법 : 자동환상봉합기로 치핵구측의 직장점막을 원모양으로 절제 · 봉합하고, 항문부를 잡아당겨서 고정시키며, 동시에 혈류도 차단하여 내치핵을 축소시킨다.

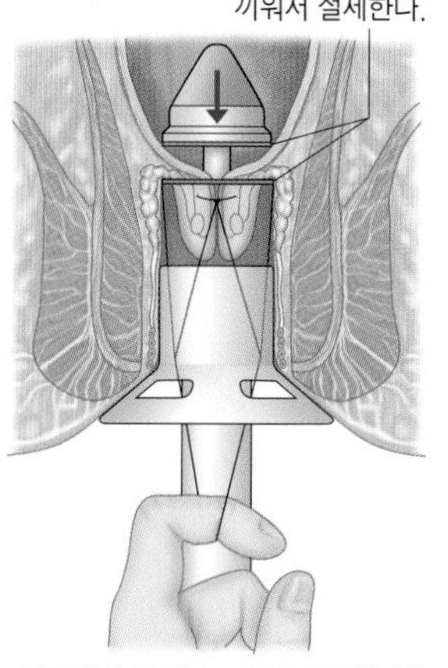

치핵에 실을 꿰어, 자동환상봉합기로 절제와 봉합을 동시에 실시한다.

■ 그림 9-3 PPH 법

치핵의 병기 · 병태 · 중증도별로 본 치료흐름도

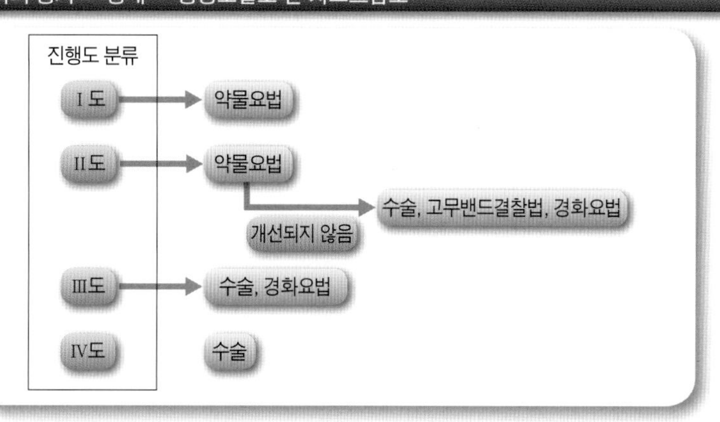

(清水紀香·杉原健一)

환자케어

변비를 예방하고, 복압을 가하는 동작을 삼가는 것이 중요하다.

병기 · 병태 · 중증도에 따른 케어

다음의 어떤 경우에 해당하든지 간에 변비를 예방하고 배변 시에 장시간 배에 힘을 주면서 항문에 부담을 가하지 않도록 하는 것이 중요하다.

내치핵 (Goligher분류별)

Ⅰ도 : 배변 시에 출혈하지만, 탈출하지 않는다.

Ⅱ도 : 배변 시에 내치핵이 탈출하지만, 배변이 끝나면 자연히 되돌아간다 ← 변비를 예방한다.

Ⅲ도 : 배변 시에 내치핵이 탈출하여, 손가락으로 누르지 않으면 되돌아가지 않는다 → 변비예방과 그 밖에 복압을 가하는 동작을 삼간다. 치핵을 항문으로 되돌릴 때에 출혈이 유발되지 않도록 주의한다.

Ⅳ도 : 배변에 관계없이 내치핵이 탈출해 있다 → 변비예방과 항문주위의 피부의 청결을 유지하면서 케어를 한다.

외치핵

- 변비예방과 항문의 혈류를 개선하고, 진통대책을 세운다.

케어의 포인트

통증이나 고통의 완화

- 변비나 배변곤란은 증상을 악화시킴과 동시에, 배변 시 통증이나 고통에 크게 영향을 미친다. 그러므로 변비를 예방하고 규칙적으로 배변하도록, 식사나 운동, 약물의 효과적인 복용방법도 포함하여 지도한다.
- 고통이 심할 때는 좌욕 등 환부를 따뜻하게 함으로써 완화시키기도 한다.
- 치핵이 탈출했을 때는 장점막이 상처를 입지 않도록 부드럽게 손으로 항문 내로 되돌린다.
- 통증이나 고통이 지속되고 경감되지 않는 경우에는 의사와 상담하도록 지도한다.

증상악화의 예방에 적합한 지도

- 위에서 기술하였듯이 배변곤란이나 경변(硬便)에 의한 변비는 치핵의 증상을 악화시키므로, 변비를 예방하도록 지도한다.
- 항문주위가 울혈되지 않도록 하반신을 차갑게 하지 말고, 또 동일체위의 유지를 삼가도록 지도한다.
- 심각하게 복압을 가하는 동작에 주의하도록 지도한다.
- 증상악화로 연결되는 요인을 환자 본인이 주의하도록 지도한다.

자존감을 유지할 수 있도록 지지

- 일상생활을 조정하여 증상이 완화될 수 있다는 점과 변비를 예방할 수 있다는 점을 전달한다.
- 생활을 조정함으로써, 지금까지의 사회생활을 충분히 지속 할 수 있다는 점을 전달한다.

퇴원지도 · 요양지도

- 식생활을 포함하여 변비예방의 방법을 지도한다.
- 항문주위를 자극하지 않는 청결유지법을 지도한다.
- 하반신의 냉감이나 동일체위 등은 항문주위의 울혈을 유발하므로, 가능한 피하도록 지도한다.
- 심각하게 복압을 가하는 동작을 삼가도록 지도한다.
- 통증 증강시 완화방법에 관하여 지도한다.

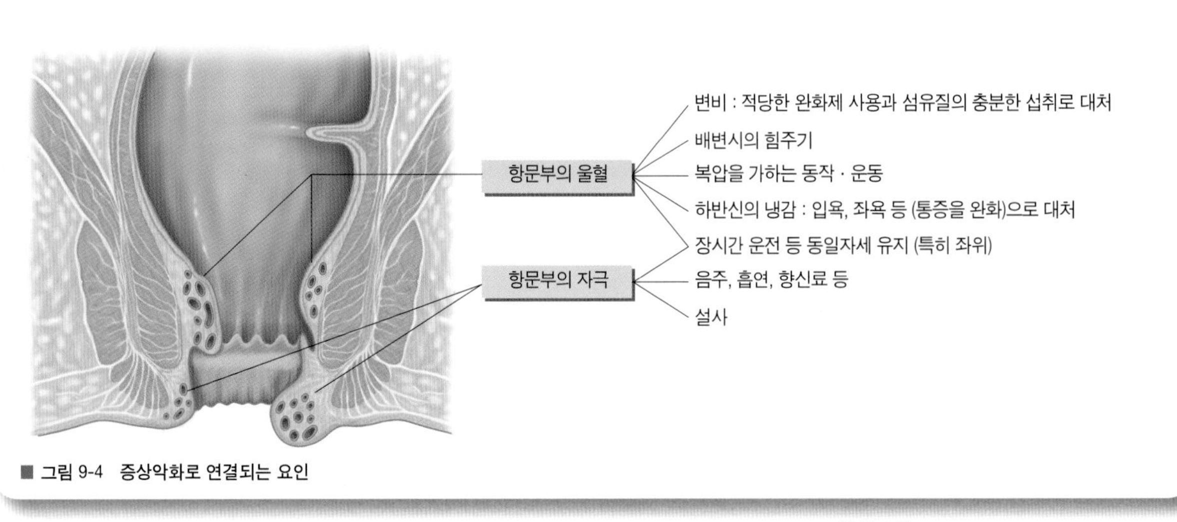

■ 그림 9-4 증상악화로 연결되는 요인

(佐藤正美)

10 바이러스간염 (viral hepatitis)

北村敬利 · 榎本信幸／高比良祥子

전체map

병인

- 주로 간염바이러스 (A~E형) 감염에 의해 발병한다.
- 간염바이러스 이외의 바이러스가 간세포에 직접 장애를 일으키는 바이러스간염도 있다.

[악화인자] 음주, 생활습관병

역학

- 간염의 80%가 간염바이러스에 의한 간염이다.
- B형 모자간염이나 유아기의 수평감염, C형 신규감염은 감소 경향에 있다.

[예후] 만성화 · 전격화되지 않으면 양호하다.

병태생리

병태생리 map p.74

- 간세포에 발생하는 간염바이러스 (A~E형)의 감염과 그에 대한 면역반응 (염증)에 의한 간장애이다.
- 감염경로 : A형과 E형은 경구, B형은 혈액 · 체액, C형은 혈액을 통해서 감염되고, D형은 B형간염바이러스의 존재 시에만 감염된다.

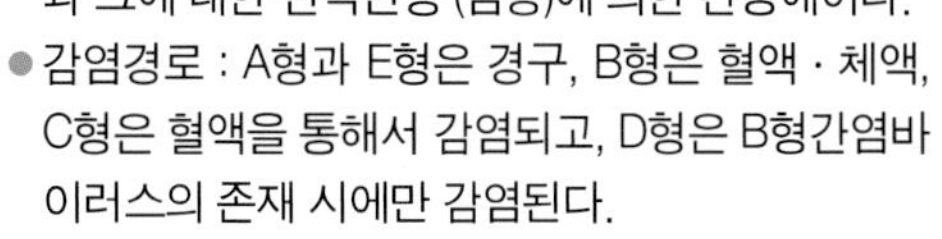

- 급성간염 : 간염바이러스의 초기감염으로 생기는 일과성 간장애이다.
- 만성간염 : B형 또는 C형간염바이러스의 지속감염으로 생기고, 간의 염증상태가 6개월 이상 지속된다. 만성간염은 간경변을 거쳐서 간세포암으로 진행된다.

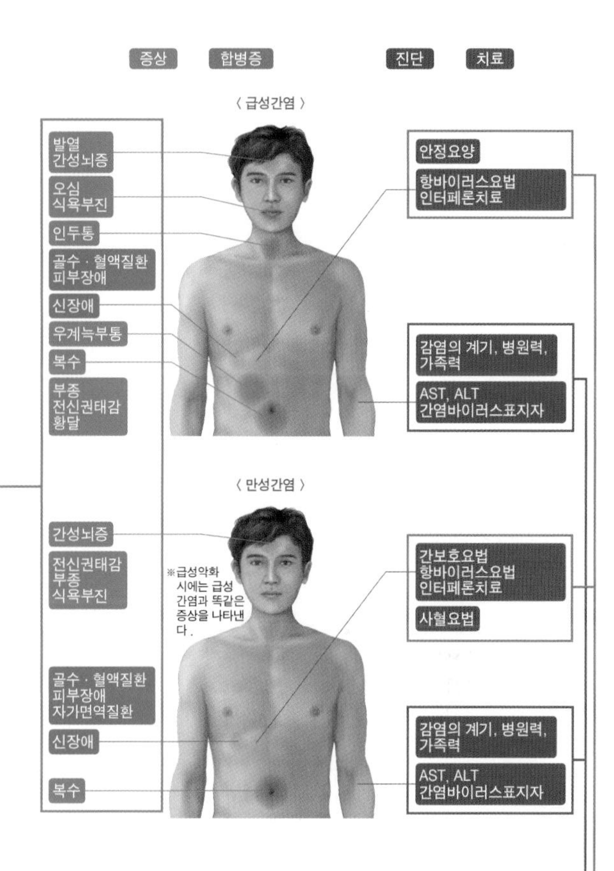

증상

- 급성간염 : 전신권태감, 식욕부진, 오심, 우계늑부통이 주증상. 감기같은 증상을 수반하기도 한다. 증증례에서는 황달, 복수 · 부종, 간성뇌증이 발생한다.
- 만성간염 : 일반적으로는 무증상이다. 간예비능의 저하에 수반하여 전신권태감, 복수 · 부종, 황달, 간성뇌증이 발생한다.

[합병증]

- 신장애
- 골수 · 혈액질환
- 피부장애
- 자가면역질환

진단

- 병력, 증상에서 간염이 의심스러우면 혈액생화학검사로 간기능이상을 확인하고, 다른 원인에 의한 질환일 가능성이 없다면 바이러스감염임을 확진한다.
- 혈액검사 : 간효소 (AST, ALT)의 상승
- 간염바이러스검사 : 급성간염에서 A형은 IgM형 HAV항체, B형은 IgM형 HBc항체, E형은 IgM형 HEV항체가 양성이면 확진할 수 있다. C형에서는 HCV-RNA양성과 HCV항체가의 변화, 경과로 판단한다. 만성간염에서 B형은 HBs항원 또는 HBV-DNA 양성, C형은 HCV-RNA양성으로 감염이 증명된다.
- 초기증상 출현부터 8주 이내에 프로트롬빈 시간이 40% 이하로 저하되고, 혼수 II 도이상의 간성뇌증을 일으키는 간염을 전격성간염이라고 한다.

치료

- 급성간염 : 대부분 보존적 치료 (안정요법, 영양요법) 만으로 회복된다. B형에는 핵산아날로그제, C형에는 인터페론제를 투여하고, 전격성간염에는 집학적 치료 (병인에 대한 치료+간부전에 대한 치료+전신관리)를 시행한다.
- 만성간염 : 간세포의 파괴 속도를 저하시키는 간보호요법 (이담제, 간보호제)과 항바이러스요법 (핵산아날로그제, 인터페론제)이 있다.

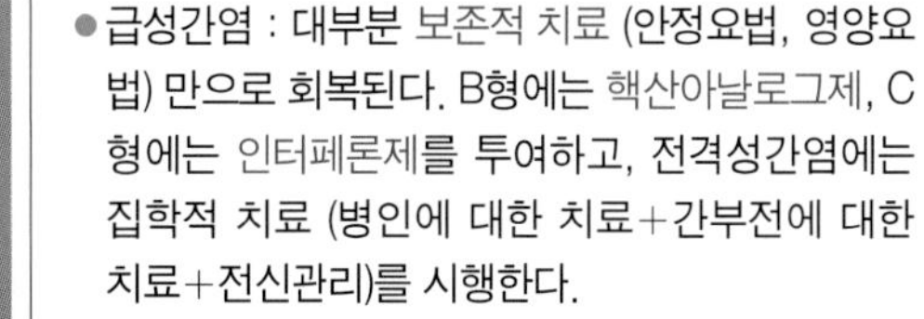

병태생리map ①

바이러스간염이란 간세포에 발생하는 간염바이러스의 감염과 그에 대한 면역반응 (염증)에 의한 간장애이다.

- 바이러스간염에는 바이러스의 초기감염에 의한 급성간염과 지속감염에 의한 만성간염이 있다.
- 급성간염은 바이러스의 초감염에 의해 생기는 일과성 간장애이다.
- 만성간염은 간염바이러스의 지속감염에 의해 생긴다. B형간염바이러스, C형간염바이러스가 그 원인이다. 간염바이러스의 감염과 그에 대한 면역반응으로 생긴 간의 염증이 종종 악화되고 그 상태가 지속되면서, 간세포의 탈락과 섬유화가 일어난다.

병인 · 악화인자

- A형간염 : A형간염바이러스의 감염경로는 주로 경구감염이다. 생굴 등의 생식을 통해 체내에 들어와서, 급성간염을 일으킨다.
- B형간염 : B형간염바이러스는 혈액이나 액체를 통해서 감염된다. 모자감염이나 유아기의 수평감염에서는 B형간염바이러스가 배제되지 않고, 지속감염화 된다. 성인의 경우에서는 성행위감염이 많으며, 급성간염이기에 치유되는 경우가 많다.
- C형간염 : C형간염바이러스는 혈액을 통해서 감염된다. 주요 감염경로는 혈액제나 의료행위, 각성제 사용, 문신 등이다.
- D형간염 : D형간염바이러스는 단독으로는 존재하지 않고, B형간염바이러스와 중복감염된다. 오키나와현의 일부 지역을 제외하고, 일본에서는 드문 질환이다.
- E형간염 : E형간염의 감염경로는 A형간염과 마찬가지로 경구감염이며, 동물의 날고기의 섭취 등으로 감염되고, 급성간염을 유발한다.
- 그 밖의 바이러스 : 간염바이러스 이외의 감염에서도 급성간염이 생기는 수가 있으며, 대표적인 것에는 헤르페스바이러스속 (EB바이러스, 사이토메갈로바이러스, 단순헤르페스바이러스) 이나 홍역바이러스 등이 있는데, 아데노바이러스나 콕사키바이러스 등 대부분의 바이러스 급성감염에서 일과성 간장애가 발생한다. 이러한 바이러스에 의한 간장애는 바이러스에 의한 간세포의 직접장애가 원인이 된다.

정상

간

좌엽

우엽

간겸상간막

간원삭

담낭

명료한 소엽막양

얇고 투명한 피막

표면은 평활하고 광택이 돈다.

변연(가장자리)이 날카롭다.

정상 간소엽

간세포

고유간동맥의 가지

문맥역

문맥의 가지

담관의 가지

중심정맥

■ 표 10-1 간염의 원인이 되는 바이러스

급성간염	만성간염
· A형간염바이러스 · B형간염바이러스 · C형간염바이러스 · D형간염바이러스 · E형간염바이러스 · 헤르페스바이러스속 EB바이러스 사이토메갈로바이러스 단순헤르페스바이러스 수두대상포진바이러스 · 아데노바이러스 · 엔테로바이러스 콕사키바이러스 에코바이러스 · 풍진바이러스 · 홍역바이러스 등	B형간염바이러스 C형간염바이러스 D형간염바이러스

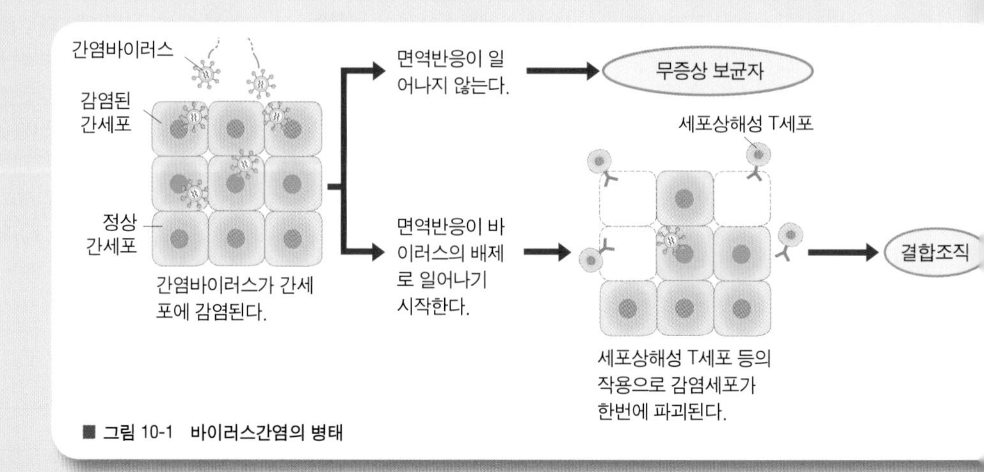

■ 그림 10-1 바이러스간염의 병태

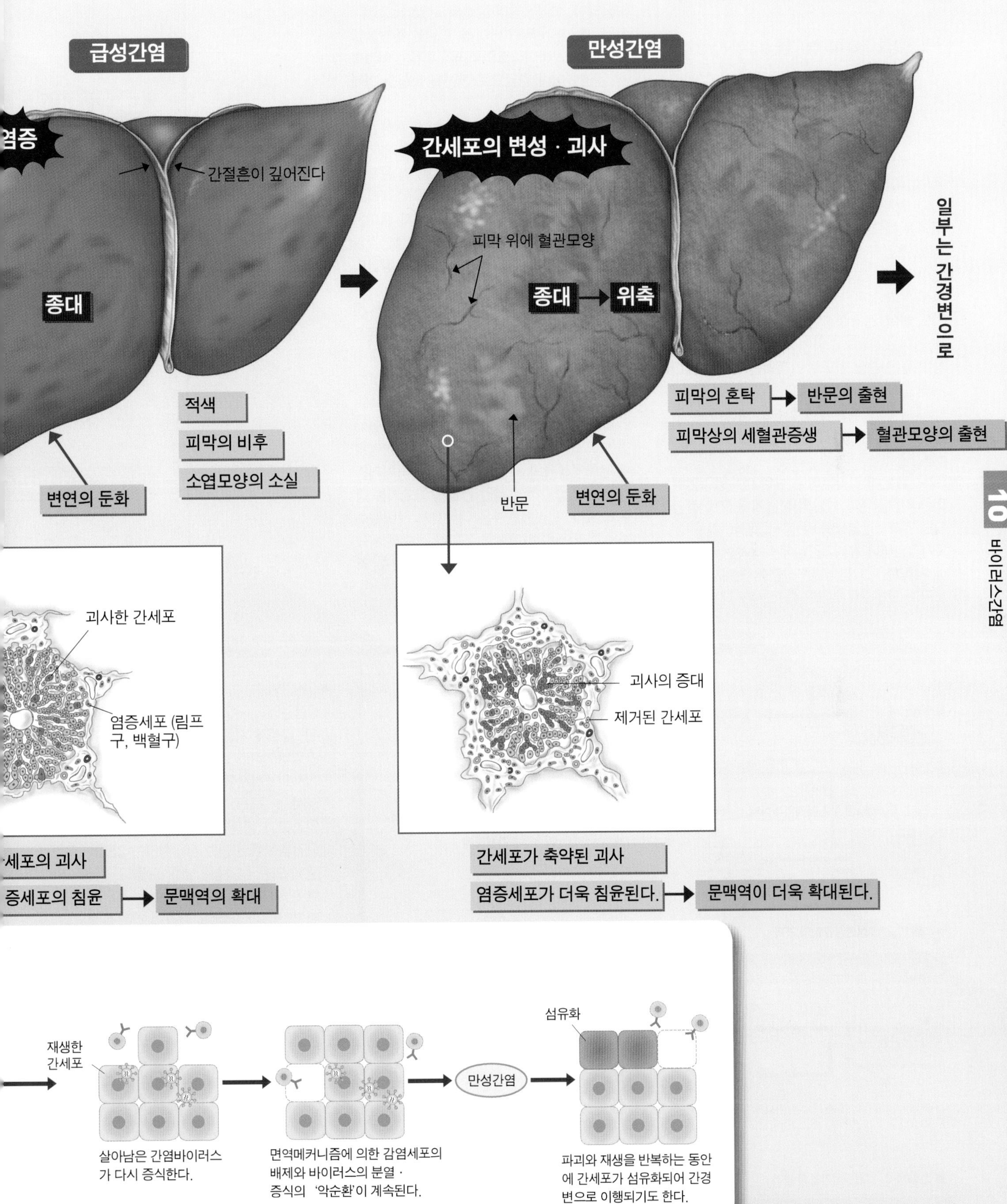
급성간염
염증
간절흔이 깊어진다
종대
적색
피막의 비후
소엽모양의 소실
변연의 둔화
만성간염
간세포의 변성 · 괴사
피막 위에 혈관모양
종대
위축
반문
변연의 둔화
피막의 혼탁
반문의 출현
피막상의 세혈관증생
혈관모양의 출현
일부는 간경변으로
괴사한 간세포
염증세포 (림프구, 백혈구)
괴사의 증대
제거된 간세포
세포의 괴사
증세포의 침윤
문맥역의 확대
간세포가 축약된 괴사
염증세포가 더욱 침윤된다.
문맥역이 더욱 확대된다.
재생한 간세포
살아남은 간염바이러스가 다시 증식한다.
면역메커니즘에 의한 감염세포의 배제와 바이러스의 분열 · 증식의 '악순환'이 계속된다.
만성간염
섬유화
파괴와 재생을 반복하는 동안에 간세포가 섬유화되어 간경변으로 이행되기도 한다.

병태생리map ②

A형간염에서는 중증화가 적다. B형 · C형간염은 만성화되기 쉽다. E형간염은 특히 임부의 전격화에 주의한다.

역학 · 예후

● A형간염

● A형간염의 감염경로는 경구감염이며, 생활환경의 위생상태나 식생활의 양식 등의 영향을 받는다. 과거에는 유아기 · 소아기에 감염될 가능성이 많은 질환이었지만, 위생환경이 개선되어 감염 가능성이 감소됨으로써, A형간염의 항체보유자 (감염기왕력)의 고령화가 진행되어, 젊은층에서는 항체보유자가 적어지고 있다. 현재는 생굴이나 수입식자재의 섭취, 외국여행 등으로 인해 성인의 감염 가능성이 높아서, 초감염례도 증가하고 있다.

● 임상경과는 일반적으로 양호하여, 중증화되는 경우가 적지만, 40대 이상에서는 중증화되기도 하여, 전격성간염이 되는 경우도 보고되어 있다. 반대로, 소아에서는 불현성감염이나 감기 같은 증상 정도로 경과하는 경우가 많아서 중증화되는 경우는 적다.

● IgG형 HAV항체는 중화항체로 작용하고, 일반적으로 평생면역화 된다.

● B형간염

● B형간염은 모자감염이나 유아기 수평감염에 의한 지속감염과 성인의 성관계 등으로 감염되는 일과성감염으로 나뉜다 (그림10-2).

● 모자감염이나 유아기감염에 대해서는 1986년에 시작한 모자감염방지사업에 의해서 HBV 보균자 모친으로부터의 출생 시에 대책을 취하게 되었다. 또 간염의 감염에 대한 지식이 보급되어, 보균자율이 감소되고 있다. 그러나 일단 보균자가 되어 버리면, 간염을 진정화할 수는 있어도 바이러스의 배제 · 치유는 어려워서, 간경변이나 간암으로 진전될 위험을 안게 된다.

● 성인감염에서는 급성간염 또는 불현성감염이기에, 일과성 간장애를 일으키지만 간기능은 회복된다. 특히 일본에서 고대부터 존재한 Genotype C나 B의 B형간염바이러스에서는 만성화되지 않는다. 그러나 외국에서 들어온 Genotype A의 B형간염바이러스는 성인감염례에서도 만성화되며, 동성애자 등의 감염이 문제가 되고 있다.

● B형간염의 성인감염례는 전격성간염으로 이행하는 것과 만성화되는 것을 제외하면, 예후가 양호하다. 그러나 임상적 치유례에서도 B형간염바이러스가 완전히 배제되지 않을 가능성이 있다. 간암발암례를 검토해 보면, 과거의 B형간염기왕력이 발암에 관여하고 있었다는 보고도 있어서, 주의를 요한다. 또 항암제나 면역억제제의 사용으로 B형간염바이러스가 급속히 증가하여 심한 간염을 일으키는 경우가 있다. 전격성간염은 아직까지 사망률이 높은 질환으로, 간이식을 포함한 집학적 치료를 적용하며, 중증례에서는 전격화의 예측, 조기진단이 중요하다.

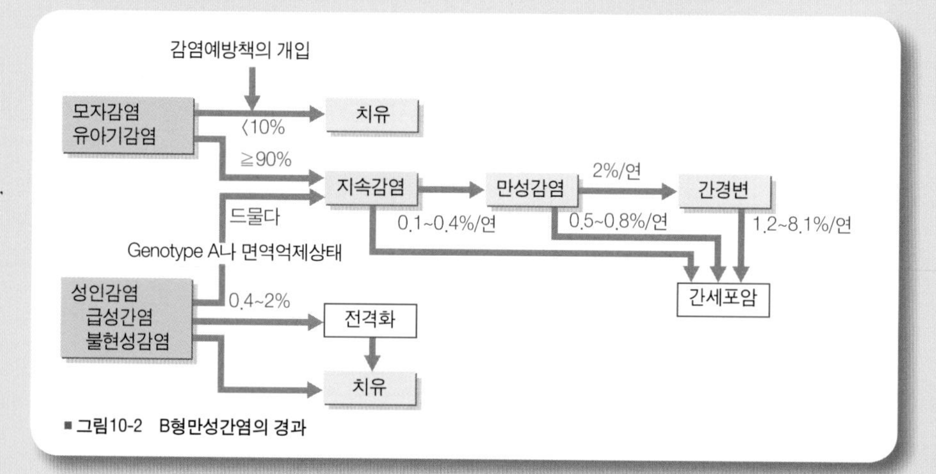

■ 그림10-2 B형만성간염의 경과

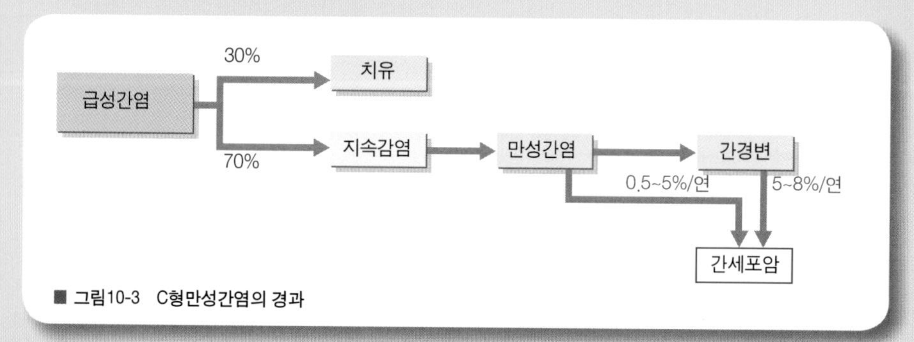

■ 그림10-3 C형만성간염의 경과

● C형간염

● C형간염의 주요 감염경로는 혈액제나 의료행위, 각성제 사용, 문신 등이다. 혈액제에 대한 간염바이러스 스크리닝검사의 도입이나 의료기재의 1회사용, 적절한 소독 · 멸균법의 도입으로 신규감염례가 줄어들고 있다. 그러나 감염경로가 불분명한 급성간염도 존재하여, 신규감염례가 완전히 사라지지는 않았다. C형간염에 의한 전격성간염이 드물고, 급성간염으로 인해 치명적인 상태가 되는 경우는 거의 없지만, 만성간염에서 간경변으로 진행되어 간암이 병발한다는 점에서 경과관찰 · 치료가 중요성을 갖는다(그림10-3).

● E형간염

● E형간염은 경구감염되므로, 위생환경이 갖춰지지 않은 지역에서 산발적으로 발생한다. 일본에서는 사람-사람감염에 의한 집단발생은 보이지 않지만, 날고기의 섭취에 의한 감염이 산발적으로 보고되어, 인수공통감염증으로서 일본에도 존재하는 질환이라고 생각된다.

● 급성간염으로서 치료되지만, 전격화례에 대한 보고도 있기 때문에 중증례에서는 전격화의 예측 및 조기진단과 더불어, 적극적 치료의 적응대상이 된다. 특히 임부의 감염 시에는 전격화되는 경우가 많아서, 주의가 필요하다.

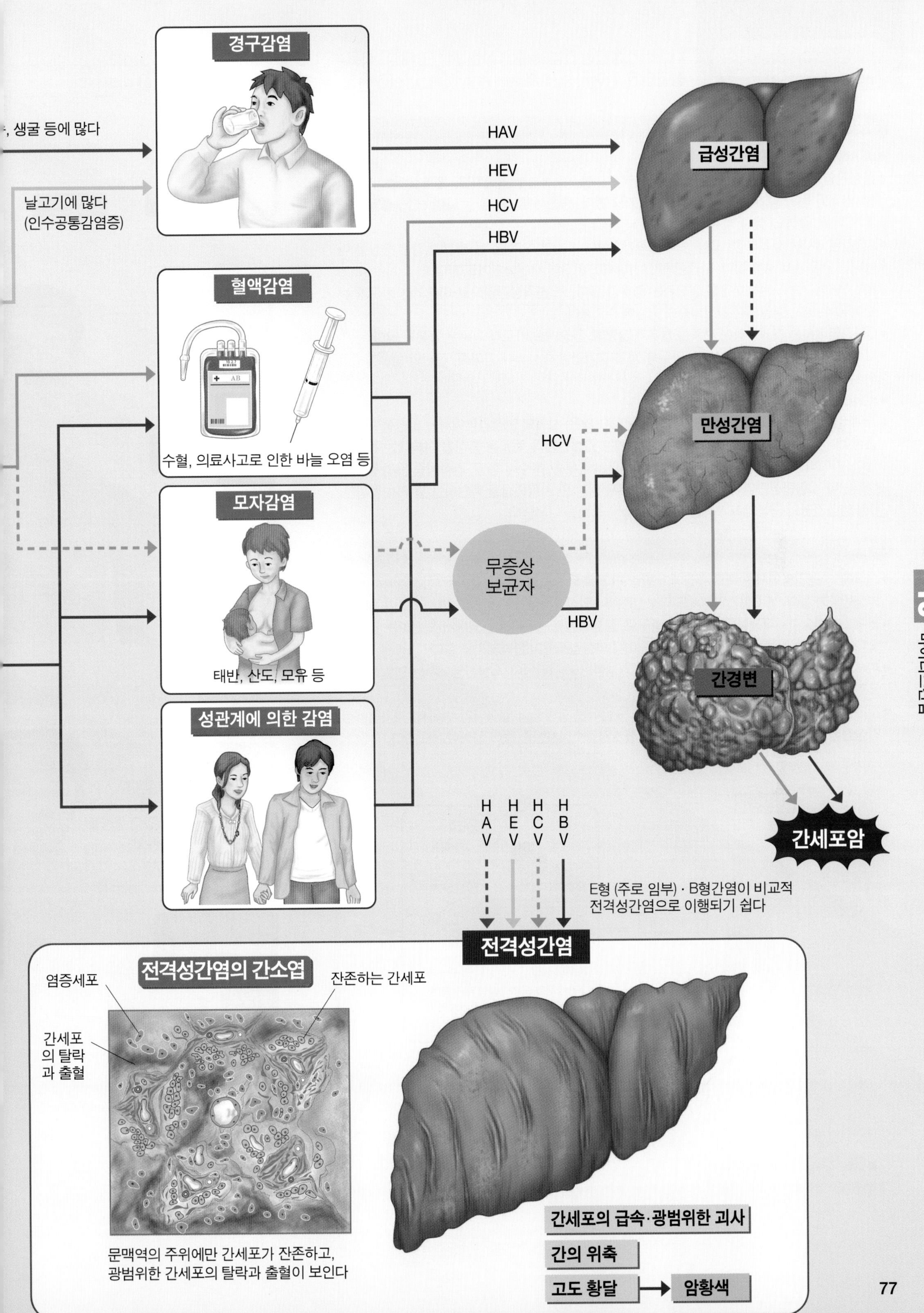
경구감염
~, 생굴 등에 많다
날고기에 많다
(인수공통감염증)
HAV
HEV
HCV
HBV
급성간염
혈액감염
수혈, 의료사고로 인한 바늘 오염 등
만성간염
HCV
모자감염
무증상
보균자
HBV
태반, 산도, 모유 등
간경변
성관계에 의한 감염
간세포암
HAV
HEV
HCV
HBV
E형 (주로 임부) · B형간염이 비교적
전격성간염으로 이행되기 쉽다
전격성간염
전격성간염의 간소엽
염증세포
잔존하는 간세포
간세포
의 탈락
과 출혈
문맥역의 주위에만 간세포가 잔존하고,
광범위한 간세포의 탈락과 출혈이 보인다
간세포의 급속·광범위한 괴사
간의 위축
고도 황달
암황색

증상map

바이러스성급성간염의 주증상은 전신권태감, 식욕부진, 오심, 우계늑부통이고, 바이러스성 만성간염은 간예비능의 저하에 수반하여, 전신권태감, 부종, 복수, 황달, 간성뇌증이 나타난다.

증상

● 바이러스성급성간염

- 급성간염의 주요증상은 전신권태감, 식욕부진, 오심, 우계늑부통(위화감, 불쾌감) 등이며, 발열, 인두통 등의 감기 같은 증상을 수반하기도 한다. 중증례에서는 황달(피부 · 안구결막이 노랗게 착색, 갈색뇨) 이나 복수 · 부종, 간성뇌증을 나타낸다.
- A형간염에서는 식욕부진, 오심 등의 소화기증상이나 발열, 인두통 등의 감기 같은 증상을 나타내는 경우가 비교적 많다. 담즙울체가 나타나고, 황달이 지연화되기도 한다.
- B형간염에서는 우계늑부통을 일으키는 경우가 많다. 또 전격성간염으로 이행되는 빈도가 높으며 (0.4~2%), 황달이나 간성뇌증의 출현에 주의한다.
- C형간염에서는 자각증상이 부족한 경우가 많으며, 간장애도 비교적 가벼운 경우가 많다.
- EB바이러스의 감염에서는 발열, 인두통 등의 감기같은 증상이나 간비종, 전신의 림프절종창이 나타나는 경우가 많다.

● 바이러스성만성간염

- 간예비능이 유지되고 있는 (간경변으로 진행되지 않은) 시기의 만성간염에서는 일반적으로 무증상이다. 염증이 심한 경우나 급성악화 시에는 급성간염과 똑같은 증상을 나타내는 경우가 많다. 간예비능의 저하에 수반하여, 전신권태감이나 부종, 복수나 황달, 간성뇌증 등의 증상이 나타난다. C형만성간염에서는 간경변에 이르지 않는 한 자각증상을 확인하는 경우가 적지만, B형 만성간염의 급성악화 시에는 급성간염같은 증상을 나타낸다.

합병증

- 신장애 : A형간염에서는 때로 신장애가 발병한다. 특히 중증형 급성간염, 전격성간염에서는 그 발생빈도가 높다. 또 B형간염에서도 막성신증이나 막성증식성사구체신염이 발병하기도 한다.
- 골수 · 혈액질환 : 재생불량성빈혈, 적아구로, 용혈성빈혈 등을 A형간염에서 확인하는 경우가 있다. C형간염에서는 혈소판감소성자반증이나 악성림프종이 합병되기도 한다.
- 피부장애 : 바이러스감염에 수반하여 여러 피부병변이 나타난다. C형간염에서는 만발성피부포르피린증을 확인하기도 한다.
- 자가면역질환 : C형간염에서는 면역이상에 수반하는 합병증이 일어나기 쉬워서, 자가면역성 갑상선염, 쇼그렌증후군, 자가면역성간염, 혈소판감소성자반증 등이 일어나기도 한다.

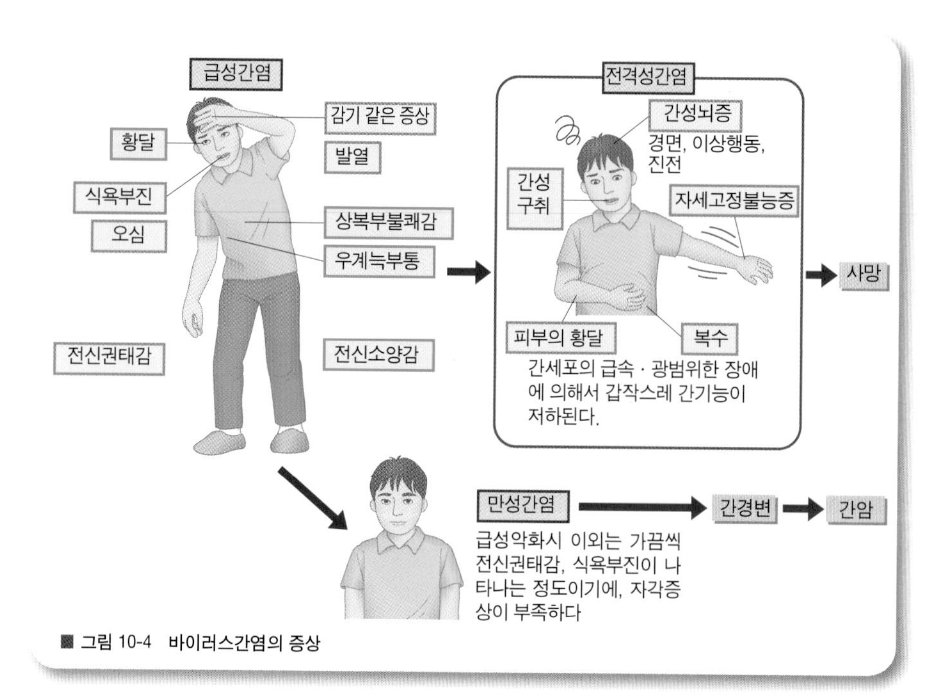

■ 그림 10-4 바이러스간염의 증상

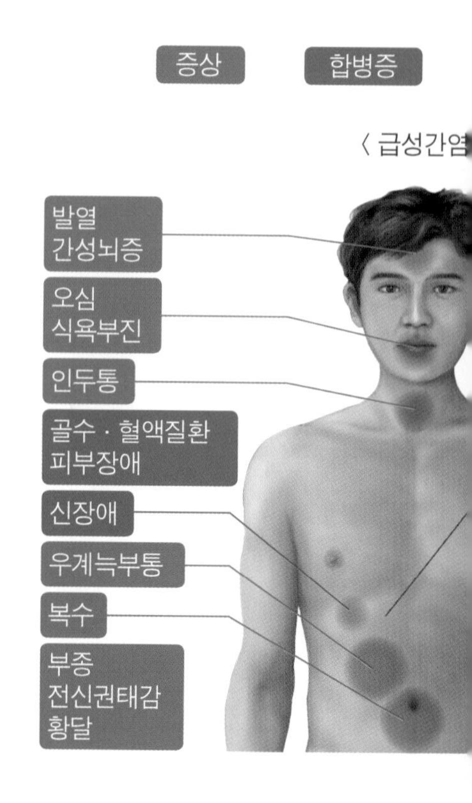

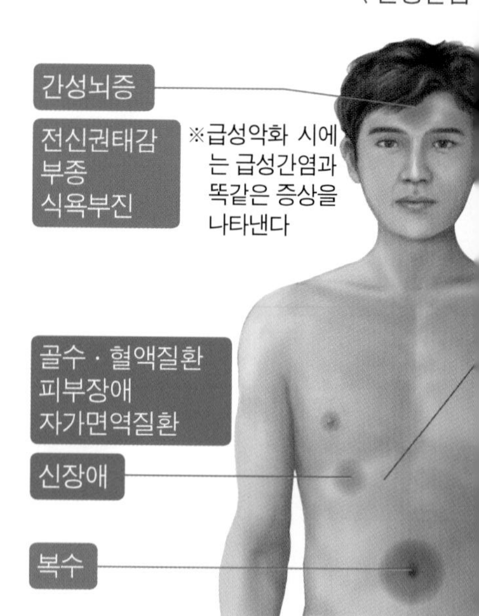

진단map

병원력 및 증상으로 보아 간염이 의심스러운 경우에는 혈액생화학검사로 간기능이상을 확인한다.

진단 치료

안정요양

항바이러스요법
인터페론치료

감염의 계기, 병원력, 가족력

AST, ALT
간염바이러스표지자

간보호요법
항바이러스요법
인터페론치료

사혈요법

감염의 계기, 병원력, 가족력

AST, ALT
간염바이러스표지자

진단 · 검사치

- 바이러스성만성간염은 간기능이상과 바이러스감염이 지속되고 있는 병태이며, 그 기준은 6개월 이상의 지속기간이다.
- 감염의 계기나 병원력, 가족력을 청취함으로써 급성간염, 만성간염의 감별, 나아가서는 원인바이러스를 추정할 수 있어서, 진단 범위를 좁힐 수가 있다. 담도계질환, 자가면역성간질환, 약제성간장애, 알콜성간장애, 대사성간질환, 울혈간 등 다른 원인으로 인한 간장애를 제외하고 바이러스감염을 확인할 수 있으면 진단을 확정한다. 그러나 바이러스간염이 의심스러워도 원인 바이러스를 추정할 수 없는 경우도 있다.
- 급성간염 중에는 간세포가 매우 심하게 손상되는 것이 있으며, 이 중 초기증상 출현후 8주 이내에 고도의 간기능이상에 의해 혼수Ⅱ도이상의 간성뇌증이 일어나고, 프로트롬빈시간이 40% 이하로 나타나는 것을 전격성간염이라고 한다.

● 검사치

AST, ALT 등의 간효소의 상승을 확인한다. 급성간염에서는 수백~수천, 만성간염에서는 수십~수백 정도로 상승하는 경우가 많다.

● A형간염

- IgM형 HAV항체가 양성이면, A형급성간염으로 진단 내린다.
- IgG형 HAV항체는 감염기왕인 경우에도 높은 수치를 나타내어, 이것만으로는 급성감염인지 판단할 수 없다. 교질반응 (ZTT, TTT)이 상승하는데, 특히 IgM의 상승에서 TTT가 상승하는 경우가 많다. 담즙울체형간장애가 나타나고, 담도계효소(ALP, LAP, γ-GTP) 나 빌리루빈의 상승이 지연화되기도 한다.

● B형간염

- HBs항원이 양성이거나 HBV-DNA이 검출되면 진단이 확정된다.
- 급성감염(간염) 에서는 HBs항원이 음성인 경우도 있으며, 병력에서 급성간염이 의심스러운 경우에는 IgM형 HBc항체를 측정한다. 급성간염이면 IgM형 HBc항체는 양성이고 HBc항체는 저역가(低力價) 양성이 된다. 만성간염의 급성악화에서도 IgM형 HBc항체가 양성이 되는 경우가 있는데, HBc항체가 고역가(高力價)이면 지속감염(만성간염)으로 고려된다.

● C형간염

- HCV-RNA이 검출되면 진단이 확정된다.
- HCV항체검사는 스크리닝에 유용하지만, 감염기왕력이 있는 경우에서도 양성으로 나타난다. C형간염은 자연치유되는 경우가 적으므로 항체양성이면 지속감염인 경우가 많고 스크리닝에 적합하지만, 저역가 양성이면 감염기왕력인 경우도 있다.
- 급성간염이 의심스러운 경우에는, HCV항체가 양성화되는데 1개월~수개월이 필요하므로, HCV항체가 음성으로 판정되어도 HCV-RNA를 측정해야 한다. HCV항체의 항체가가 경시적으로 상승하면 HCV의 급성감염으로 간주한다.

● D형간염

- HDV-RNA검사나 HDV항체검사로 진단한다.
- B형간염과 중복감염 · 동시감염이 아니면 존재할 수 없으므로, B형간염이라고 진단되지 않으면 검사할 필요는 없다.

● E형간염

- HEV항체, HEV-RNA검사가 양성이면 E형간염이라고 진단한다.
- IgM형 HEV항체는 급성기부터 회복초기에 양성화되고, 그렇게 되면 급성간염이라고 진단한다. IgG형 HEV항체는 IgM형에 늦게 양성화되어, 역가가 상승하게 된다. 비교적 오랫동안 양성화되거나, 장기적으로 음성화되는 경우가 많다.

● 그 밖의 바이러스

- EB바이러스의 초감염진단에는 IgM형 VCA항체 양성, EBNA항체 음성을 확인한다. 그 밖의 검사소견에서는 LDH의 상승이 눈에 띄는 경우가 많으며, 말초 혈중으로의 이형 림프구의 출현도 특징적이다.
- 다른 헤르페스바이러스속 사이토메갈로바이러스, 단순헤르페스바이러스나 홍역바이러스 등에서는 EIA법이나 형광항체법을 이용함으로써, IgM형, IgG형 항체를 측정할 수 있으며, IgM형이 검출되면 초기감염이라고 진단하고, 간염의 원인으로 간주한다.
- 아데노바이러스나 콕사키바이러스 등에 의해서도 간세포가 손상되어 급성간염이 발생하지만, 실제로 이것이 증명되는 경우는 적다. 이러한 바이러스의 진단에는 급성기와 회복기의 페어혈청을 사용한다.

치료map

급성간염은 안정요양을 취하고, 전격성간염은 병인에 대한 치료와 간부전에 대한 치료 및 전신관리를 시행하며 만성간염은 간보호요법과 간염바이러스에 대한 치료를 적용한다.

Key word

● 인터페론

생체가 바이러스 감염되었을 때에 생산 · 분비하는 분자량 약 2만의 당단백질. 숙주특이성 항바이러스 활성을 나타내는 사이토카인이다.

● 사혈요법

헌혈과 마찬가지로 정맥에 바늘을 찔러서 혈액을 채취하는 치료법

치료법

급성간염

● 급성간염에서는 대부분의 증례가 일반적인 안정요양만으로 회복된다. 그러나 전격성간염으로 이행되는 증례도 있어서, 전격화가 의심스러운 경우에는 집학적 치료를 실시한다.

● B형간염바이러스, C형간염바이러스 이외의 바이러스에 특이한 치료는 없고, 보존적 치료가 행해진다.

【B형 급성간염】

● B형급성간염도 대부분은 일과성 간장애만 겪고 회복되므로 보존적 치료가 행해지지만, 만성화가 염려되는 증례 (Genotype A의 B형간염바이러스) 나 간염지연례 (ALT 높은 수치가 장기간 계속되는 것, 간염발생 후에도 바이러스양이 줄지 않는 것), 중증 · 전격성간염 (고도의 황달, 간성뇌증, 현저한 간합성능의 저하 등) 예에서는 항바이러스요법을 적용한다.

Px 처방례 급성간염의 항바이러스치료

● 바라크루드정 (0.5 mg) 1일1회 ← 항바이러스제 (핵산아날로그제)

【C형급성간염】

● C형급성간염은 자각증상이 부족하고, 간염의 정도도 경도인 경우가 많으므로, 보존적인 상태로 급성기를 지나는 경우가 많다. 그러나 이 경우, 50~70%의 증례에서 바이러스가 배제되지 않고 지속감염된다. 30~50%에서는 일과성감염이기 때문에 무조건적으로 항바이러스요법을 적용하지는 않지만, 급성간염의 경우 증상발생에서 2~4개월까지도 바이러스가 배제되지 않는 증례에서는 인터페론치료에 의한 바이러스배제가 권장된다.

Px 처방례 C형급성간염의 인터페론치료

● 페가시스주 (180㎍ /V) 피하주 주1일 ← 인터페론제

전격성간염

● 전격성간염에서는 그 병인에 대한 치료와 간부전에 대한 치료, 전신관리가 필요하다.

● 간부전에는 혈장교환이나 혈액여과투석 등을 함과 동시에 간이식의 적용에 관해서도 검토한다.

만성간염

● 만성간염에는 간보호요법과 간염의 원인인 간염바이러스에 대한 치료가 적용된다.

● 간보호요법에는 우르소데옥시콜산이나 글리틸리틴제를 사용한다.

Px 처방례 간보호요법

● 우르소정 (100 mg) 6~9정 分3 ← 이담제

● 강력 네오미노화겐씨주 40~60 mL 정주 (최대 100 mL까지) ← 간보호제

【B형만성간염】

● B형간염에 대한 항바이러스치료에는 인터페론이나 핵산아날로그제가 사용된다. 인터페론의 투여는 B형간염바이러스의 증식을 억제하고, HBe seroconversion (e항원의 음성화, e항체의 생산)을 유도한다. 핵산아날로그제의 투여는 B형간염바이러스의 증식을 억제하고, 간염을 진정화한다. 투약 시에는 간염의 활동성 (ALT≧311U/L), 바이러스의 성질 (e항원의 유무), 연령, 바이러스양을 고려한다 (표10-2).

Px 처방례

● 바라쿠르드정 (0.5mg) 1일1회 ← 항바이러스제 (핵산아날로그제)

【C형만성간염】

● C형간염에 대한 항바이러스치료에는 인터페론을 사용한다. 인터페론치료의 효과는 바이러스의 유전자형이나 양의 영향을 받는다. 이 때문에 치료 시에 이를 측정하여 투여법을 결정한다.

● 인터페론제에는 종래형인 인터페론과 폴리에틸렌글리콜을 결합시켜서 혈중농도의 지속시간을 연장한 페그인터페론 (PEG-IFN)이 있다. 바이러스의 소실을 목표로 한 경우에는 페그인터페론을 선택하는 경우가 많다. 또 고바이러스양에서는 인터페론치료의 효과를 높이는 리바비린을 병용한다 (표10-3).

● 또 바이러스소실을 기대할 수 없어도, 간염활동성이 높을 때에는 간염의 진정화 및 발암억제를 위해서 종래형 인터페론을 소량 장기투여하기도 한다.

● C형만성간염에서는 사혈요법을 시행하기도 한다. 사혈(瀉血)을 통해 간내에서 과잉된 철 성분을 감소시킴으로써 산화 스트레스를 경감시키고, 간염의 활동성을 저하시킨다.

Px 처방례 C형만성간염의 인터페론치료. 1)~3)에서 선택한다.

1) 페그인트론주 (100 ㎍) 피하주 주1일 ← 인터페론제
Rebetol캅셀 600 mg 분2 (아침 1캅셀 저녁 2캅셀) 매일 항바이러스제

※체중에 따라서 투여량을 조절한다. 감량기준이 있으므로 투여량에 주의.

2) 페가시스주 (180㎍) 피하주 주1일 ← 인터페론제
Copegus 600 mg 분2 (아침 1정 저녁 2정) 매일 ← 항바이러스제

※체중에 따라서 투여량을 조절한다. 감량기준이 있으므로 투여량에 주의.
3) 페가시스주 (180 ㎍) 피하주 주1일 ← 인터페론제
※감량기준이 있으므로 투여량에 주의.

■ 표 10-2 B형만성간염의 치료 가이드라인

35세 미만

HBe 항원 \ HBV-DNA 양	≧ 7 log copies/mL	〈7log copies/mL
e항원양성	① 인터페론 장기투여 (24~48주) ② 엔테카비르*	① 인터페론 장기투여 (24~48주) ② 엔테카비르
e항원음성	① Sequential요법(엔테카비르+IFN연속요법) ② 엔테카비르	① 경과관찰 또는 엔테카비르 ② 인터페론 장기투여 (24주)
	혈소판 15만 미만 또는 F2이상의 진행례에는 처음부터 엔테카비르를 적용	

35세 이상

HBe 항원 \ HBV-DNA 양	≧ 7 log copies/mL	〈7log copies/mL
e항원양성	① 엔테카비르* ② Sequential요법 (엔테카비르+IFN연속요법)	① 엔테카비르 ② 인터페론 장기투여 (24~48주)
e항원음성	엔테카비르	① 엔테카비르 ② 인터페론 장기투여 (24~48주)

*엔테카비르를 사용하여 e항원이 음성화되고 HBV-DNA가 음성화된 증례는 Sequential요법으로 대체하여, drug free를 목표로 한다.

■ 표 10-3 C형만성간염의 첫 회 치료 가이드라인

	Genotype 1	Genotype 2
고바이러스양 5.0 log IU/mL 이상 (Real time PCR법)	● 페그인트론 (PEG-IFN α-2b) +Rebetol (리바비린) (48~72주간) ● 페가시스(PEG-IFN α-2a) +고페가스 (리바비린) (48~72주간) ● 페론 (IFN β) +Rebetol (리바비린) (28~72주간)	● 페그인트론 (PEG-IFN α-2b) +Rebetol (리바비린) (24주간) ● 페론 (IFN β) +Rebetol (리바비린) (24주간)
저바이러스양 5.0 log IU/mL 미만 (Real time PCR법)	● 인터페론 (24주간) ● 페가시스(PEG-IFN α-2a) (24~48주간)	● 인터페론 (8~24주간) ● 페가시스(PEG-IFN α-2a) (24~48주간)

■ 표 10-4 바이러스간염의 주요 치료제

분류	일반명	주요 상품명	약효발현의 메커니즘	주요 부작용
B형간염치료제	엔테카비르수화물	바라크루드	구아신뉴클레오시드류연체, HBV-DNA 폴리메라제에 대해 강력하고 선택적인 저해활성이 있는 핵산아날로그제이다.	두통, 권태감, 설사, 오심, 기형발생
C형간염치료제	리바비린	Rebetol, Copegus	IFN α-2b 또는 PEG-IFN α-2b와의 병용으로 항바이러스작용이 증강되지만, 메커니즘은 불분명하다	용혈성빈혈
인터페론제	페그인터페론 알파-2a	페가시스	인터페론 α-2a를 폴리에틸렌 글리콜로 화학수식한 약제이다.	인플루엔자 증상, 혈구감소, 우울증상, 안저출혈, 탈모, 갑상선기능이상, 간질성폐렴, 자가면역성질환, 당뇨병, 부정맥 등
	페그인터페론 알파-2b	페그인트론	인터페론 α-2b를 폴레에틸렌글리콜로 화학수식한 약제이다.	
담석용해제	우르소데옥시콜산	우르소	이담작용을 통해 담즙울혈을 개선한다. 또 우르소데옥시콜산이 세포상해성이 강한 담즙산으로 치환됨으로써 간세포의 장애를 경감한다	설사
알레르기치료제	글리시리진 · 글리신 · 시스테인합제	강력네오미노화겐씨	항알레르기작용, 항염증작용 외에 염증에 의한 저작장애의 억제나 경감, 수복촉진작용이 있다	저칼륨혈증, 혈압상승

바이러스간염의 병기 · 병태 · 중증도별로 본 치료흐름도

■ 급성간염의 치료흐름도

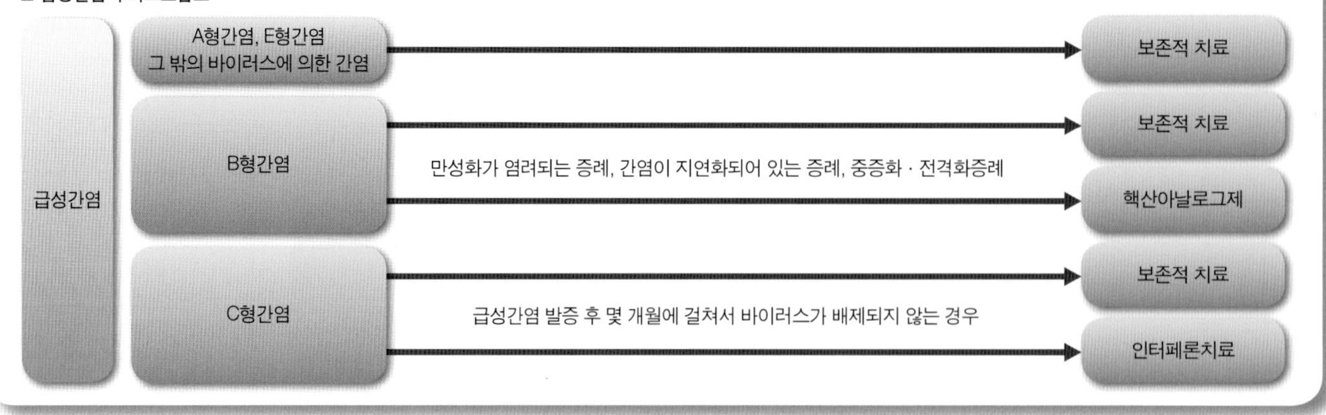

■ 만성간염의 치료흐름도

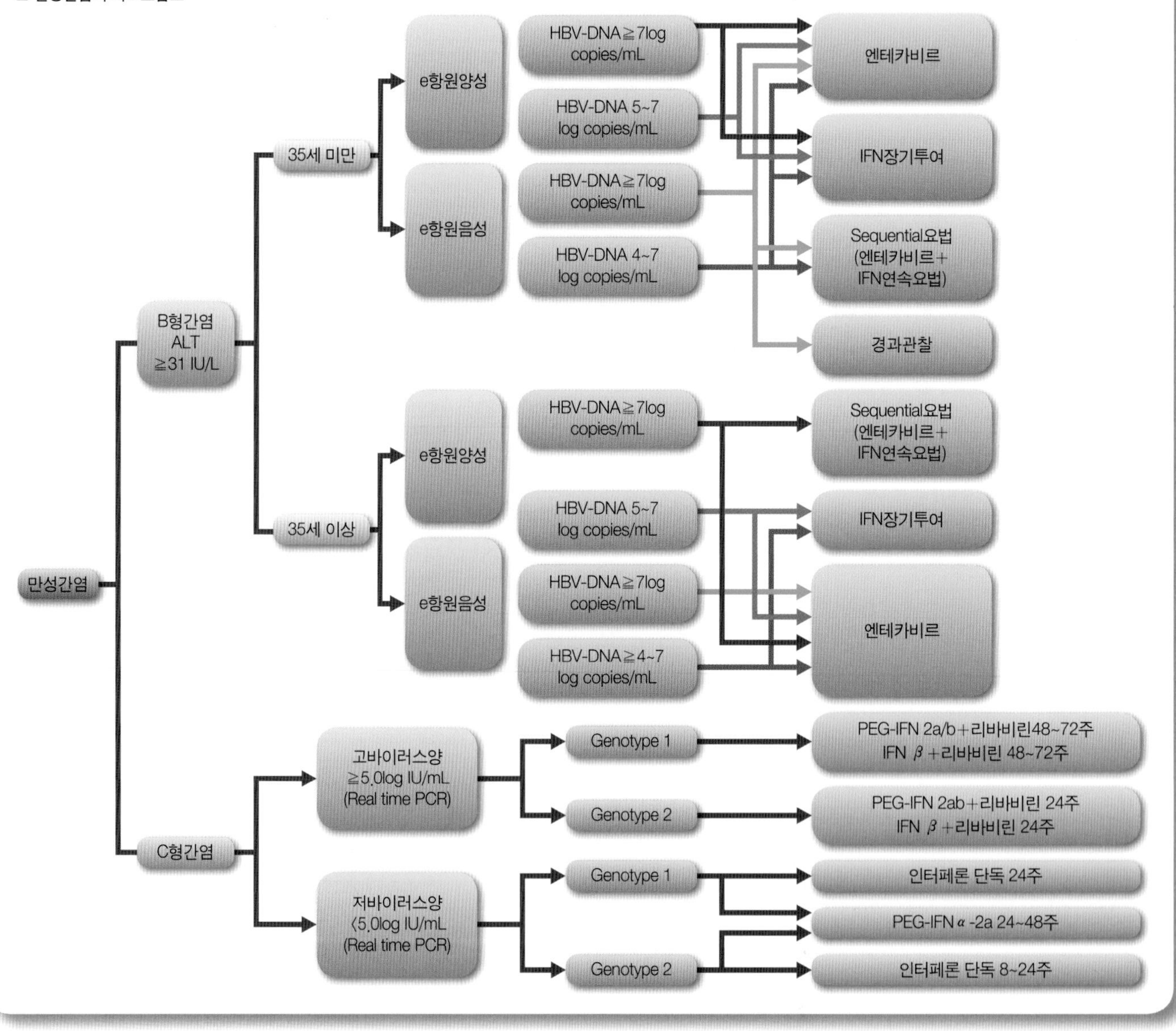

(北村敬利·榎本信幸)

환자케어

급성기에는 만성화 · 전격화의 예방이, 잠복기에는 질환의 진전예방과 감염전파의 예방이 중심이다. 만성간염기는 치료의 부작용에 대한 대응과 치료지속에 대한 지지가 중요하다.

병기 · 병태 · 중증도에 따른 케어

【급성기】 침상 안정을 지지하고 간혈류량을 증가시켜서 간세포의 재생을 촉구한다. 고통증상을 완화하고 용변문제를 조정한다.

【잠복기】 항체반응은 양성이지만, AST, ALT는 정상범위에 있어 자각증상도 없는 상태이므로, 정기진찰을 계속 받고 6개월~1년마다 초음파검사를 하여 이상의 조기발견에 힘쓴다.

【만성간염 치료기】 침습적 검사인 간생검을 받는 환자에게 신체적 · 심리적인 케어를 제공한다. 인터페론치료를 받는 환자에게 부작용과 경과를 설명하고, 부작용 증상에 신속하게 대처함과 동시에, 치료효과에 대한 불안 및 예측에 대한 심리적 지지를 제공한다. 간보호요법을 받는 환자에게서의 이상을 조기에 발견하도록 힘쓰고, 치료를 계속 지지한다.

케어의 포인트

질환의 진전 예방

- 정기적으로 진료받고, 검사나 치료를 계속할 것을 설명한다.
- 음주는 간섬유화의 진전을 빠르게 하므로, 금주를 권장한다.
- 흡연자는 간암의 발생률이 증가하므로, 금주외래를 이용하여 금연을 권한다.
- 규칙적으로 균형있는 식사, 가벼운 운동의 지속으로 비만을 예방한다.
- C형만성간염에서는 철분이 많은 식품 (건강식품 포함)은 삼간다.

감염전파의 예방

- 면도기, 칫솔 등은 개인 전용으로 사용한다.
- 일상생활 (세탁, 식기, 양변기, 목욕) 에서는 감염되지 않음을 설명한다.
- B형간염의 감염 위험성이 높고 항체를 갖지 않는 경우는 HB백신을 접종하여 감염을 예방한다.

인터페론치료로 인한 부작용의 대응

- 주사 후부터 오한 · 발열까지 시간경과를 관찰하고, 이를 해열제 투여의 타이밍에 반영한다.
- 불면, 불안, 초조 등의 호소를 잘 듣고, 우울증상이 있으면 일찌감치 정신과의와 협진한다.
- 식욕감퇴 시에는 자신이 좋아하는 것을 먹고, 필요한 영양을 섭취할 것을 설명한다.
- 주사부위의 피부증상을 예방하기 위해서 좌우 교대로 주사한다.
- 발진이나 가려움증에 보습제나 스테로이드 외용제를 도포하고, 항히스타민제를 복용한다.
- 발진이나 가려움증이 있을 때는 미지근한 물로 목욕하고, 저자극성 비누를 사용하여 손으로 부드럽게 닦는다.
- 권태감이 있을 때는 수면이나 휴식을 취할 수 있도록 환경을 마련한다.
- 탈모에 대한 환자의 생각을 경청한다. 탈모가 스트레스가 되는 경우는 모자나 가발의 이용을 권한다.
- 빈혈증상이 나타나면, 하나하나 동작을 천천히 하고 넘어지지 않아야 함을 설명한다.
- 호중구 감소시에는 손씻기, 양치질, 마스크 등의 감염예방책을 시행한다.
- 혈소판 감소시에는 타박상을 입지 않고 부드러운 칫솔을 사용하는 등, 피부나 점막의 출혈에 주의한다.

B형만성간염의 항바이러스제치료에 관한 지지

- 엔테카비르, 라미부딘, 아데포비르피복실은 복용을 중단하면 간염이 악화되므로 장기간 복용이 필요하다. 이때, 자기판단으로 복용을 중단하지 않도록 지지한다.
- 매일 복용시간을 정하여, 잊지 않도록 한다.

환자 · 가족의 심리적 · 사회적 문제에 대한 지지

- 질환이나 치료에 관하여 환자와 가족에게 알기 쉽게 설명하고, 환자가 납득하여 치료를 받을 수 있도록 지지한다.
- 환자의 생각을 수용하는 자세를 보이며, 투병생활에 대한 의욕을 고무시킨다.
- 간질환 교실, 환자모임 등을 소개하고, 고민을 서로 얘기하며 배울 수 있는 모임을 소개한다.
- 치료와 사회생활의 병행을 위해 환자가 직장에서의 양해를 구할 수 있도록 지지한다.

(高比良祥子)

인터페론치료의 의료비조성제도

조성대상 : B형 · C형간염 (감염경로는 묻지 않는다)

인터페론치료에 의한 경미한 부작용을 치료한다.

*인터페론치료를 중단시키지 않을 수 없는 중증 부작용 치료는 대상 외. 단, 독립행정법인 의약품의료기기 종합기구가 하는 「의약품 부작용 피해구제제도」 의 대상이 될 가능성은 있음.

조성내용 : 환자세대의 시읍면 민세과세연액에 따라서, 그 자기부담액을 월액 1만~2만엔까지 경감

필요서류 : ① 의사의 진단서, ② 간염인터페론치료 수급자증 교부신청서, ③ 환자성명이 기재된 피보험자증 등의 복사, ④ 환자가 속하는 세대 전원이 기재된 주민표의 복사, ⑤ 시읍면 민세과세연액을 증명하는 서류

신청처 : 보건소 (아래그림 참조)

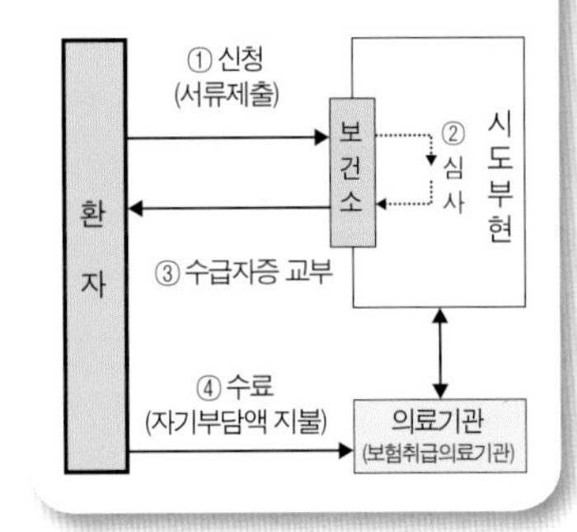

Memo

11 간경변, 문맥압항진증 (위식도정맥류 포함; liver cirrhosis, portal hypertension)

細川貴範 · 黒崎雅之/壓村雅子

전체map

병인

- 간경변의 주요 병인은 간염바이러스감염 (80% 이상)이다.
- 그 밖에 알콜다량섭취, 자가면역성간염, 비알콜성지방간염에 의한 간경변도 있다.

[악화인자] 음주, 간지방화, 비만

역학

- 환자수는 약 40만명이고, 남녀비는 2 : 1이다.
- 간경변에 의한 사망수는 연간 1.7만명인데, 여기에 간경변의 합병증인 간암도 포함하면 5만명이 넘는다.

[예후] 5년생존율은 약 80%이다.

병태생리

병태생리 map p.86

- 병리학적으로는 간 전체에 고도의 섬유화가 발생하고 정상 간소엽구조가 파괴되어, 미만성으로 재생결절 (위소엽)이 형성된 상태를 의미한다.
- 임상적으로는 만성간질환의 종말상에서 간기능장애, 문맥압항진이 나타나고, 간세포암의 발생근원지가 된다.
- 황달, 복수, 간성뇌증 등의 간부전 징후가 없는 대상기 간경변과 간부전의 징후가 1가지 이상 있는 비대상기 간경변으로 분류된다.
- 중증도 분류에는 Child-Pugh분류를 사용한다.

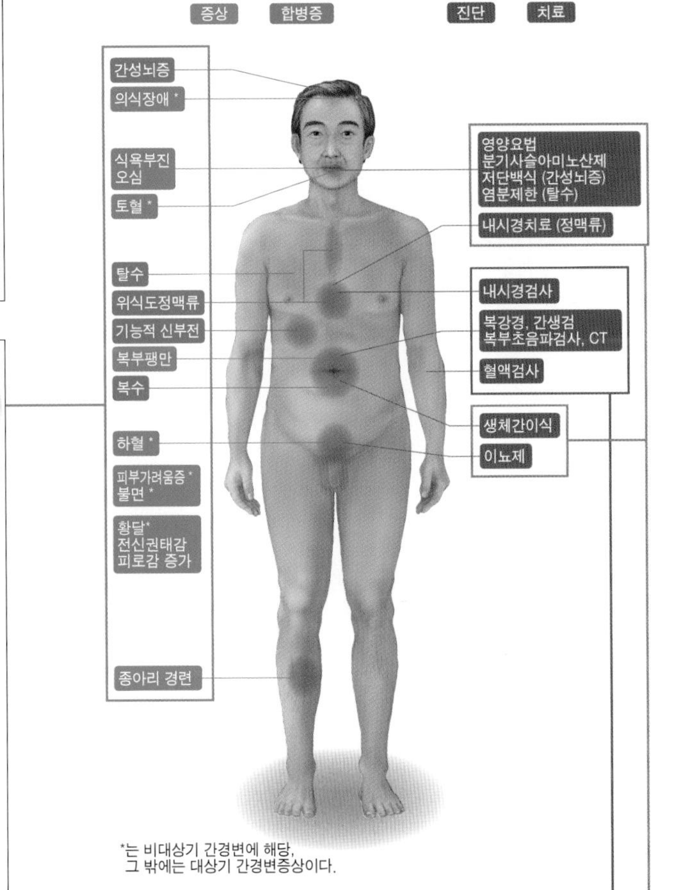

*는 비대상기 간경변에 해당, 그 밖에는 대상기 간경변증상이다.

증상

증상 map p.88

- 대상기 간경변 : 자각증상은 없다. 있어도 경도에 그친다.
- 비대상기 간경변 : 전신권태감, 복수에 의한 복부팽만, 황달에 의한 피부가려움증, 간성뇌증에 의한 불면 · 주야역전 · 의식장애, 소화관출혈로 인한 토혈 · 하혈
- 문맥압항진 : 위식도정맥류 파열로 인한 소화관출혈, 비종, 빈혈, 출혈경향, 복수

[합병증]

- 간성뇌증
- 복수
- 흉수
- 위식도정맥류
- 간신증후군 (hepatorenal syndrome)

진단

진단 map p.89

- 혈액검사 : 프로트롬빈활성, 혈청알부민 저하, 응고인자는 간장애를 가리키는 민감한 표지자이다. 진행되면 간접빌리루빈 상승, AST, ALT는 만성간염에 비해 경도상승 (AST/ALT>1), 교질반응 (ZTT, TTT) 증가, 간섬유화가 나타나고 히알론산, IV형 콜라겐이 상승한다.
- 복강경 · 간생검 : 진단확정에 유용하지만, 침습적 검사이기 때문에 필수적이진 않다.
- 영상검사 (복부초음파검사, CT) : 간경변의 진단, 간세포암의 스크리닝에 유용하다.
- 내시경검사 : 위식도정맥류 등 합병의 진단에 유용하다.

치료

치료 map p.90

- 치료의 기본은 간장애의 진행방지와 합병증에 대한 적절한 대처이다.
- 약물요법 : 대상기 간경변에는 항바이러스요법 (인터페론, 엔테카비르수화물)을, 비대상기 간경변에는 인터페론, 간보호제, 분기사슬아미노산제로 발암을 예방한다.
- 영양요법 : 30kcal/kg을 기준으로 한다. 혈청알부민치가 낮은 경우에는 분기사슬아미노산제의 투여 등을 적용한다.
- 생체간이식 : 비대상기 간경변의 근본적 치료법이다.
- 합병증에 대한 치료 : 간성뇌증에는 저단백식이, 분기사슬아미노산제, 항생물질 복용을, 복수에는 안정, 염분제한, 이뇨제, 알부민제를 이용하고, 위식도정맥류에는 약물요법 (비선택성 β 차단제), 내시경치료를 이용한다.

병태생리map

간경변이란 병리학적으로는 간 전체에 고도의 섬유화가 발생하고 정상 간소엽구조가 파괴되어, 미만성으로 재생결절 (위소엽)이 형성된 상태이다.

- 간경변은 임상적으로는 만성간질환의 종말상으로, 간세포수의 감소로 인한 간기능장애, 섬유화에 수반하는 문맥압항진증이 나타난다. 또 간세포암 발생의 근원이 된다.
- 분류에는 병인에 의한 분류 (이후 서술), 조직에 의한 분류, 기능에 의한 분류가 있다.
- 조직에 의한 분류에는 WHO분류를 이용한다. 재생결절의 크기가 3mm 이상을 대결절성 (macronodular), 3mm 미만인 것을 소결절성 (micronodular), 대소결절이 균등하게 분포하는 것을 혼합결절성 (mixed)이라고 정의한다. 대결절성은 바이러스성, 소결절성은 알콜성에 많지만, 실제로는 특이성이 높지 않으며, 또 소결절성에서도 증상의 진행에 수반하여 대결절성으로 변화한다는 점에서, 최근에는 조직에 의한 분류는 사용하지 않게 되었다.
- 기능에 의한 분류에는 대상기 간경변과 비대상기 간경변의 임상적 분류와 중증도 분류인 Child-Pugh분류 (표11-1)가 있다. 비대상기 간경변이란 간기능부전에 의한 황달, 복수, 간성뇌증, 문맥압항진증에 의한 식도정맥류파열 등의 소화관출혈을 나타내는 병태이며, 대상기 간경변은 간기능이 유지되고 있어서, 이러한 증상들이 없는 상태를 가리킨다.
- Child-Pugh분류는 표11-1에 나타나듯이, 간성뇌증, 복수, 혈청빌리루빈치, 혈청알부민치, 프로트롬빈활성을 기준으로 한 스코어링에 의한 중증도 분류이다. 각 항목에 1~3점을 부여하고, 각각을 가산하여 A (5~6점), B (7~9점), C (10~15점)의 3단계로 평가한다.

병인 · 악화인자

- 간경변의 주요병인에는 간염바이러스감염, 알콜대량섭취, 자가면역성, 비알콜성지방간염이 있다.
- 특히 간염바이러스가 전체의 80% 이상을 차지하며, C형간염바이러스가 약 70%, B형간염바이러스가 약 15%이다. 알콜성은 5~10%, 자가면역성 (자가면역성간염, 원발성담즙성간경변)은 약 3%이다.
- 원인불명의 간경변은 특발성간경변 (cryptogenic cirrhosis)이라고 진단한다. 그 중 일부는 대사증후군을 배경으로 한 비알콜성지방간염에 의한 간경변이라고 생각되는데, 정확한 발생빈도는 불분명하다.
- 간경변의 진행을 조장하는 인자로는 음주, 지방간, 비만을 들 수 있다.

역학 · 예후

- 일본의 환자수는 약 40만명이라고 추정되고 있다. 남녀비는 약 2 : 1로, 남성에게 많다.
- 간경변의 5년생존율은 약 80%이며, 연간 약 17,000명이 만성간염 및 간경변으로 사망하고 있다. 종래의 사인에서는 간부전, 소화관출혈, 간암이 거의 같은 수치였지만, 간부전치료 및 내시경적식도정맥류치료가 진보하면서 간부전이나 소화관출혈에 의한 사망수는 감소하였다. 결과적으로 간암에 의한 사망자만 증가하여 약 34,000명에 이르렀다. 간경변의 합병증인 간암을 포함한 사망자수가 연간 5만명을 초과하고 있다.

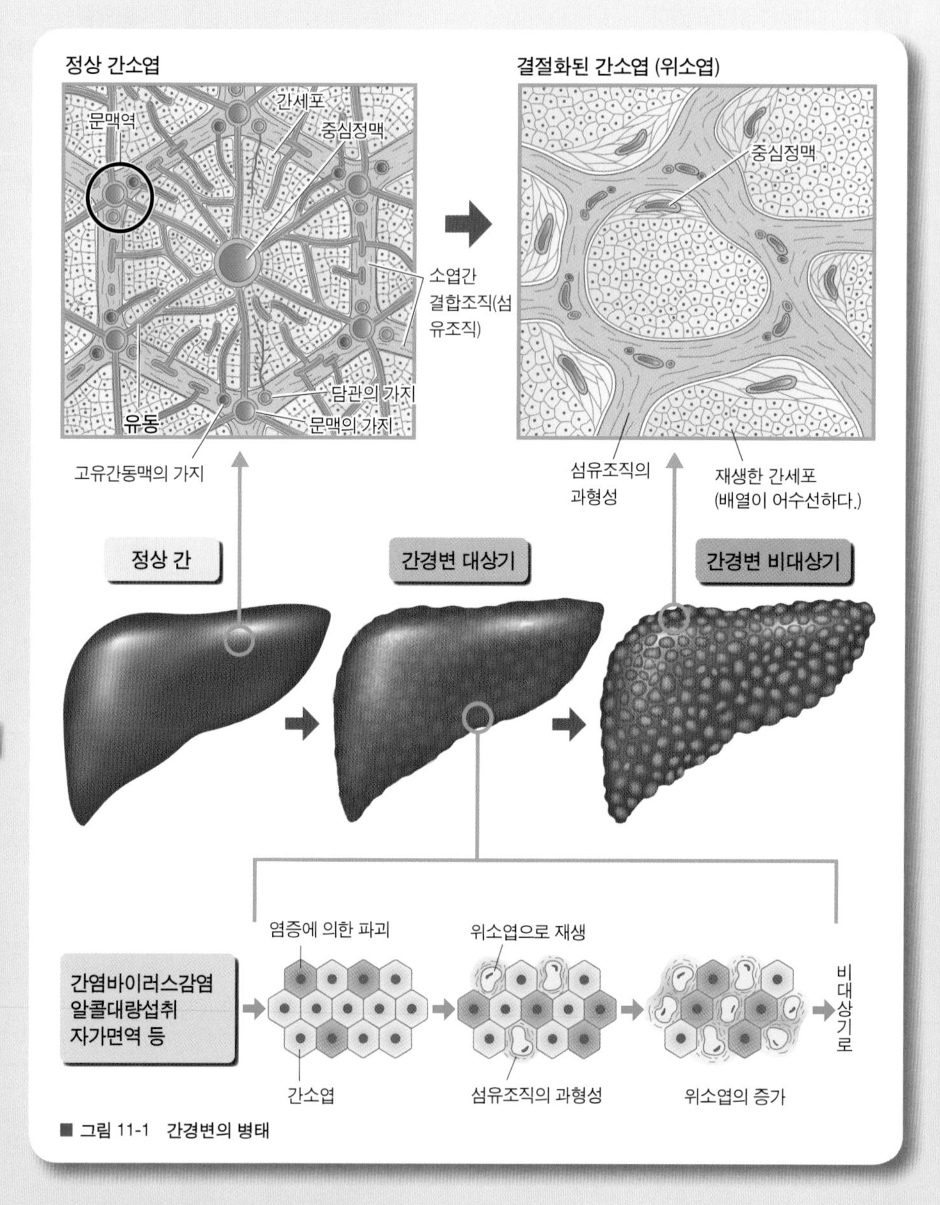

■ 그림 11-1 간경변의 병태

■ 표 11-1 Child-Pugh 분류

점수	1	2	3
간성뇌증 (혼수도 분류)	없음	1~2	3~4
복수	없음	경도 조절가능	중등도 이상 조절어려움
혈청빌리루빈치(mg/dL)	2.0 미만	2.0~3.0	3.0 초과
혈청알부민치(g/dL)	3.5 초과	2.8~3.5	2.8 미만
프로트롬빈활성(%)	70 초과	40~70	40 미만

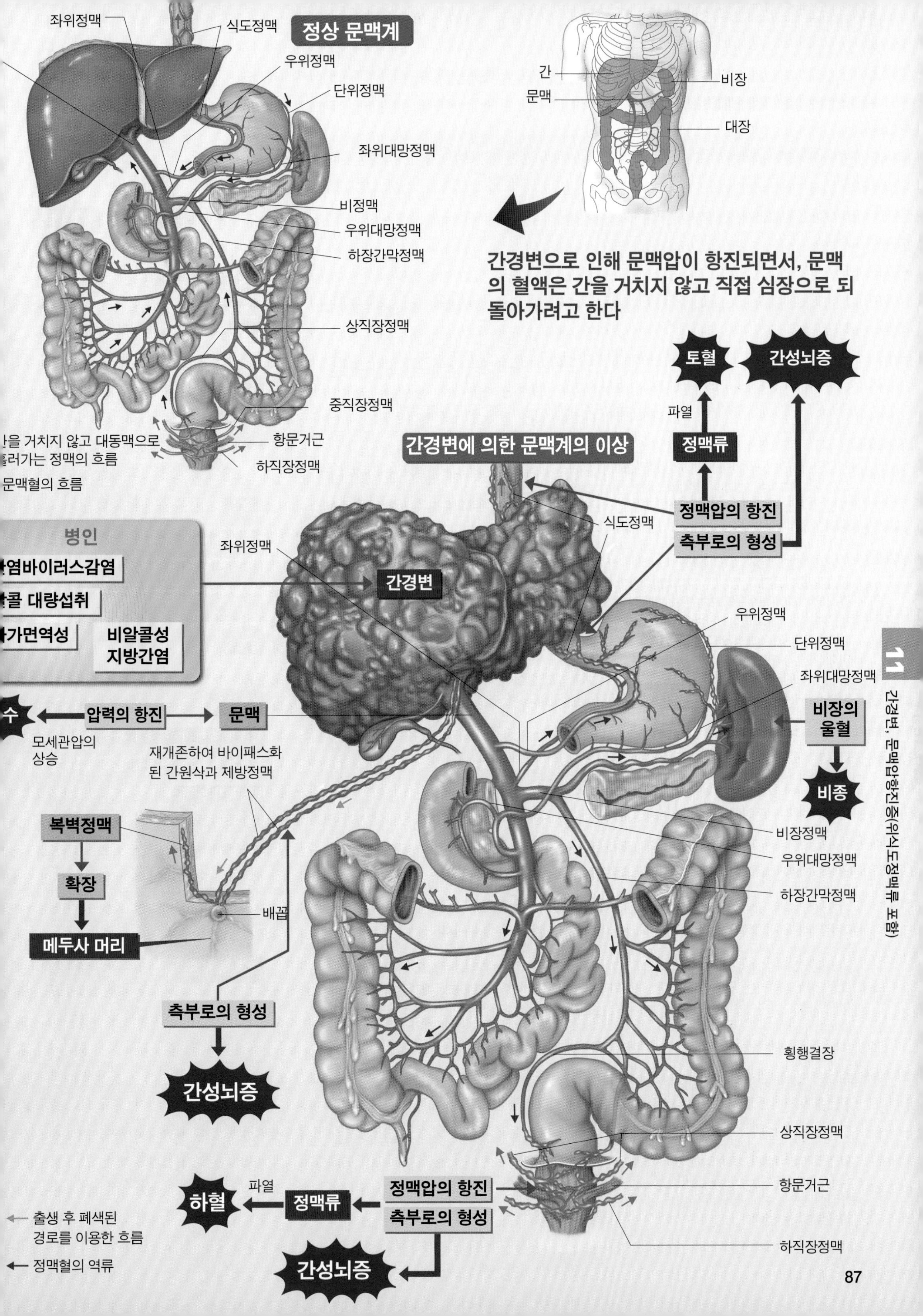
정상 문맥계
좌위정맥
식도정맥
우위정맥
단위정맥
좌위대망정맥
비정맥
우위대망정맥
하장간막정맥
상직장정맥
중직장정맥
항문거근
하직장정맥
간
문맥
비장
대장
간경변으로 인해 문맥압이 항진되면서, 문맥의 혈액은 간을 거치지 않고 직접 심장으로 되돌아가려고 한다
토혈
간성뇌증
파열
정맥류
간경변에 의한 문맥계의 이상
정맥압의 항진
측부로의 형성
병인
간경변
비알콜성 지방간염
압력의 항진
문맥
모세관압의 상승
재개존하여 바이패스화된 간원삭과 제방정맥
복벽정맥
확장
메두사 머리
배꼽
측부로의 형성
간성뇌증
비장의 울혈
비종
비장정맥
횡행결장
하혈
출생 후 폐색된 경로를 이용한 흐름
정맥혈의 역류

증상map

대상기에는 전신권태감, 피로감 증가, 식욕부진, 오심, 복부팽만, 종아리 경련이, 비대상기에는 복부팽만, 황달, 피부가려움증, 불면, 주야역전, 의식장애, 토혈, 하혈이 보인다.

증상

- 대상기 간경변에는 자각증상이 없고, 있어도 경도이다. 전신권태감, 피로도 증가, 식욕부진, 오심, 복부팽만, 종아리 경련 (통증성근경축) 등이 보인다.
- 비대상기 간경변에서는 복수에 의한 복부팽만, 황달에 의한 피부가려움증, 간성뇌증에 의한 불면, 주야의 역전이나 의식장애, 소화관출혈에 의한 토혈, 하혈이 보인다.
- 타각소견 (신체소견)은 표 11-2와 같다.

합병증

- 간성뇌증
- 기능장애로 암모니아 등의 혼수야기물질이 축적되고, 의식장애가 나타난다.
- 원인으로 단백질의 과잉섭취, 변비, 이뇨제에 의한 탈수, 전해질이상, 순환부전, 감염, 소화관 출혈, 항정신제의 투여 등이 있다.
- 중증도 (혼수도)는 제12회 이누야마(犬山)심포지움 (1981)의 혼수도 분류가 일반적으로 이용된다(표 11-3).
- 복수
- 간경변에서는 문맥압항진증, 저알부민혈증에 의한 교질삼투압의 저하, 2차성알도스테론증에 의한 물 · Na저류 등이 복합적으로 작용하여 복수를 일으킨다.
- 발병 초기인 경우에는 암성복막염, 특발성세균성복막염의 합병을 제외하기 위해 천자를 통한 감별진단이 필요하다.
- 간경변의 복수는 누출성이며, 단백농도는 2.5g/dL 이하, 비중 1.015 이하, Rivalta반응 음성으로 나타난다. 단백농도가 4.0g/dL 이상인 경우에는 삼출성복수이며, 암성복막염의 감별을 위해서 복수세포진, 혈액종양표지자, 영상진단에 의한 확인이 필요하다. 단백농도가 2.5~4.0g/dL인 경우나 간림프삼출이 현저하여 복수단백이 높은 수치인 경우에는 혈청과 복수의 알부민 농도차를 검토한다. 알부민 농도차가 1.1g/dL 이상이면 누출성, 1.1g/dL 미만이면 삼출성이라고 진단한다. 또 복수/혈청LDH비가 0.6 미만, 복수/혈청단백비가 0.5 미만, 복수 LDH가 200 IU/L 미만도 삼출성복수를 나타낸다.
- 비대상기 간경변에서는 특발성세균성복막염의 합병에 주의를 요한다. 발열, 복통, 복막자극증상이 있으면 진단이 용이하지만, 약 절반에서는 확실한 증상이 나타나지 않는다. 진단을 위해서는 복수세균배양이 필요하지만, 배양 결과가 음성이라도 복수 중 백혈구수가 500/μL 이상, 또는 호중구수가 250/μL 이상이면 확진할 수 있다.
- 흉수
- 간경변에서는 복수와 똑같은 메커니즘에 의해서 흉수가 저류되기도 한다.
- 좌우 어느 쪽에서나 출혈이 나타날 수 있지만, 일반적으로는 우흉수가 많다.
- 발병 초기인 경우는 암성흉수, 심부전 등의 감별이 필요하다.
- 치료는 흉수에 준하여 한다.
- 위식도정맥류 (앞장의 그림을 참조)
- 문맥압항진증에 의해서, 문맥혈류의 일부가 역행성 원간성이 되어 측부혈행로가 형성되고, 그 일부가 하부식도 및 위분문부영역 점막하에 정맥류를 형성한다. 즉, 문맥-대순환측 부혈행로의 일부가 위식도정맥류이다.
- 간경변의 60% 이상에 식도정맥류가 합병되고, 8~59%에 위정맥류가 합병된다. 대부분의 경우, 좌위정맥, 우위정맥, 단위정맥이 공혈로가 되어, 역행성 원간성 혈류가 위식도정맥이행총의 발정맥을 통해서 위식도정맥류를 형성한다. 고립성위정맥류의 대부분은 위-신장션트를 수반한다.
- 위식도정맥류의 출혈에 의한 치사율은 여전히 10% 정도이기 때문에, 출혈의 위험을 내시경소견에서 파악하는 것이 중요하다. 형태가 크고 색이 청색인 정맥류는 팽만하여 점막이 얇아지므로 파열의 위험이 있다. 지렁이모양의 발적 (red wale marking; RWM), 체리적색 반점 (cherry-red spot; CRS) 소견, 혈낭성 반점 (hematocystic spot; HCS) 등의 발적소견 (red color sign; RC)은 정맥류 표면의 점막이 얇아져 위험해지는 사인으로, 파열의 위험이 높다.
- 간신증후군
- 진행된 간경변에 합병되는 기능적 신부전으로서, 예후가 불량하다.
- 진단을 위해서는 쇼크, 세균감염, 탈수, 신독성약물, 요로폐쇄, 신실질장애 등의 다른 신부전의 원인이 되는 질환을 먼저 제외해야 한다.
- 유효순환혈액량 감소에 수반하는 신혈류저하 때문에 사구체여과율의 저하가 초래되고, 핍뇨, 혈청크레아티닌치, BUN의 상승이 보인다.
- 요중 Na배설이 현저히 감소되어, FE_{Na}가 1.0 미만이 되는 것이 특징이다.
- 생리식염수를 1.5L 정도 투여해도 신기능이 개선되지 않기 때문에, 탈수에 의한 신전성신부전을 감별할 수 있다.

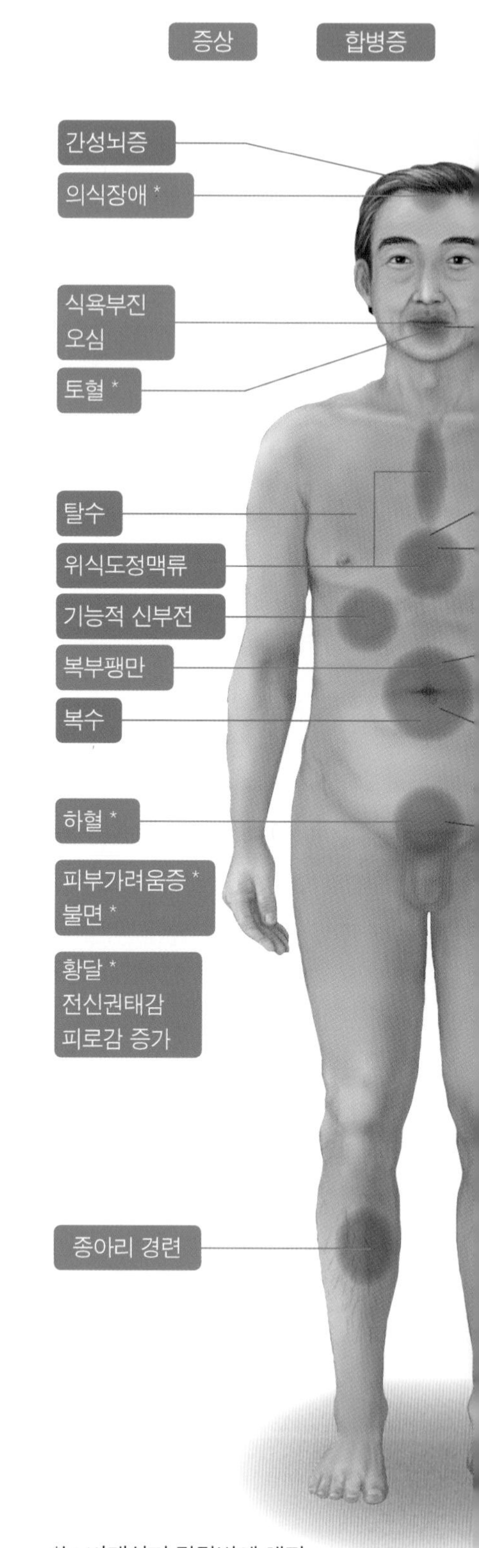

*는 비대상기 간경변에 해당,
그 밖에는 대상기 간경변증상이다

진단map

혈액검사에 적절한 복강경검사, 간생검, 복부초음파검사, CT, 내시경검사를 추가한다.

진단 치료

영양요법
분기사슬아미노산제
저단백식 (간성뇌증)

내시경치료 (정맥류)

내시경검사

복강경 , 간생검
복부초음파검사 , CT

혈액검사

생체간이식

이뇨제

진단 · 검사치

● 혈액검사소견

- 비기능항진증에 의하여 범혈구감소가 보인다.
- 간세포의 합성능의 저하로, 프로트롬빈활성, 혈청알부민치, 콜레스테롤치, 콜린에스테라아제가 저하된다. 특히 응고인자는 혈중 반감기가 짧아서 간장애를 가리키는 민감한 표지자이다.
- 색소배설능의 저하로 빌리루빈치, 담즙산이 상승한다. 간경변이 진행되면 빌리루빈의 글루쿠론산 포합능이 저하되므로, 간접빌리루빈이 우위에 놓이게 된다.
- 간세포파괴가 반영되어 AST, ALT가 상승하는데, 만성간염과 비교하면 경도인 경우가 많고, AST/ALT비는 1 이상이다.
- 면역글로불린, 교질반응 (ZTT, TTT)이 증가한다.
- 간섬유화의 표지자로서, 히알론산, Ⅳ형 콜라겐, Ⅲ형 프로콜라겐 N말단펩티드 (P-Ⅲ-P)가 증가한다.
- 분기사슬아미노산 (발린, 로이신, 이소로이신)이 감소하고, 방향족 아미노산 (페닐알라닌, 티로신)이 증가한다. 이것으로 Fischer비 (분기사슬아미노산/방향족 아미노산) 나 BTR (분기사슬아미노산/티로신)이 저하된다.
- 간해독능의 저하 및 문맥-대순환션트에 의해서 암모니아치가 상승한다.
- 내당능장애가 높은 빈도로 확인된다.

● 복강경 · 간생검 : 복강경에 의한 간표면의 육안적 관찰, 또는 간생검에 의한 위소엽의 확인은 진단 확정에 유용하다. 그러나 침습적 검사이므로, 다른 임상소견에서 확실하면 그다지 필수검사는 아니다.

● 영상검사 : 복부초음파검사 및 CT는 간경변의 진단 및 간세포암의 스크리닝에 유용하다. 간표면의 요철불규칙, 변연의 둔화, 간좌엽종대, 간우엽위축, 복수저류, 비종, 측부혈행로 등이 보인다.

● 내시경검사 : 위식도정맥류, 문맥압항진성위장병증의 합병 진단에 유용하다.

■ 표 11-2　간경변의 신체소견

의식	행동이상, 주야의 역전
피부	황달, 색소침착
사지	손바닥홍반, 자반 (출혈경향), 곤봉형손가락, 청색증, 손톱의 유백색화, 진전, 통증성근경축
흉부	여성형유방, 지주막혈관종, 모세혈관확장
복부	간좌엽의 종대 (정중에서 단단하게 만져진다), 간우엽의 위축, 비장의 종대 복벽정맥확장, 복부팽윤 (복수), 복벽 · 배꼽헤르니아 (복수)

■ 표 11-3　간성뇌증의 혼수도 분류

혼수도	정신증상	참고사항
I	수면-각성리듬의 역전 다행감, 때로 우울상태 단정치 못하고, 개의치 않는 태도	retrospective라고 밖에 판단할 수 없는 경우가 많다.
II	물건을 혼동하고 (confusion), 지남력 (때 · 장소) 장애 및 이상행동 (예 : 돈을 뿌린다, 화장품을 쓰레기통에 버린다 등)을 보인다. 때로 경면경향 (부르면 눈을 뜨고, 대화가 가능하다) 무례한 행동을 하지만, 의사의 지시에 따르는 태도를 보인다.	흥분상태가 없다. 요 · 변실금이 없다. 진전이 있다.
III	종종 흥분상태 또는 섬망상태를 수반하는 반항적 태도를 보인다. 기면상태(대부분 자고 있다) 외적자극으로 눈을 뜰 수 있지만, 의사의 지시에 따르지 않거나 따를 수 없다(간단한 명령에는 응할 수 있다).	진전이 있다(환자의 협조를 얻을 수 있는 경우). 고도의 지남력 장애
IV	혼수 (완전한 의식 소실) 통증자극에 반응한다.	자극에 뿌리치는 동작, 얼굴의 찡그림 등을 나타낸다.
V	깊은 혼수 통증자극에도 전혀 반응하지 않는다.	

(이누야마(犬山) 심포지움 기록간행회편 : 제12회 이누야마심포지움 A형간염·전격성간염. p.124, 중외의학사, 1982)

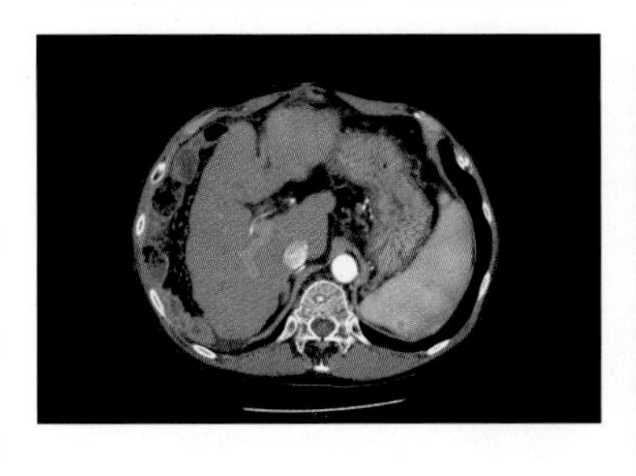

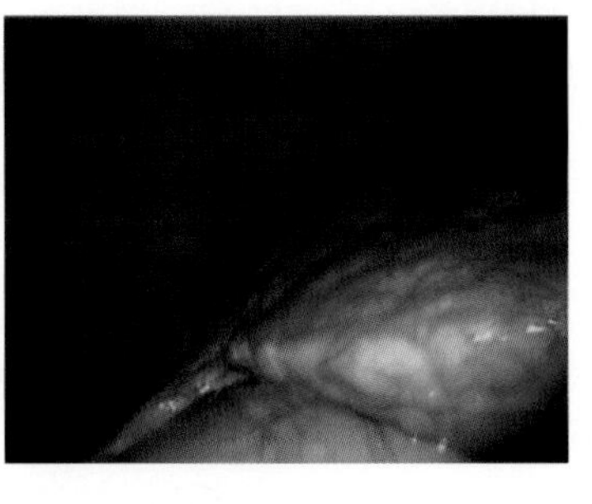

■ 그림 11-2　간경변의 CT 상과 복강경사진

치료map

간장애의 진행을 방지하고, 합병증에 적절한 치료를 시행한다.

치료방침

- 치료의 기본은 간장애의 진행을 방지하는 것과 복수, 간성뇌증, 위식도정맥류 등의 합병증에 적절한 치료를 하는 것이다. 합병증 치료는 후에 기술한다. 간에 충분한 영양을 공급하기 위하여, 식후 30분 정도의 안정이 바람직하다고 여겨지지만, 확실한 증거는 없다.

약물요법

- B형간염에 의한 간경변에서는 엔테카비르수화물 투여도, C형간염에 의한 간경변에서는 인터페론 투여로 바이러스를 억제함으로써 발암 위험성의 경감, 간기능의 개선을 목표로 한다. 단 라미부딘 또는 엔테카비르수화물 내성주 출현례에서는 라미부딘+아데포비르 피복실 병용요법으로 치료한다.
- C형간경변인 경우, 비대상기 간경변에서는 인터페론은 적용하지 않는다. 우르소데옥시콜산이나 강력 네오미노화겐씨라는 간보호제를 이용하여 AST · ALT치, 알부민치를 개선하고, 간기능을 유지하며 간발암의 억제를 목표로 한다.

영양요법

- 에너지는 30kcal/kg을 기준으로 한다. 대상기 간경변에서 단백질은 1.2~1.3g/kg이 필요하지만, 간성뇌증 또는 고암모니아혈증이 있는 경우에는 0.6~1.0g/kg으로 제한한다. 혈청알부민치가 3.5g/dL 이하인 경우에는 분기사슬아미노산제를 투여한다.
- 간글리코겐 저장량이 충분하지 않기 때문에 야간에 에너지공급이 부족하고, 이는 간경변의 저양양상태로 직결된다. 대처법으로 분기사슬아미노산제의 취침전투여 (late evening snack ; LES)가 권장되고 있다. 지방처리능이 저하되므로, 지방은 35g 정도로 한다. 음주는 금지한다. 복수가 있는 경우에는 염분제한 7g을 시행한다.

생체간이식

- 비대상기 간경변에 대한 근본적 치료인 생체간이식이 보험적용되므로 선택사항이 된다.

간경변 , 문맥압항진증의 병기 · 병태 · 중증도별로 본 치료흐름도

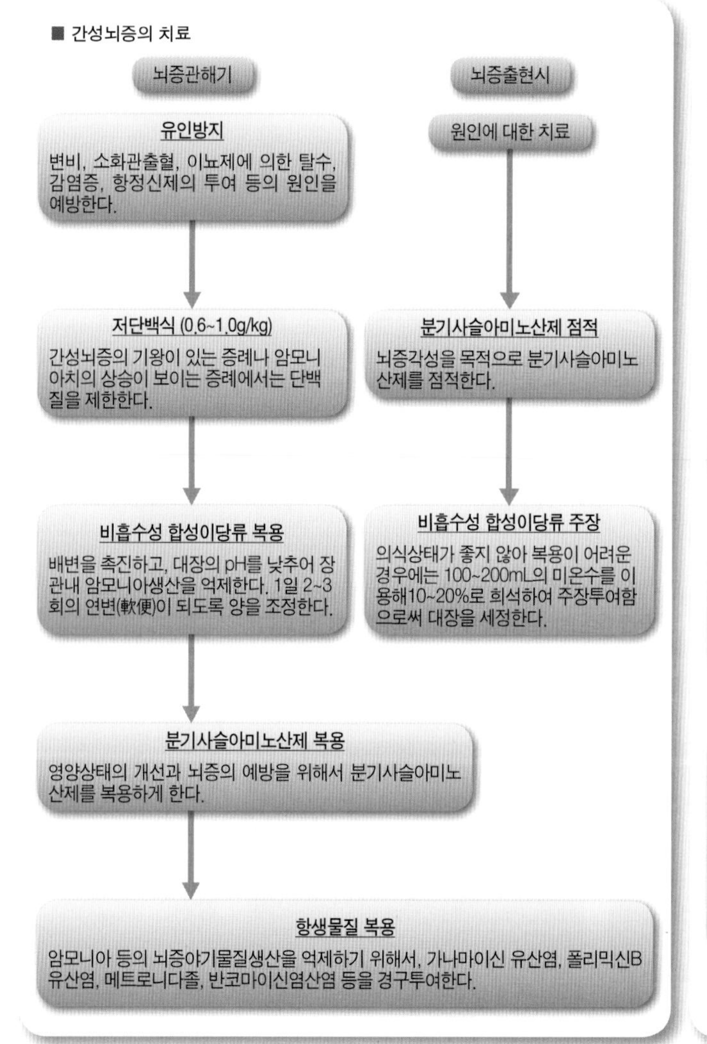

■ 복수의 치료

일반적 치료

치료의 원칙은 안정와상과 염분제한 (5g 정도) 이다. 희석성저나트륨혈증 (130mEq/L 이하) 에서는 수분제한 (1L/일 이하)을 실시한다.

↓

약물요법

2차성알도스테론증을 나타내므로, 제1선택제로 항알도스테론제인 스피로놀락톤 (50~150mg) 을 투여한다. 효과발현에 며칠이 소요된다. 부작용으로 고칼슘혈증, 여성형유방이 있다. 효과가 불충분한 경우에는 푸로세미드 (20~80mg)를 병용한다. 부작용으로 저칼륨혈증에 주의한다.

↓

알부민제의 정맥투여

혈청알부민이 낮은 수치 (2.5g/dL이하) 인 경우에는 이뇨제에 대한 반응성이 좋지 않으므로 알부민제를 점적한다(25% 알부민제 100mL을 3일 정도 적용).

↓

복수천자 배액

복수의 저류에 수반하는 자각증상 (복부팽만감, 호흡곤란)이 심한 경우나 상기의 치료로 관리가 어려운 경우에는 복수천자로 배액한다. 대량의 배액은 순환부전, 신부전, 뇌증을 유발하므로 주의를 요한다. 동시에 알부민제를 정맥투여하면 합병증의 발현빈도가 적다 (1L의 배액에 알부민 6g을 적용).

↓

난치성복수의 치료

상기 치료로 관리가 어려운 복수는 난치성으로서, 특수한 치료법을 요한다.

1) 복수여과농축재정주법 : 복수의 제거와 혈중 단백질의 보충을 동시에 할 수 있지만, 내독소혈증을 초래할 위험이 있다. 이것을 회피하기 위하여 정주가 아니라 복강 내에 재투여하는 복수여과농축복강내재투여법도 있다.
2) 복강-정맥션트
3) 경경정맥적간내문맥대순환단락술

* 특수성세균성복막염이 합병된 경우에는 항균제치료가 필요하다 .
일반적으로 그람음성간균이 많다 .

- 생명예후의 예측에 근거하여 적응여부를 판단해야 하기 때문에, 그러기 위해서 MELD score (model for end-stage liver disease score)가 널리 사용되고 있다. 점수가 높을수록 예후가 나쁘다. MELD score의 계산식은 다음과 같다.

3.78$\log_e$ [총빌리루빈 (mg/dL)]+11.20$\log_e$(PT-INR)+9.57 $\log_e$ [크레아티닌(mg/dL)]+6.4$\log_e$(성인 : 0 담즙울체성인지 알콜성인지, 1 그 이외)

수치입력으로 온라인에서 점수를 자동 계산할 수 있는 사이트가 있다 (http : //www. mayoclinic. org/meld/mayomodel6. html).

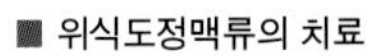

■ 위식도정맥류의 치료

예방적 치료 · 대기적 치료

↓

치료적응
출혈의 기왕력이 있는 정맥류, 형태가 F2 (연주상 중등도의 정맥류) 이상, 또는 발적소견 양성인 경우는 치료의 적응대상이다.

↓

약물요법
비선택성 β 차단제 (프로프라놀롤염산염 30mg/일)를 투여한다. 문맥압이 저하되고, 정맥류의 혈류량이 감소한다.

↓

내시경치료
내시경적정맥류결찰술 (EVL)과 내시경적정맥류경화요법 (EIS)가 있다. EIS는 치료효과가 높지만 (1년재발률 10%), 간기능 악화의 위험이 있으므로, 빌리루빈4.0mg/dL 이상, 알부민 2.5mg/dL이하, 혈소판 2만/μL 이하, 뇌증, 대량복수, 신기능장애 등에서는 금기시된다. EVL은 침습이 적기 때문에 고도 간장애례에서도 시행이 가능하지만, 1년재발률이 30~40%로 높은 편이다.

↓

조기재발례나 충분한 효과를 얻지 못한 경우, 수술(Hassab 수술)을 검토한다.

응급치료

↓

출혈이 의심스러운 경우

- 수액 · 수혈로 순환동태를 안정화 시킨 후에 응급내시경을 시행한다.
- 쇼크상태라서 내시경을 시행할 수 없는 경우에는 Sengstaken-Blakemore 튜브를 삽입하여 압박 지혈한 후에 내시경을 시행한다.

↓

출혈점이 확인되면 EIS 또는 EVL을 시행하고, 1차 지혈을 꾀한다. 응급내시경에서의 1차 지혈률은 90% 이상이다.

↓

1차 지혈 후의 대기적 치료
왼쪽의 흐름도와 같다

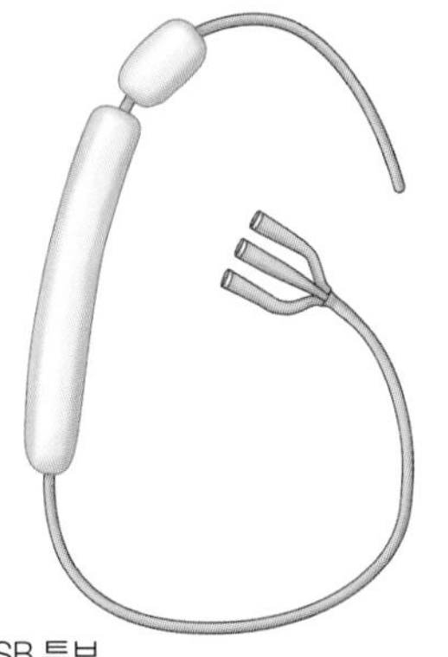

SB 튜브

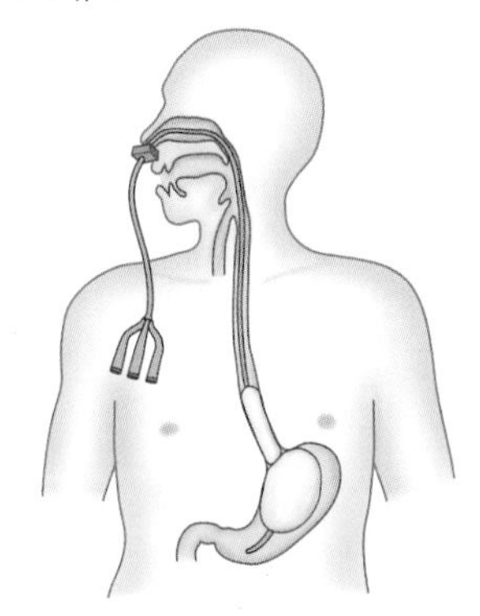

풍선 (balloon) 을 부풀림으로써 압박 지혈을 한다.

■ 그림11-3 Sengstaken-Blakemore (SB) 튜브

EVL

통 속에 정맥류를 넣고 밑동을 고무 링으로 묶는다

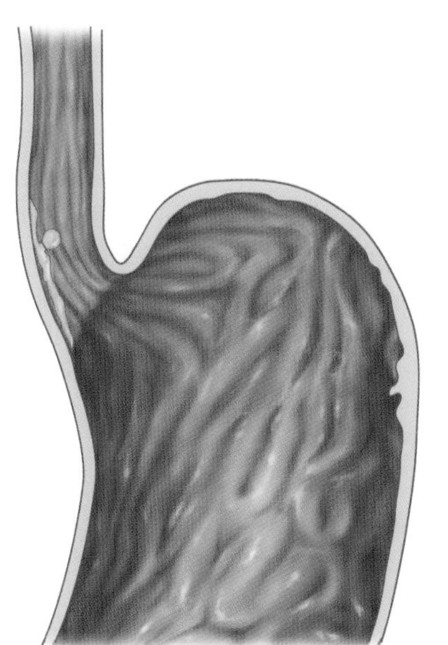

결찰부는 괴사탈락되고, 정맥류는 소실된다.

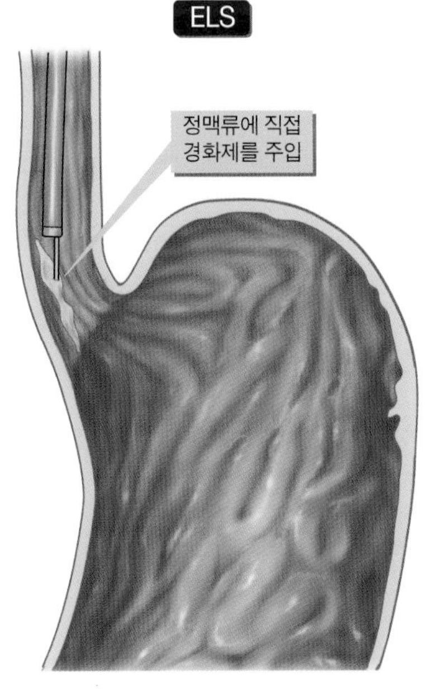

정맥류에 혈전이 생기게 하여 폐쇄한다.

■ 그림 11-4 EVL 과 ELS

(細川貴範, 黒崎雅之)

환자케어

자각증상이 부족한 대상기에는 생활설계에 대한 지지가, 간부전증상이 현저한 비대상기에는 예방이나 완화케어, 심리적 지지가 중심이 된다. 회복기에는 퇴원시기를 놓치지 않도록 한다.

병기 · 병태 · 중증도에 따른 케어

대상기 (간경변 초기) : 권태감이나 피로도 증가가 주로 나타나고, 특징적인 자각증상이 부족하므로 일상생활을 우선시하기 쉽다. 장기요양에서도 중증화나 합병증의 위험성이 수반되며, 간질환에 특화된 사회보장이 한정적이므로, 심신 및 사회 · 경제적인 부담도 더해진다. 개별적인 생활배경이나 인생관을 이해하여 질환과 더불어 살아가는 생활설계를 후원하는 지지가 필요하다.

비대상기 (진행간경변) : 식욕부진, 저알부민혈증, 복수, 부종, 황달, 발열, 문맥압항진에 의한 위식도정맥류나 출혈, 간성뇌증 등의 간부전증상이 현저히 나타나며, 증상이나 치료에 수반하여 환자 · 가족에게 생활상의 제약이나 고통이 증가하므로 완화케어가 요구된다. 또 환자 · 가족의 대부분은 오랜 요양경험에서 간부전증상이 죽음으로 연결되는 위험한 징후로 알고 있으므로 공포를 가지게 되고, 신체상의 변화에도 직면하므로, 심리적 지지가 중요하다고 할 수 있다.

회복기 : 부종, 황달, 간성뇌증 등의 간부전증상이 개선되고, 상태가 안정되면 약물복용을 통한 증상완화로 대체하고, 가족을 포함하여 퇴원준비 · 지도를 진행한다. 증상관리가 불안정한 경우나 높은 수준의 재택의료를 요하는 경우, 환자 · 가족의 가정복귀에 대한 불안이 심한 경우 등에는 필요에 따라서 사회자원의 활용을 검토하고, 퇴원시기를 놓치지 않도록 한다.

케어의 포인트

진료 · 치료의 지지

- 증상 파악을 통한 간기능악화 · 합병증출현의 예방 : 출현하는 기능장애 · 증상을 영상검사나 검사데이터를 포함하여 주관적 · 객관적 양쪽 측면에서 관찰한다. 고통경감이나 증상의 급격한 변화를 예측하기 위하여, 증상의 유무와 정도 및 전신상태를 면밀히 관찰하고, 증상의 악화나 중증화의 징후를 간과하지 않도록 주의한다. 면역기능저하로 인한 발열 등의 감염징후에도 주의한다.

증상에 수반하는 고통이나 불안의 완화

- 증상은 권태감이나 식욕부진 등의 일반적인 것에서 황달 · 복수 등 외견의 변화를 나타내는 것까지 다양하다. 자각 · 타각증상과 환자의 고통을 파악하고, 예방이나 완화에 힘쓴다.
- 생명의 위기상황을 조기에 발견하고 급변을 피하여, 환자 · 가족의 불안을 경감시킨다. 복수저류의 유무, 간성뇌증, 식도정맥류 파열 등의 징후는 생명위기와 직결되므로 특히 주의하고, 세밀한 관찰에 의한 예방과 조기발견에 힘쓴다. 갑작스런 출혈은 환자 · 가족에게 충격을 줌과 동시에 환자사망으로 직결되므로 신속하게 대응하고, 불안경감도 배려하여 지지한다.

ADL의 지지

- 치료에 수반하는 ADL제한에 맞추어 필요한 지지를 제공한다.
- 안정 : 혈류량을 유지하고 간보호를 위한 안정을 촉구하며, 편안하게 안정을 유지할 수 있는 체위를 연구한다.
- 청결 : 쾌적함과 감염방지를 위해서, 특히 와상안정 환자의 경우 청결유지에 힘쓴다. 황달출현 시에는 가려움증이 심하므로 이를 경감시키기 위한 청결상태가 필요하다.
- 용변 : 변비는 장내의 암모니아 발생을 증가시키고, 고암모니아혈증에 의한 간성뇌증의 원인이 될 수 있으므로, 적절한 배변습관을 유지하도록 지지한다.

식사지도

- 장기간 계속되므로 환자 · 가족에게 식사요법의 필요성을 올바르게 이해하게 하고, 협력을 촉구하는 것이 중요하다.
- 자극물은 금지하고, 고단백질, 고에너지 · 고비타민식으로 섭취한다. 복수나 부종발현 시에는 염분, 수분을 제한한다. 간성뇌증이나 신부전의 징후가 있는 경우는 단백질을 제한하고, 혈중암모니아나 질소화합물이 증가하는 것을 방지한다.

환자 · 가족에 대한 심리 · 사회적 문제에 대한 지지

- 요양을 위한 노력의 보람도 없이 질환이 진행되어감에 따른 갈등을 받아들이고, 질환을 인정하면서 그 사람답게 살아갈 수 있도록 계속적으로 지지한다.
- 오랜 요양은 간호나 경제면에서도 부담이 크므로, 사회자원의 활용을 지지한다.

퇴원지도 · 요양지도

- 환자 · 가족에게 지도하고, 필요에 따라서 사회자원의 조정도 검토한다.
- 간경변의 원인, 간장애의 정도와 만성질환에서의 장기적인 통원 · 복용의 필요성을 설명한다.
- 지시받은 약물의 확실한 복용을 지도한다.
- 간장애도와 합병증의 정도에 따라서 영양의 균형이 맞도록 식사를 지도한다.
- 알콜은 간장애를 진행시키므로 금주를 지도한다. 알콜의존증인 경우는 적절한 알콜 · 재활치료를 개시할 수 있도록 시설을 소개한다.
- 변비는 혈중 암모니아치 상승에 수반되는 간성뇌증을 초래하므로, 배변관리의 중요성을 설명한다.
- 과격한 운동이나 중노동, 수면부족을 피하고, 산책이나 체조 등 가벼운 운동을 하도록 지도한다.
- 감염성 증가, 출혈경향이 있으므로 신체의 청결유지와 피부 · 점막손상 방지를 지도한다.
- 자각증상이 없어도 정기적으로 외래진찰받고, 신체의 상태가 좋지 않음을 느끼면 조기에 진찰받도록 지도한다.
- 위험한 증상, 징후와 응급진료의 타이밍에 관하여 정보를 제공한다.

(堅村雅子)

12 간암 (liver cancer)

田中智大 · 泉 並木/壓村雅子

전체map

병인

- 간세포암 : 대부분이 바이러스간염에 의해 발생한다.
- 담관세포암 : 원인은 불분명하다.
- 전이성간암 : 타장기의 암이 간으로 전이되면서 발생한다.

[악화인자] 음주, 흡연, 식사

역학

- 간세포암 : 75%가 C형간염바이러스, 20%가 B형간염바이러스에 의해 발생한다.
- 담관세포암 : 호발연령은 60세 이후이다.
- 전이성간암 : 위암과 대장암에 의한 빈도가 높다.

[예후] 절제불능례는 예후가 불량하다.

병태생리

- 간암은 원발성간암과 전이성간암으로 나뉘며, 원발성간암은 간세포암과 담관세포암으로 나뉜다.
- 간세포암 : 95% 이상에서 만성간염 또는 간경변의 합병이 확인된다. 다발하는 경향이 있으며 (다중심성발암), 재발할 가능성이 높다.
- 담관세포암 : 간내담관상피세포에서 발생하고, 림프행성으로 전이된다. 간세포암에 비해 예후가 불량하다.
- 전이성간암 : 병태는 원발소에 따라 다양하다.

증상 | 합병증 | 진단 | 치료

간성뇌증
의식장애

식욕부진
오심
토혈

식도정맥류

간부전

복부팽만
복수

하혈

전신권태감
피로도 증가
황달
피부가려움증
불면

종아리 경련

복부초음파검사
MRI, CT
복부조영 CT

종양표지자
(간세포암)
· AFP
· PIVKA- Ⅱ
· AFD-L_3 분획
(담관세포암)
· CEA, CA19-9

외과적 절제
국소요법
· 경피적에탄올 주입요법
· 라디오파소작요법
간동맥색전술
간동주화학요법
간이식

증상

- 간세포암 : 특이한 증상은 없다. 부위나 크기에 따라서 통증을 초래하기도 하지만, 일반적으로 배경 질환인 간경변에 수반되는 증상이 주된 증상이다.
- 담관세포암 : 간문부 부근의 담관에 발생한 경우는 황달이 초기증상이다. 말초의 담관에 발생하는 경우에는 증상이 나타나면 이미 늦을 때가 많다.
- 전이성간암 : 특이한 증상은 없다. 진행되면 통증이나 악액질에 의한 전신상태의 악화가 나타난다.

[합병증]

- 종양이 파열되면 빈혈, 통증, 저혈압, 쇼크
- 문맥에 침윤되면 식도정맥류
- 간부전

진단

- 간세포암 : B형 · C형만성간염 · 간경변 환자는 정기검사 (서베일런스)를 시행한다. 복부초음파검사에서는 저에코양상, 모자이크패턴으로 나타난다. 종양표지자 (AFP, PIVKA-Ⅱ, AFP-L_3)는 조기발견, 재발의 지표로 유용하다. 이 검사에서 간세포암이 의심스러우면, 영상검사 (Dynamic CT, MRI, 혈관조영, 조영초음파)로 진단을 확정한다.
- 담관세포암, 전이성간암 : 복부초음파, CT를 병용하여 영상진단한다.

치료

- 간세포암 : 간장애 정도, 종양의 개수, 크기에 따라서 외과적 절제, 국소요법 (경피적에탄올주입요법, 라디오파소작요법), 간동맥색전술을 단독적 응 또는 병용한다. 이를 적용하지 못하는 경우에는 간동주화학요법, 간이식을 시행한다.
- 간세포암은 재발할 가능성이 높아서, 치료후에는 3~4개월마다 Dynamic CT를 실시한다.
- 담관세포암 : 조기발견례에서는 외과적 절제를 시행한다. 발견이 늦고, 치료의 적응대상이 아니게 되는 경우도 있다.
- 전이성간암 : 원발소에 따라서 화학요법을 시도하지만, 효과는 기대할 수 없는 경우가 많다.

병태생리map

간에 원발하는 원발성간암의 대부분은 간세포암이다. 간세포암은 다발경향이 있으며, 재발의 가능성도 높다.

- 간세포암은 간에 원발하는 원발성간암과 타장기의 암이 간에 전이하는 전이성간암으로 나뉜다. 원발성간암에는 간세포에서 발생하는 간세포암 (95%)과 간내담관상피세포에서 발생하는 담관세포암 (간내담관암), 이렇게 두 종류가 있다(그림 12-1).

【간세포암】

- 95% 이상에서 만성간염 및 간경변의 합병 (그 중 85% 이상은 간경변의 합병)이 확인된다.
- C형간염바이러스 (이하 HCV) HCV는 RNA바이러스이며, 지속감염되면 오랜 시간에 걸쳐 조금씩 간경변으로 진행되어 간다. 그에 대응하여 숙주는 간세포를 재생하려고 하지만, 그 과정에서 증식능이 높은 암세포가 살아남아서 발암한다고 추측되고 있다.
- B형간염바이러스 (이하 HBV)는 DNA바이러스이며, 간세포의 염색체를 직접 변화시킴으로써, 암억제유전자의 불활성화 등을 일으켜서 발암을 촉진시킨다고 생각된다. 이 때문에 HCV와 비교하여 만성간염이 이른 단계에서도 발암하는 수가 있어서 주의해야 한다.
- 간세포암은 다발하는 경향이 있으며, 이것을 다중심성발암이라고 한다. 발견 시에 이미 여러 부위에 발암해 있는 경우도 있다. 또 한 번 암을 치료한 후라도 재발할 가능성이 높아서, 암치료 후에도 신중한 경과관찰이 필요하다.
- 정상 간세포가 암화되는 경우는 매우 드물다.

【간세포암】

- 간내담관상피세포에서 발생하고, 간병변이나 바이러스간염과는 관련성이 낮다. 림프행성으로 전이되고, 간세포암과 비교하여 예후가 불량한 경우가 많다. 만성간염의 합병과는 관련성이 낮다.

【전이성간암】

- 타장기의 암이 간에 전이된 것으로, 그 병태는 원발소에 따라 다양하다.

병인 · 악화인자

【간세포암】

- 앞에서 기술하였듯이, 간염 및 간경변이 발생 근원지인 경우가 대부분이다. 원인으로 바이러스간염, 알콜성간장애, 비알콜성지방간염 (NASH), 자가면역성간염, 원발성담즙성간경변, 약물이나 금속에 대한 노출에 의한 간염 등이 있는데, 대부분 바이러스간염이 원인이다.

【담관세포암】

- 원인은 불분명하다. 만성적인 담관의 염증에 의한 기계적인 자극이 원인이라고 추측되고 있다.

【전이성간암】

- 타장기의 암에 존재하는 종양세포가 간내에 유입되어 전이된다.

역학 · 예후

【간세포암】

- 약 75%가 HCV의 지속감염, 약 20%가 HBV의 지속감염에 기인한다.
- HCV감염 간세포암의 호발연령은 60대인데 비해서, HBV감염 간세포암의 호발연령은 40~50대이다.
- 남성에게 흔히 나타나는데 (여성의 약 4~7배), 그 원인은 불분명하다.
- 그 밖에 알콜과음, 고령이 위험인자가 된다.

【담관세포암】

- 호발연령은 60대 이후이며, 남녀차는 거의 없다.

【전이성간암】

- 원발성간암의 3배 정도의 발생빈도를 나타낸다.
- 여러 암이 간에 전이되는데, 그중 문맥행성 전이가 많고, 위암과 대장암의 빈도가 높다.

병인

- **바이러스간염**
- **알콜성간장애**
- **비알콜성지방간염**
- **자가면역성간염**
- **원발성담즙성간경변**
- **등**

병인

- **만성적인 담관의 염증?**

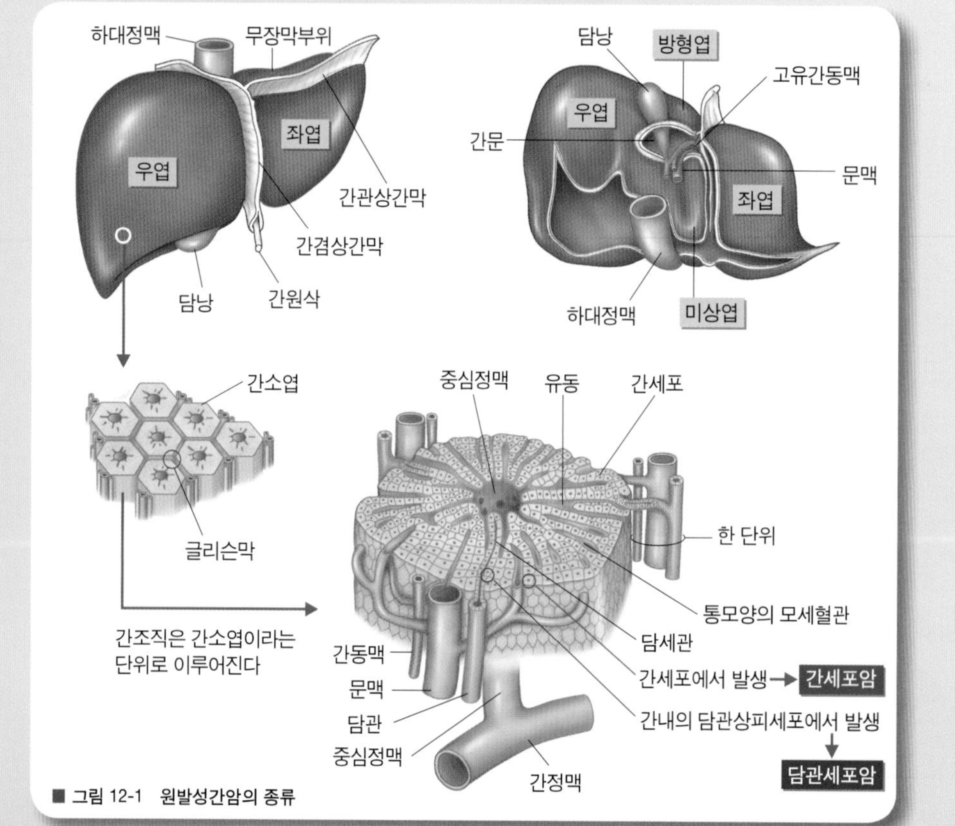

■ 그림 12-1 원발성간암의 종류

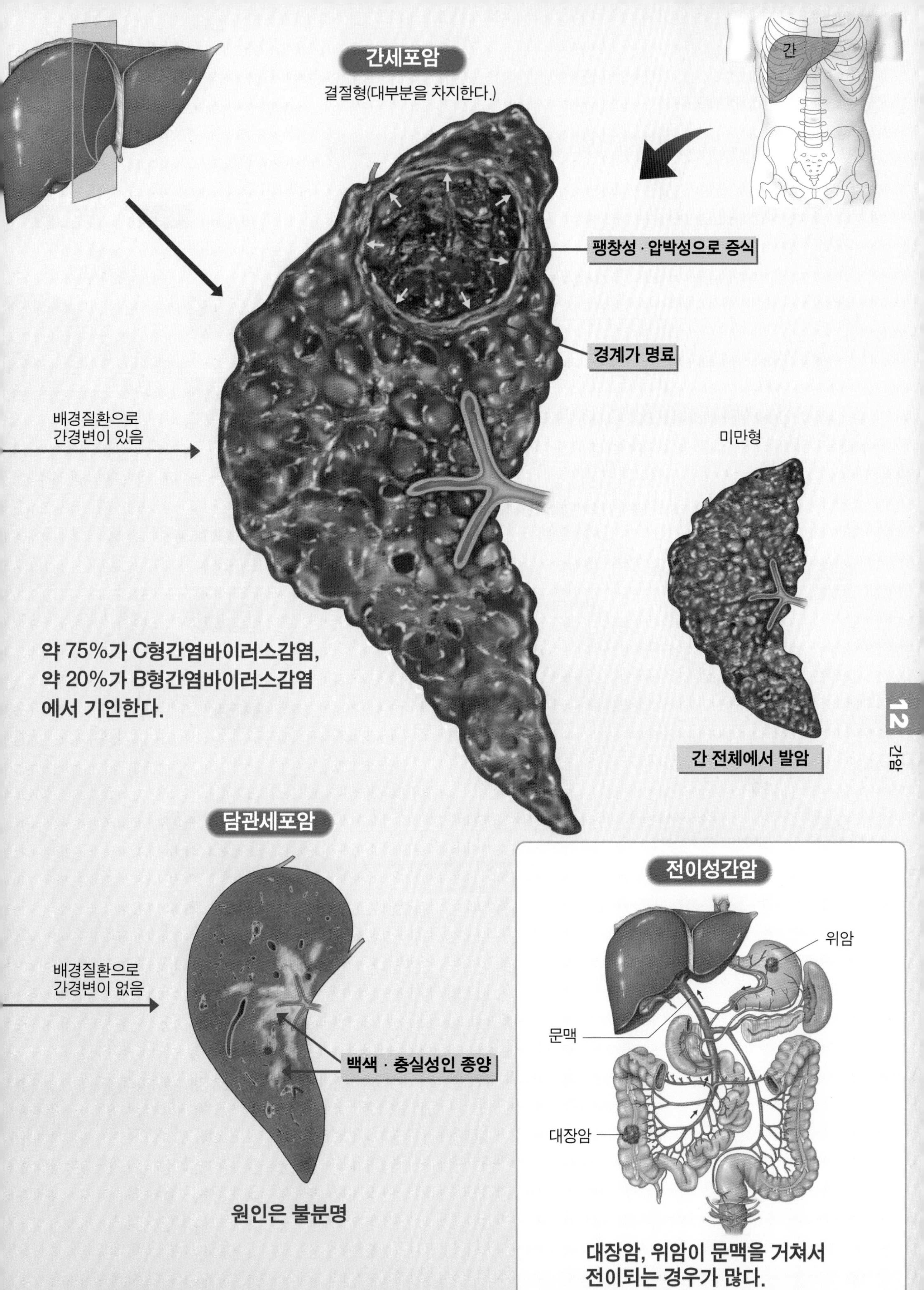
간세포암
결절형(대부분을 차지한다.)
간
팽창성 · 압박성으로 증식
경계가 명료
배경질환으로
간경변이 있음
미만형
약 75%가 C형간염바이러스감염,
약 20%가 B형간염바이러스감염
에서 기인한다.
간 전체에서 발암
12
간암
담관세포암
배경질환으로
간경변이 없음
백색 · 충실성인 종양
원인은 불분명
전이성간암
위암
문맥
대장암
대장암, 위암이 문맥을 거쳐서
전이되는 경우가 많다.

간세포암, 전이성간암에서는 특이한 증상이 없지만, 담관세포암에서는 황달에 주의해야 한다.

증상

【간세포암】

- 본증에서 특이한 증상은 그다지 없지만, 복부나 크기에 따라서 통증을 일으키는 수가 있다.
- 그 이외에는 배경질환인 간경변에 수반하는 증상이 주된 증상이다 ('11. 간경변, 문맥압항진증' 의 항을 참조).

【담관세포암】

- 간문부 부근의 담관에 발생한 경우에는 황달이 초기증상이 되는 경우가 있다. 말초의 담관에 발생한 경우, 증상이 출현했을 때에는 이미 늦은 경우도 많다.
- 이 때문에 간세포암과 비교하면, 일반적으로 예후가 불량하다.

【전이성간암】

- 이 질환에서 특이한 증상은 없다. 진행되면, 통증이나 악액질에 의한 전신상태의 악화가 수반된다.

합병증

- 종양이 파열되는 수가 있다. 종양내출혈이면 빈혈이나 통증이 주증상으로 나타난다. 복강 내에서 출혈이 발생하면 저혈압이나 쇼크가 출현하기도 한다.
- 종양이 문맥으로 침윤되면, 문맥압이 높아짐으로써 식도정맥류가 초래된다.
- 간내에서 종양의 확장이 진행되면, 정상 간세포가 감소하면서 간부전이 초래되는 수가 있다.

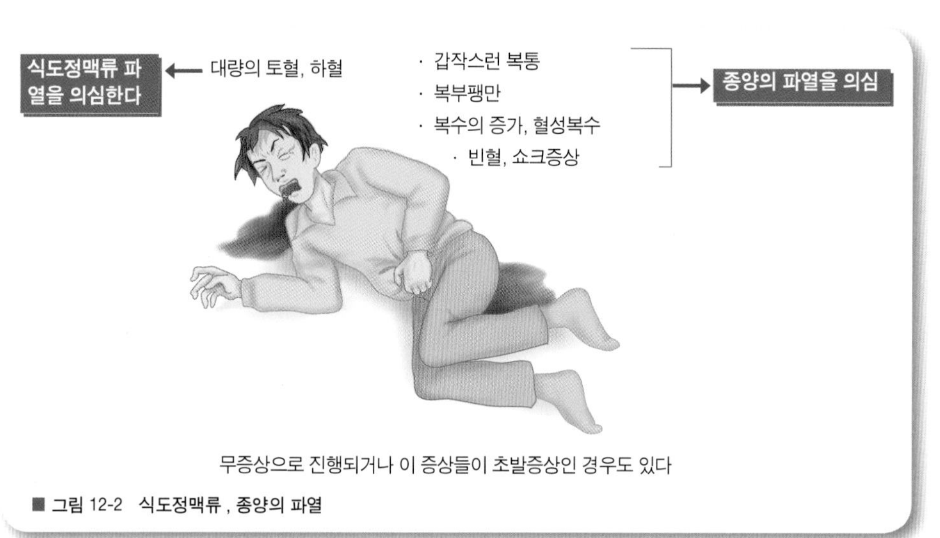

■ 그림 12-2 식도정맥류 , 종양의 파열

- 악액질

악성종양이나 만성심부전 등의 만성질환에서, 중증의 영양부족 때문에 전신상태가 매우 불량한 상태를 가리킨다. 체중감소, 저단백혈증, 탈모 등이 나타난다.

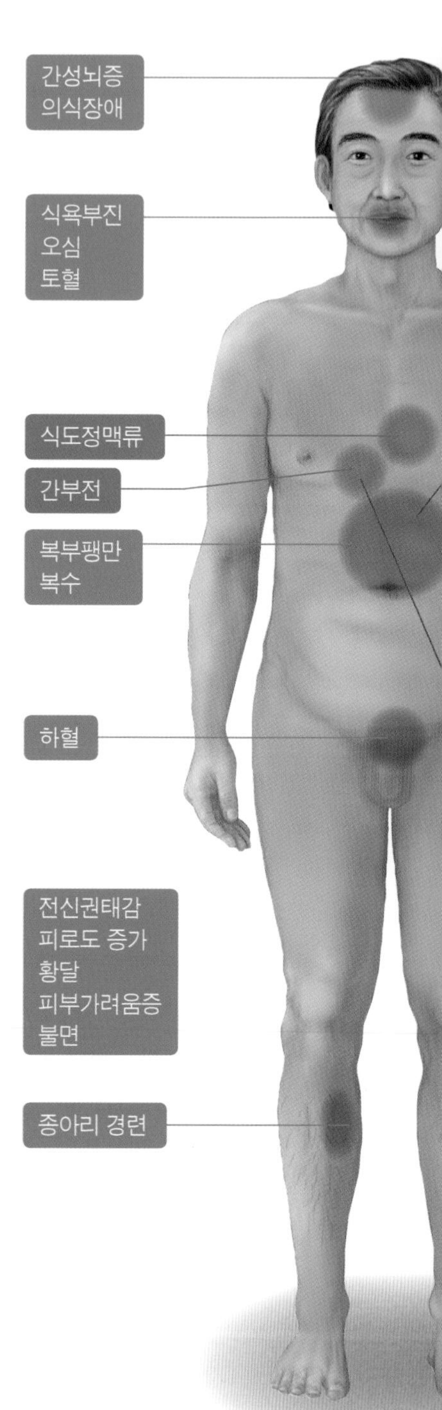

진단map

복부초음파검사, 종양표지자를 보아 간암이 의심스러우면, Dynamic CT, MRI, 조영검사 등의 영상검사를 추가하여 진단을 확정한다. 고위험환자에게는 정기적인 검사가 필요하다.

진단 치료

복부초음파검사
MRI, CT
복부조영 CT

종양표지자
(간세포암)
· AFP
· PIVKA-Ⅱ
· AFD-L_3 분획
(담관세포암)
· CEA, CA19-9

외과적 절제
국소요법
· 경피적에탄올주입요법
· 라디오파소작요법
간동맥색전술
간동주 화학요법
간이식

진단 · 검사치

【간세포암】

● 간세포암은 그 위험인자가 확실히 알려져 있으므로, 바이러스지속감염 등의 고위험환자에게 정기적인 검사 (서베일런스)를 해야 한다. 서베일런스의 실제는 표12-1과 같다.
● 복부초음파검사 (그림 12-3) : 대부분의 간세포암이 저에코양상, 모자이크패턴으로 나타나는데, 고에코양상이라도 간세포암일 가능성은 부정할 수 없다.
● 종양표지자 : AFP (α 페트프로테인), PIVKA-Ⅱ (비타민K결핍단백Ⅱ), AFP-L_3분획의 3종류가 있다. 종양표지자만으로는 진단을 확정할 수 없지만, 조기발견의 예측이나 재발의 지표로서 유용하다. 또 와파린칼륨을 복용하고 있는 환자는 PIVKA-Ⅱ가 정상 범위를 넘어선 높은 수치를 나타내므로 주의한다.
● 상기검사에서 간세포암의 발생이 의심스러운 경우, 표12-2의 검사를 적절히 추가한다.

【담관세포암】

● 복부초음파, 조영CT를 조합하여 영상진단을 내린다. 이 질환에서 특이한 종양표지자는 없지만, CEA나 CA19-9가 높은 수치로 확인되기도 한다.

【전이성간암】

● 복부초음파, CT를 조합하여 영상진단을 한다. 종양표지자는 각각의 원발소에 맞추어 측정한다.

■ 표 12-1 간세포암에 대한 서베일런스

초고위험군 : B형간경변, C형간경변
3~4개월마다 복부초음파검사 3~4개월마다 종양표지자의 측정 6~12개월마다 CT/MRI검사 (옵션)
고위험군 : B형만성간염, C형만성간염/간경변
6개월마다 복부초음파검사 6개월마다 종양표지자의 측정

(일본 간장학회편 : 과학적 근거에 입각한 간암진단가이드라인, 2009, 간세포암 서베일런스의 알고리즘 (그림1)에서 일부 개편)

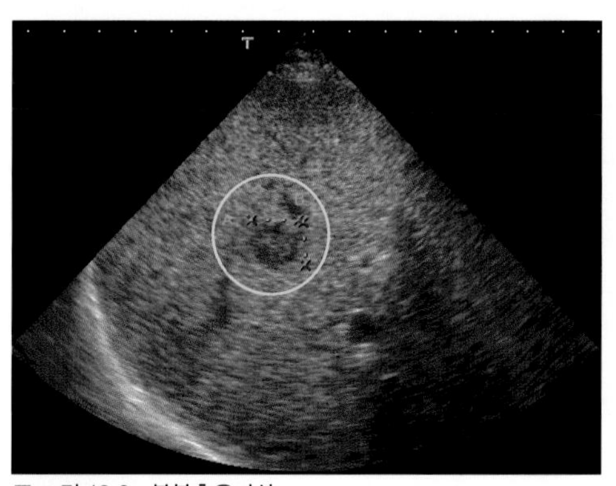

■ 그림 12-3 복부초음파상
○ 로 둘러싼 검은 부분 (저에코역)이 조기의 간암이다.

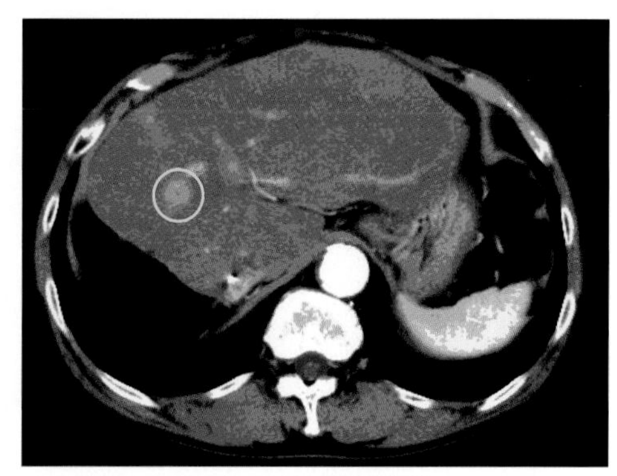

■ 그림 12-4 Dynamic CT 상 (동맥우위상)
○ 로 둘러싼 부분 (저농도역)이 암이다.

■ 표 12-2 간세포암의 영상검사법

검사법	내용
Dynamic CT (그림12-4)	전형적으로는 동맥우위상에서 짙게 염색되고, 문맥우위상 (평형상) 에서 저농도역으로 나타난다.
MRI	각종 조영제를 사용하여 간세포암을 나타낸다.
혈관조영 (및 CT혈관조영)	혈관조영카테터를 삽입하여 간동맥 및 문맥에 조영제를 주입하고, 동시에 CT를 촬영한다. 종양의 개수와 존재 부위를 엄밀히 진단할 목적으로 시행한다.
조영초음파	조영제 perflubutane (소나조이드) 을 사용하고, 그 조영패턴을 근거로 진단한다.

치료map

치료법은 간장애 정도, 종양의 개수, 크기에 따라서 선택한다. 간장애 정도가 낮으면 외과적 절제, 국소요법, 간동맥색전술을 적용한다. 담관세포암, 전이성간암에서는 치료를 적용할 수 없는 예도 많다.

치료법

【간세포암】

- 외과적 절제 : 주위의 간조직을 종양과 함께 외과적으로 절제한다.
- 국소요법 : 초음파에서 종양을 나타내면서 경피적으로 바늘을 삽입하여 치료하는 방법(그림 12-5)이다. 고농도의 에탄올을 주입하는 경피적에탄올주입요법 (PEIT), 라디오파에 의해서 종양을 소작하는 라디오파소작요법 (RFA)이 있다. 최근 특히 RFA의 치료성적 (5년생존율, 무재발생존기간)이 눈에 띄게 향상되어 일정한 조건만 충족시키면 외과적 절제에 필적하게 되었다. 대부분이 경피적으로 행해지는데, 복강경을 병용하여 시행하는 경우도 있다.
- 간동맥색전술 : 혈관조영과 똑같은 방법으로서, 목적하는 간동맥의 가지에 카테터를 삽입한 후에, 조영제를 섞은 항암제를 주입하고 젤라틴스폰지 등의 색전물질로 간동맥을 채워서 종양을 괴사시킨다 (그림12-5). 이것은 간세포암이 간동맥에서만 영양을 공급받고 있는데 반해서, 정상간세포는 간동맥 뿐 아니라 문맥에서도 충분한 혈류를 받고 있다는 특성을 이용한 것이다.
- 상기 치료를 적응하지 못하는 경우 리저버를 이용한 간동주화학요법, 간이식 등을 선택할 수도 있다.
- 간세포암은 그 성질상 재발의 가능성이 높으므로, 치료 후에도 정기적인 경과관찰을 게을리해서는 안된다. 일반적으로 치료 후에 3~4개월에 1번의 Dynamic CT로 확인한다.
- 분자표적제의 내복 : 진행된 간세포암에서 생명예후의 개선을 기대할 수 있다.

【담관세포암】

- 조기발견한 것에 대해서는 외과적 절제가 행해지지만, 발견시 이미 진행되고 있는 경우도 많아서, 치료를 적용할 수 없는 예도 종종 있다.

【전이성간암】

- 경험상, 대장암 전이인 경우에는 종양의 개수와 존재부위에 따라서 간부분절제가 행해지기도 한다. 그 이외의 경우, 원발소에 따라서 항암제를 이용한 화학요법이 시도되기도 하지만, 치료효과는 그다지 기대할 수 없는 경우가 많다.

Key word

- 간동주화학요법

간암에 효과적으로 항암제를 도달시키기 위해서 암에 영양분을 전달하는 간동맥에 카테터를 유치시켜 항암제(플루오로우라실 또는 시스플라틴)가 흐르게하는 치료 요법이다. 피하에 매입한 포트(port)라고 불리는 기구를 이용해 항암제를 정기적으로 투입한다.

간암의 병기 · 병태 · 중증도별로 본 치료흐름도

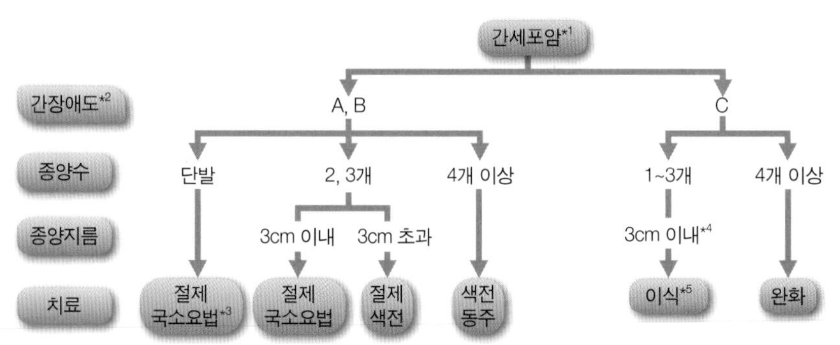

*1 : 맥관침습, 간외전이가 있는 경우에는 별도기재
*2 : 간장애도는 아래표를 참조
*3 : 간장애도B, 종양지름 2cm 이내에서는 선택
*4 : 종양이 단발한 경우에서는 종양지름 5cm 이내
환자연령은 65세 이하

(일본 간장학회편 : 과학적 근거에 입각한 간암진료가이드라인 2009년판, 2009, 간세포암치료의 알고리즘(그림 2))

간장애도 (liver damage)

각 항목별로 중증도를 구하고, 그 중 2항목 이상이 해당된 간장애도를 선택한다. 2항목 이상의 항목에 해당된 간장애도가 2군데 생긴 경우에는 높은 쪽의 간장애를 선택한다. 또 간장애도A가 3항목, B, C가 각각 1항목인 경우는 B가 2항목 해당 이상의 간장애라고 판단하여 간장애도B라고 판정한다.

항목 \ 간장애도	A	B	C
복수	없다	치료효과 있다.	치료효과 적다
혈청빌리루빈치 (mg/dL)	2.0 미만	2.0~3.0	3.0 초과
혈청알부민치 (g/dL)	3.5 초과	3.0~3.5	3.0 미만
ICG R_{15}(%)	15 미만	15~40	40 초과
프로트롬빈 활성치(%)	80 초과	50~80	50미만

(일본 간암연구회편 : 임상·병리 원발성간암 취급규약, 제5판, 금원출판, 2008)

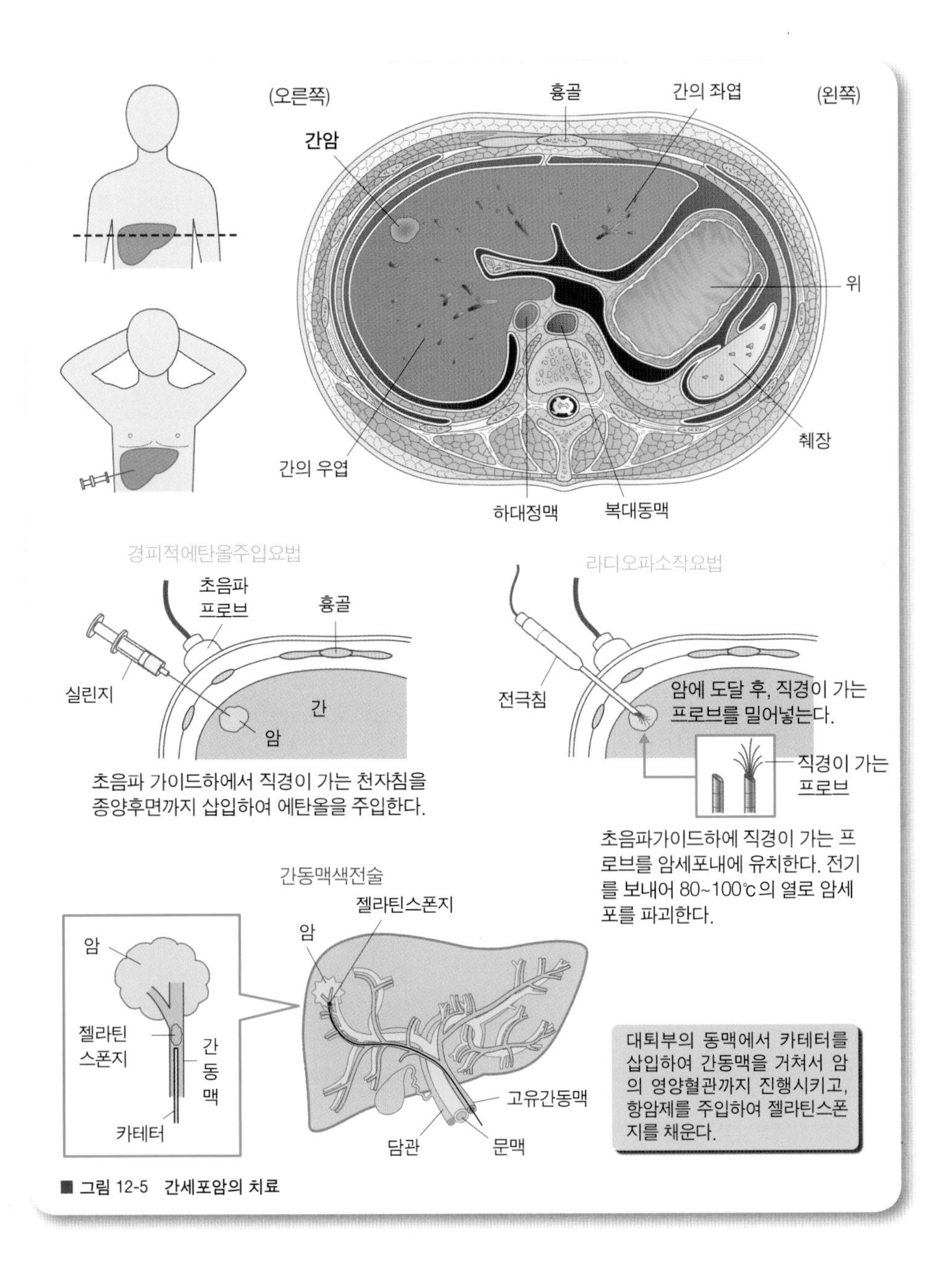

■ 그림 12-5 **간세포암의 치료**

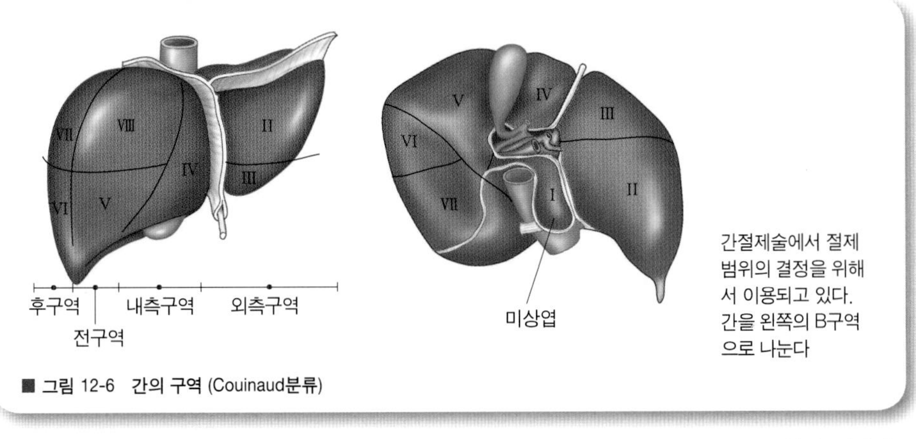

■ 그림 12-6 **간의 구역** (Couinaud**분류**)

(田中智大・泉 並木)

환자케어

간암은 병기나 증상에 따라서 케어의 포인트가 달라진다. 투병의 상황을 이해하고, 전인적 고통의 완화와 인간적 성장을 촉진시키는 지지가 중요하다.

병기 · 병태 · 중증도에 따른 케어

간세포암 환자의 병기에 따른 5단계 투병 시의 간호

① 전발암기 : 발암으로 진행될 수 있는 점을 걱정하면서 간염이나 간경변으로 인하여 평균 수십년 이상의 장기요양을 지속하는 중에, 간염을 숙지할 뿐만 아니라 엄격한 자기관리를 통해 환자로서의 자각이 싹트는 시기이다. 간염의 위협을 수용한 계속적인 요양을 지지하고, 건강을 유지할수 있게 자기관리를 촉구하는 것이 중요한 케어 포인트이다.

② 발암기: 오랜 요양생활에도 불구하고 암으로 진행되어버렸다는 사실에 충격을 받고 또 그에 대처하여 살아갈 방법을 모색하는 시기이다. 충격을 극복할 수 있게 돕는 지지, 치료방법 결단에 대한 지지, 고통관리의 지지, 암치료 후의 새로운 요양생활에 대한 후원이 케어의 포인트이다.

③ 재발기: 단발적인 암 재발이 반복되면서 현실화되는 난치성과 타협하는 마음가짐을 형성해 가는 시기이다. 지속적인 치료로 인한 부담 경감 및 난치성 수용, 투병 의지의 구축 등에 지지가 필요하다.

④ 다발기: 동시다발성으로 발생하는 암에 대한 투병 의지를 지켜나가는 시기이다. 급변하는 신체증상 및 고통의 완화 뿐만 아니라 암의 위협을 극복하려는 의지를 지지해 주어야 한다.

⑤ 쇠퇴기: 암의 전이나 간부전이 진행되면서 죽음이 임박하기 때문에 가혹한 말기를 겪게 되고 이로 인하여 고군분투하는 시기이다. 간부전 증상의 완화와 안락의 유지, 원하는 요양에의 지원, 투병에 굴복하지 않는 강한 의지에의 지지가 매우 중요하다.

※ 이상의 시기별 케어 포인트를 통해 간암 환자의 특징을 읽어낼 수 있다. 간암으로 인하여 그 전까지는 겪어보지 못한 심각한 위협에 시달리면서도 투병에 대한 강한 의지를 갖고 인생을 살아가려는 것이 바로 그것이며, 따라서 전인적 고통완화와 인간적 성장을 촉진시키는 지지(=암완화케어)가 중요하다.

간암 환자에 대한 암완화 케어의 요소

전인적인 고통완화와 인간적 성장 촉진에 관한 간호는 다음의 6가지 요소로 구성되어 있다.

① 고통증상의 발현을 예방하고 적극적으로 완화한다: 간암의 재발이나 진행에 맞추어 증상의 통제감각을 기르도록 지지하거나 말기에 이르러 치료가 어려운 상황에서 납득이 갈 만한 치료를 지지하는 것이 중요하다.

② 삶에 대한 의욕 고취를 지지한다: 환자는 고뇌가 증가하면서 조용히 자신의 기분이나 내면적인 강인함을 헤아려주는 모습에 안도감을 느끼기도 한다.

③ 질환을 긍정적으로 수용하는 삶의 태도를 지지한다: 환자의 전인적 이해, 인생의 반추, 의미부여를 도울 수 있는 대화가 지속적으로 필요하다. 또한 항상 불안정한 감정상태에 놓여진 환자는 누군가 자신을 돌봐준다는 사실에 강한 안도감을 느낄 수 있다.

④ 중요한 사람들과의 깊은 유대관계를 유지하도록 지지한다: 특히 말기에 이른 간암 환자는 황달이나 복수 등으로 인해 쇠약해져 있고, 그러한 모습을 타인에게 보이는 것을 수치스러워하기 때문에 한정된 지인들과 깊은 유대관계를 유지할 수 있도록 지지해야 한다.

⑤ 자기관리와 납득할 수 있는 요양을 지지할 수 있는 정보를 제공해야 한다: 간염을 조기에 발견하여 치료하므로써 간암을 예방할 수 있는 자기관리가 필요하며, 가망이 없는 요양으로 인한 불안을 경감시키고, 환자 본인이 납득할 수 있는 치료를 받아야 할 권리를 옹호하기 위하여 정보 제공이 필수적이다.

⑥ 일관된 지지를 지속적으로 제공해야 한다: 말기 간암 환자는 대부분 본인이 장기적으로 치료를 받아온 신뢰할 수 있는 의사에게 계속 치료받길 원한다. 또한 최근 병원의 역할 분화로 인해 말기에 이르러서 병원을 옮길 것을 요구받으면 병원 측으로부터 버림받았다고 여기는 환자도 있기 때문에, 항상 환자가 원하는 의료를 제공받았다고 납득할 수 있게 지지해야 한다.

케어의 포인트

간절제후 환자의 케어

- 간암 환자의 절반 이상은 간염바이러스를 보유하고 있다. 이들의 경우, 만성감염이나 간경변에 의한 장기요양으로 인해 몸에 배인 방식대로 상황에 대응하는 경우도 많다. 이러한 대처방식 역시 케어에 포함시키는 발상도 매우 중요하다.
- 초기 암치료는 재발률이 높기 때문에 환자가 여러 불확실성과 갈등을 안고서 치료법 선택을 망설이는 경우가 많다. 따라서 환자의 의사결정을 반드시 지지해야 한다.
- 수술전 정기검사를 시행할 때는 일반적인 술전검사에 병소부위나 간장애 진단을 목적으로 하는 다양한 검사가 추과하여 부과되기 때문에 환자의 불안이나 결과에 대한 걱정 및 고통이 증가한다. 이에 대한 의료진의 지지가 필요하다. 또한 간절제술은 간예비능과 절제범위에 따라서 합병증의 위험도가 달라지므로, 심신을 지지하면서 수술전의 증상을 정확하게 파악하도록 힘써야 한다.
- 수술 후에는 출혈, 간부전, 호흡부전, 담즙루 등의 합병증이 발생할 위험이 있다. 특히 간은 혈액이 풍부하기 때문에 후출혈에 주의하면서 적절한 산소공급과 안정을 통한 간혈류를 유지해야 한다. 절개창이 커서 통증이 심한 편이므로 고통완화와 정신적 지지도 중요하다.
- 간암의 80% 이상에서 간경변이 발병하므로, 간장에 직접 침습이 가해지는 간절제술 전후에는 심신의 면밀한 사정에 입각한 합병증 예방과 회복촉진을 위한 케어가 중요하다. 또 술후에는 회복촉진과 더불어 불안없이 퇴원할 수 있도록 지도하고 준비를 지지해야 한다.

퇴원지도 · 요양지도

- 당회에 간암의 치료효과와 간장애에 대하여 설명한다.
- 간암은 만성질환이고 재발률이 높은 점, 따라서 장기에 걸쳐 약물치료과 통원 및 진료의 지속적인 필요성을 이해하고 있는지 확인한다.
- 지시받은 약물을 정확하게 복용한다: 적절히 약제사와 협력한다.
- 간장애도와 합병증의 중증도에 맞추어 식사를 지도한다: 적절히 영양사와 협력한다.
- 음주는 간부전을 악화시키므로, 금주의 필요성을 설명하고 제대로 이해했는지 확인한다.
- 간보호를 위해서 과격한 운동, 중노동, 수면부족을 피하게 하고 안정적인 상태에서 적당히 가벼운 운동을 하도록 지도한다.
- 위험한 증상 및 징후, 또 그에 따른 진료 타이밍에 대하여 설명한다.

(壓村雅子)

13 담낭염, 담석증 (cholecystitis, cholelithiasis)

工藤 篤/明石恵子

전체map

병인

- 급성담낭염의 90% 이상은 담석이 원인이다.
- 담낭내결석으로는 콜레스테롤담석이 많고, 담관결석으로는 빌리루빈칼슘석이 많다.

[악화인자] 장내 상재균에 의한 세균감염

역학

- 연간 약 10만명에게 이환된다.
- 고령, 가족력, 비만이 3대 위험인자이다.

[예후] 담석증은 양성질환이다. 담낭염도 다장기부전 · 쇼크 등을 일으킬 수 있지만, 적절한 치료를 받으면 예후가 양호하다.

병태생리

- 담낭염 : 담낭관이 담석으로 막히면서 담즙이 정체되어, 세균감염이 수반되면서 발생한다.
- 담석이 원인이 아닌 경우는 외상, 수술, 당뇨병에 의한 감염성 증가 등이 원인이 된다.
- 담석증 : 담낭이나 담관에 생긴 결석을 담석이라고 한다. 결석의 부위에 따라서 담낭결석, 총담관결석, 간내결석으로 나뉜다.

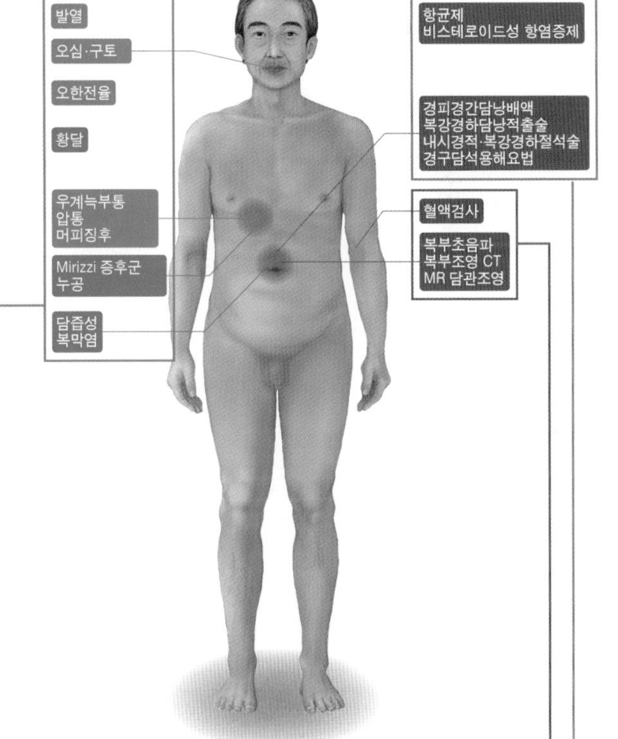

증상

- 발열, 오한전율, 우계늑부통 (오심 · 구토)이 주증상이다.
- 촉진에서 압통, 머피징후가 보인다.

[합병증]

- Mirizzi증후군
- 내담즙루
- 담즙성 복막염
- 급성담관염, 급성폐색성화농성담관염
- 급성췌장염

진단

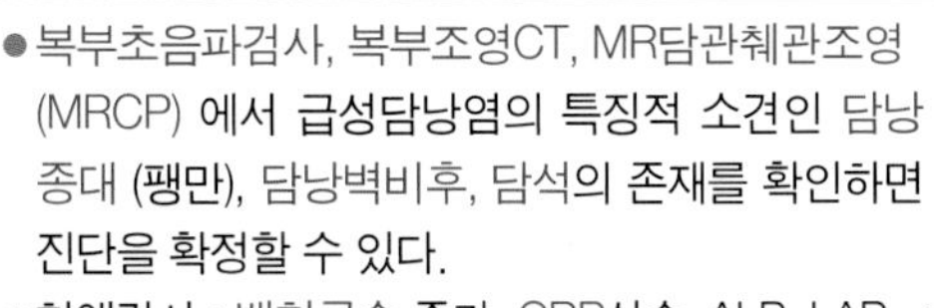

- 복부초음파검사, 복부조영CT, MR담관췌관조영 (MRCP) 에서 급성담낭염의 특징적 소견인 담낭종대 (팽만), 담낭벽비후, 담석의 존재를 확인하면 진단을 확정할 수 있다.
- 혈액검사 : 백혈구수 증가, CRP상승, ALP, LAP, γ-GTP의 상승이 수반되기도 한다.
- 촉진 : 압통, 근성방어, 머피징후가 나타난다.
- 급성담낭염의 진단이 확정되면 중증도 (경증, 중등증, 중증)를 판정한다.

치료

치료 map p.105

- 급성담낭염에서는 담낭적출술을 전제로 하는 초기치료 (전신상태의 개선)를 시행한다.
- 황달이나 전신상태가 불량한 경우에서는 일시적인 경피경간담낭배액 (PTGBD)를 시행한다.
- 중증이면 응급수술을, 경증, 중등증에서는 보존요법 후에 PTGBD 또는 조기수술을 적응한다.
- 약물요법 : 비스테로이드성 항염증제, 항균제 (세펨계, 카르바페넴계)를 투여한다.
- 외과치료 : 복강경하담낭적출술이 주가 된다. 조기수술 (증상발생 후 72시간 이내)을 권장한다.
- 담석증에는 경구담석용해요법, 복강경하담낭적출술이 적용되는데, 총담관결석에는 내시경 또는 복강경하에 의한 절석술도 행해진다.

병태생리map

급성담낭염의 90% 이상은 담석이 원인이다.

- 급성담낭염의 대부분은 담낭관에 담석이 막혀서 담즙이 정체되는 것이 원인으로, 세균감염이 수반되어 발생한다. 담석이 원인이 아닌 경우는 외상이나 수술, 당뇨병에 의한 감염성 증가 등이 원인이 되는 경우가 있다.
- 담낭관에 담석 등의 고형물이 생긴 상태를 담석증이라고 한다.
- 종양, 결석 등에 의해서 담낭관이 폐색되어 담즙울체가 생기고 세균감염증이 발생한 상태를 담낭염이라고 한다.

병인 · 악화인자

- 장내 상재균에 의한 세균감염이 악화요인이다. 대장균을 필두로 클레브시엘라속이나 박테로이데스속이라는 그람음성균이 70% 정도를 차지하며, 장구균 (그람양성균) 등이 나머지 30%를 차지한다.

역학 · 예후

- 연간 약 10만명이 걸리고, 연령 · 가족력 · 비만이 3대 위험인자이다.
- 고령자에게 많고, 진단 시에 패혈증을 일으키고 있는 경우도 있지만, 대개는 경도 염증으로 보존적으로 시작된다. 중증화된 경우, 괴사성담낭염, 담낭천자에 의한 쇼크 (15%), 담즙성복막염 등으로 파급되기도 한다.

정상 담도계

담즙생성
담낭관
담낭경부
나선주름
담낭누두
담즙의 농축
담낭체
담낭저
소십이지장유두
대십이지장유두
담즙의 배출

담석의 종류

콜레스테롤담석

〈순콜레스테롤석〉

방사상 구조를 나타낸다. 황백색으로 구형~타원형이다.

〈혼성석〉

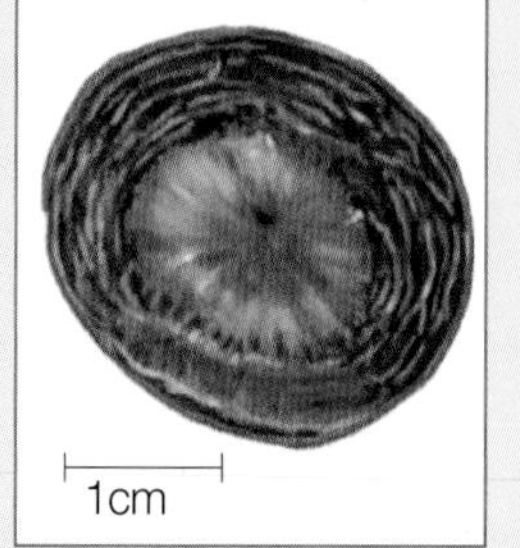

내층이 방사상 구조이다. 외층이 층상 구조인 2층 구조이다.

〈혼합석〉

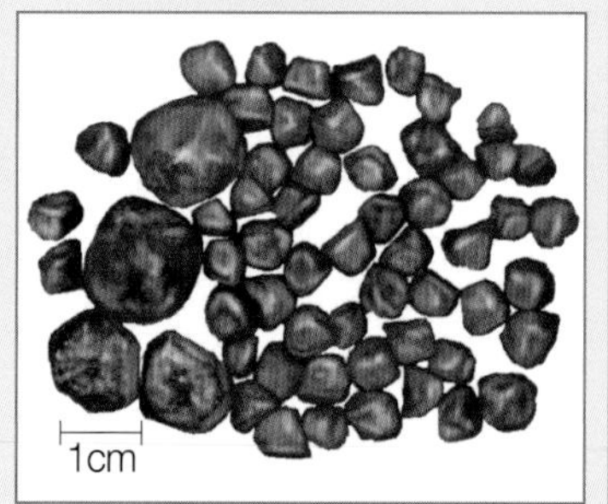

방사상 구조와 층상 구조가 혼재하고 있다. 형태는 여러 가지이다.

색소담석

〈빌리루빈칼슘석〉

흑갈색으로 층상 구조를 나타낸다.

〈흑색석〉

모래알 모양으로 흑색이다.
다수 발생하는 경우가 많다.

담낭염

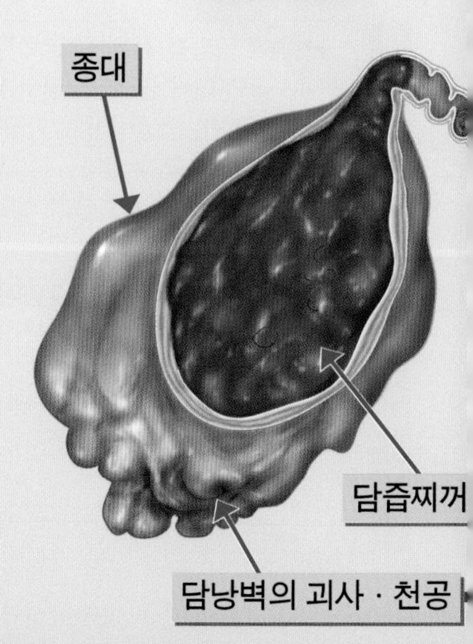

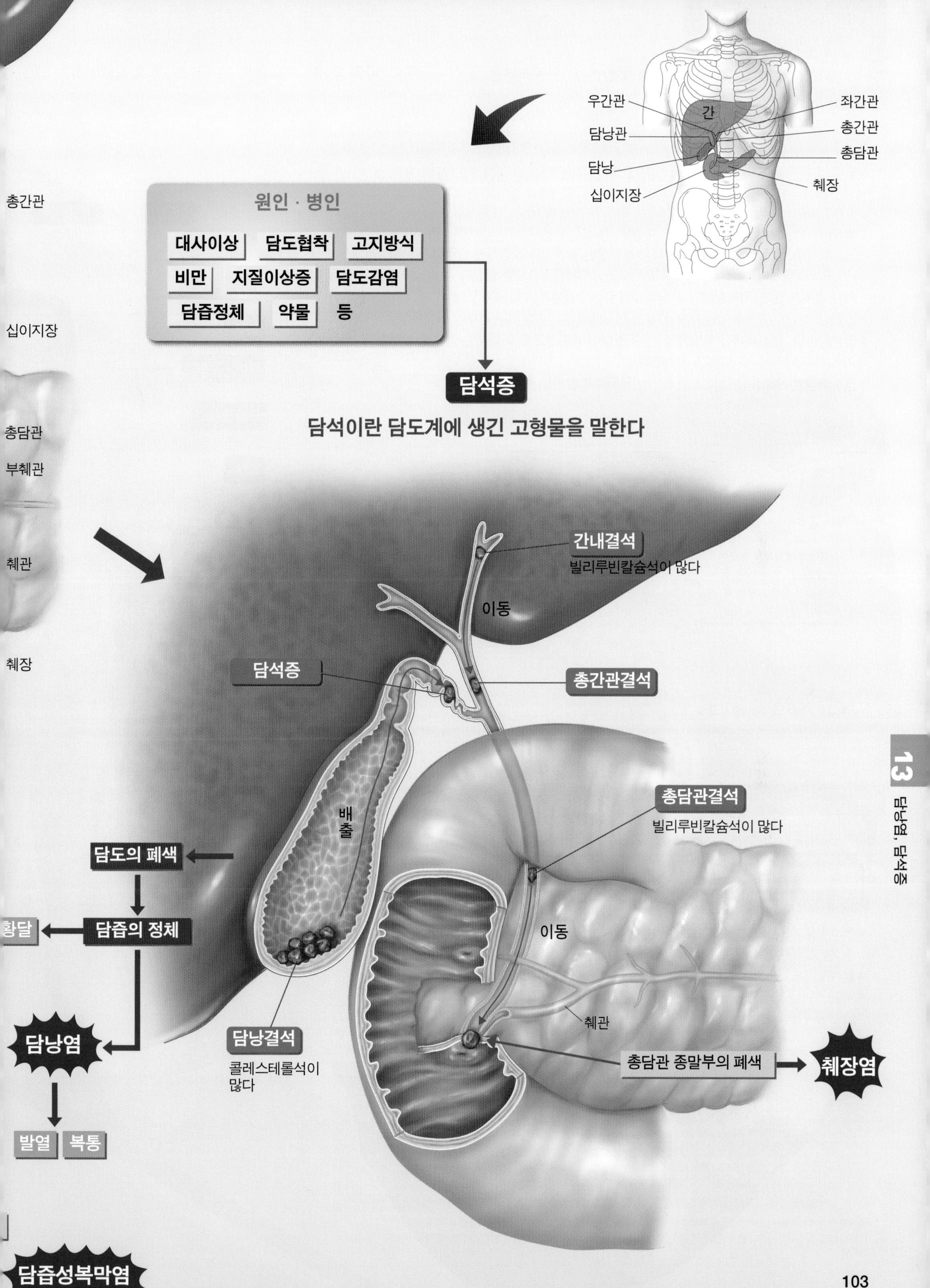

우간관
간
좌간관
담낭관
총간관
담낭
총담관
십이지장
췌장
원인 · 병인
대사이상
담도협착
고지방식
비만
지질이상증
담도감염
담즙정체
약물
등
담석증
담석이란 담도계에 생긴 고형물을 말한다
총간관
십이지장
총담관
부췌관
췌관
췌장
간내결석
빌리루빈칼슘석이 많다
이동
담석증
총간관결석
총담관결석
빌리루빈칼슘석이 많다
배출
담도의 폐색
황달
담즙의 정체
이동
췌관
담낭염
담낭결석
콜레스테롤석이 많다
총담관 종말부의 폐색
췌장염
발열
복통
담즙성복막염

담낭염, 담석증

증상map

발열, 오한전율, 우계늑부통 (오심 · 구토)이 주증상이며, 머피징후는 담낭염을 의심해야하는 대표적인 소견이다.

증상

- 발열, 오한전율, 우계늑부통 (오심 · 구토), **촉진**에서는 압통, 머피징후 (**그림13-1**).

합병증

- Mirizzi 증후군 : 담낭염의 염증성종대가 총담관을 압박하여 발생하는 황달을 말한다.
- 내담즙루 : 담낭벽이 소화관과 누공을 만드는 (천통하는) 경우를 말한다. 주로 십이지장에 천통하는 경우가 많다. 기종성담낭염, 담석일레우스가 합병하는 경우가 있다.
- 담즙성복막염 : 괴사성담낭의 천공, 또는 담도배액관이 이탈하는 경우에 발생한다.
- 급성담관염, 급성폐색성 화농성담관염 : 결석이 총담관으로 이동하는 경우에 발생한다. 급성기 처치가 나쁘면 30~50%가 사망한다.
- 급성췌장염 : 결석이 대십이지장 (Vater) 유두부에 감돈한 경우에 발생한다.

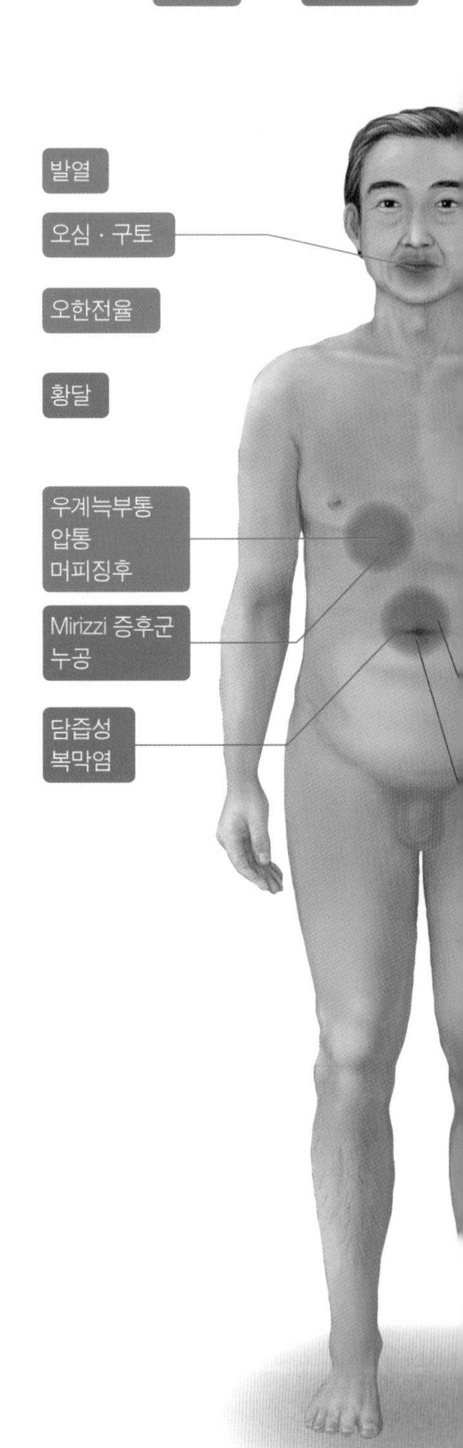

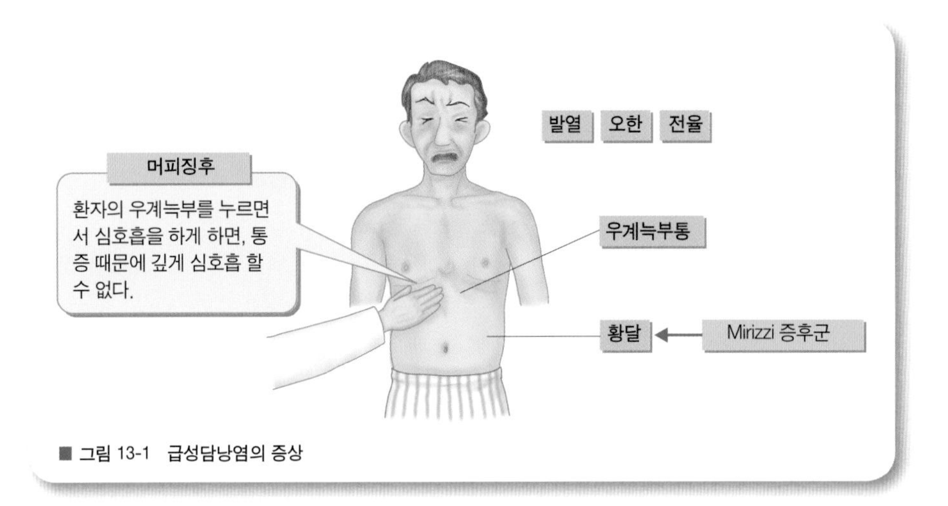

■ 그림 13-1 급성담낭염의 증상

담낭염, 담석증

진단map

복부초음파검사, 복부조영CT, MR담관췌관조영을 통해 담낭벽의 비후 · 종대, 담석의 존재를 확인한다. 염증반응 (백혈구수 증가, CRP 상승), 담도계 효소 (ALP, LAP, γ-GTP)의 상승도 진단의 실마리가 된다.

진단 · 검사치

- 복부초음파검사와 복부조영CT, MR담관췌관조영(MRCP) 을 통해 담낭종대(팽만), 담낭벽 비후, 담석의 존재를 확인한다.
- 검사치
- 백혈구수 증가, CRP 상승, ALP, LAP, γ-GTP 등의 상승이 수반되기도 한다. 간에 염증이 파급된 경우 등에는 AST, ALT가 상승한다.

■ 표 13-1 급성담낭염의 중증도 판정기준

중증 급성담낭염	급성담낭염 중, 다음 증상을 수반하는 경우는 '중증'이다. (1) 황달* (2) 중증 국소합병증 : 담즙성복막염, 담낭주위농양, 간농양 (3) 담낭염전증, 기종성담낭염, 괴저성담낭염, 화농성담낭염
중등증 급성담낭염	급성담낭염 중, 다음 증상을 수반하는 경우는 '중등증'이다. (1)고도의 염증반응 (백혈구수〉14,000/㎣, 또는 CRP〉10mg/dL) (2)담낭주위액체 저류 (3)담낭벽의 고도 염증성변화 : 담낭벽 비정상, 고도의 담낭벽비후
경증 급성담낭염	급성담낭염 중 '중등증', '중증'의 기준을 충족시키지 못하는 것을 '경증'이라고 한다.

*담낭염 그 자체에 의해서 상승하는 황달은 특히 빌리루빈〉5mg/dL인 경우에서는 중증화될 가능성이 높다(담즙감염률이 높다).
(급성담도염의 진료가이드라인 작성출판위원회 : 과학적 근거에 입각한 급성담관염·담낭염의 진료가이드라인, 의학도서출판, 2005)

치료map

담낭결석에는 원칙적으로 담낭적출술이 행해진다. 총담관결석, 간내결석에는 내시경적절석술, 복강경하절석술 등도 선택된다. 담낭염의 경우에는 담낭적출술이 기본이다.

치료방침

- 급성담낭염에서는 원칙적으로 담낭적출술을 전제로 한 초기치료를 12~24시간 시행한다.
- 황달이나 전신상태가 불량한 경우에서는 일시적인 경피적경간담낭배액 (PTGBD)를 시행한다.
- 중증 국소합병증 (담즙성복막염, 담낭주위농양, 간농양) 또는 담낭염전증, 기종성담낭염, 괴저성담낭염, 화농성담낭염에서는 응급수술을 한다.
- 경증, 중등증에서는 보존요법을 적응하고, PTGBD는 72~96시간 이내의 조기수술을 검토한다.
- 급성기가 지나갔다 해도 염증경감 후에 담낭적출술을 시행하는 것이 바람직하다.

진단 / 치료

항균제
비스테로이드성 항염증제

혈액검사

경피경간담낭배액
복강경하담낭적출술
내시경적 · 복강경하절석술
경구담석용해요법

복부초음파
복부조영 CT
MR 담관조영

■ 표 13-2 담낭벽 이행성이 양호한 정주항균제

페니실린계	피페라실린나트륨 (Pentcillin), 타조박탐 · 피페라실린수화물 (Zocin), 암피실린수화물 (Viccillin)
세펨계 (제1세대) (제2세대) (제3, 4세대)	세파졸린나트륨 (세파메진 α) 세프메타졸나트륨 (세프메타존), 플로목세프나트륨 (후루마린), 세포티암헥세틸염산염 (판스포린T) 설박탐나트륨 · 세포페라존나트륨 (설페라존), 세프트리악손나트륨수화물 (로세핀), 세프타지딤수화물 (Modacin), 세프피롬 유산염 (Broact, Keiten), 세포조프란염산염 (Firstcin)
신퀴놀론계	염산시플로플록사신 (Ciproxan), 파주플록사신메실산염 (Pasil, 파주크로스)
모노박탐계	아즈트레오남 (Azactam)
카르바페넴계	메로페넴수화물 (메로펜), 이미페넴 · 실라스타틴나트륨 (티에남), 파니페넴 · 베타미프론 (카베닌), 비아페넴 (Omegacin)
린코마이신계	클린다마이신인산에스텔 (Dalacin S)

■ 표 13-3 담낭염 , 담석증의 주요 치료제

분류	일반명	주요 상품명	약효발현의 메커니즘	주요 부작용
비스테로이드성 항염증제	디클로페낙나트륨	Voltaren, Naboal SR	프로스타글란딘의 생합성을 억제하고, 항염증작용과 해열진통작용을 발현한다.	소화성궤양, 간장애, 신장애
	록소프로펜나트륨수화물	록소닌, Ollox		
세펨계 항균제	세파졸린나트륨	세파메진 α , 세파졸린Na	세균세포벽의 합성저해를 통해 살균작용을 발현한다.	쇼크, 아나필락시스양 증상
	설박탐나트륨 · 세포페라존나트륨	설페라존		
카르페넴계 항균제	이미페넴 · 실라스타틴나트륨	티에남		

예방적 치료법

- 경구담석용해요법 : 직경 15mm 미만의 X선 음성 콜레스테롤결석의 경우, 담낭기능이 정상이면 6개월 복용으로 24~62.8% 완전용해되기도 하지만, 현재는 복강경하담낭적출술 등의 수술기술이 진보됨에 따라서 경구담석용해요법은 주류가 아니다.
  ① 우르소데옥시콜산 : 색소석생성억제
  ② fatty acid bile acid conjugates : 콜레스테롤결석억제작용
  ③ 타우린부하로 인한 담석형성억제
  ④ 피브레이트제
- 체외충격파결석파쇄술 (ESWL) : 비용 대 효과면에서 복강경하담낭적출술보다 떨어지고, 재발률이나 담석의 완전 제거에도 문제가 있다 (10년재발률이 54~60%이며, 시행 중에 수술하는 케이스도 36%에 도달했다는 보고가 있다). 적응 대상은 단발 2cm 이하인 순콜레스테롤석이다.
- 수술 : ① 개복담낭적출술, ② 복강경하담낭적출술 (그림13-2)

약물요법

Px 처방례 진통제의 경구투여
- Voltaren정 (25mg) 1회 25~50mg 통증시 둔용 (1일 1~2회) ← 비스테로이드성 항염증제

※이중맹검무작위화 비교대조시험 (RCT) 을 이용한 담석산통발작례에 대한 비스테로이드성 항염증제 (NSAIDs) 투여를 검토한 보고에서 급성담낭염에 대한 진전방지와 진통효과가 확인되었다.
- 록소닌정 (60mg) 3정 分 3 (아침 · 점심 · 저녁후) ← 비스테로이드성 항염증제

Px 처방례 항균제의 정주
- 세파메진 α 1g+생리식염수 100mL 점적 1일2회 (아침 · 저녁) 경증담낭염시 ← 세펨계 항균제
- 설페라존 1g+생리식염수 100mL 점적 1일2회 (아침 · 저녁) 중등증담낭염시 ← 세펨계 항균제
- 티에남 0.5g+생리식염수 100mL 점적 1일2회 (아침 · 저녁) 중증담낭염시 ← 카르바페넴계 항균제

※참고로 카르바페넴계에서는 카베닌 (단 담즙 내로의 이행은 양호하지 않다), 티에남 [담도이행은 상당히 좋지 않지만, 최소발육저지농도 (MIC)가 낮으므로 결과적으로는 효과적] 등이 흔히 사용된다.

외과치료

- 수술방식의 선택 : 최근 10년간 개복수술보다 복강경하담낭적출술 (그림 13-2)이 주류이다. 그 이유는 합병증 발생률과 술후 입원일수가 훨씬 양호하면서 안전성에서도 차이가 없기 때문이다. 단, 담관손상 (0.7%)이나 타장기 손상 (0.2%) 등의 부손상일 가능성이 높은 경우나 개복수술의 기왕력이 있는 경우 등은 개복담낭적출술이 선택된다.

- 수술시기의 선택 : 증상발생 후 72시간 이내의 조기수술이 권장되고 있다. 급성담낭염의 수술시기는 종래에는 우선 보존적 치료를 시행하고, 염증경감 후에 절제술을 하는 것이 일반적이었다. 1970~80년에 서구에서 행해진 무작위화전향비교시험에서는 증상발생으로부터 3~4일의 조기수술과 증상발생으로부터 4개월 후의 대기수술을 비교했을 때 출혈량, 수술시간, 합병증 발생률에 차이가 없었다. 복강경하담낭적출술의 수술시기에 관한 무작위화전향비교시험에서는 개복이행률, 합병증 발생률, 전입원기간에서 조기수술군이 보다 양호한 경향이 있었다.
- PTGBD를 선행시키는가의 여부 : 무작위화 전향비교시험은 실시하지 않는다. PTGBD 후 며칠만에 수술을 한다는 보고가 있는 한편, 간내혈종이나 카테터의 일탈로 담낭주위농양, 담즙성흉수, 담즙성 복막염 등도 염려되고 있다. 경피적경간담낭천자 (PTGBA)의 경우도 마찬가지이다.

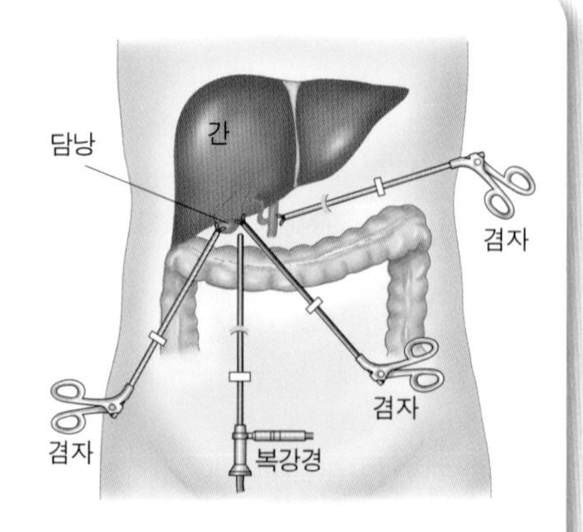

복벽 3~4군데에 작게 소절개를 한 후에 복강경을 사용하여 담낭을 적출한다

■ 그림 13-2 복강경하담낭적출술

담낭염, 담석증의 병기 · 병태 · 중증도별로 본 치료흐름도

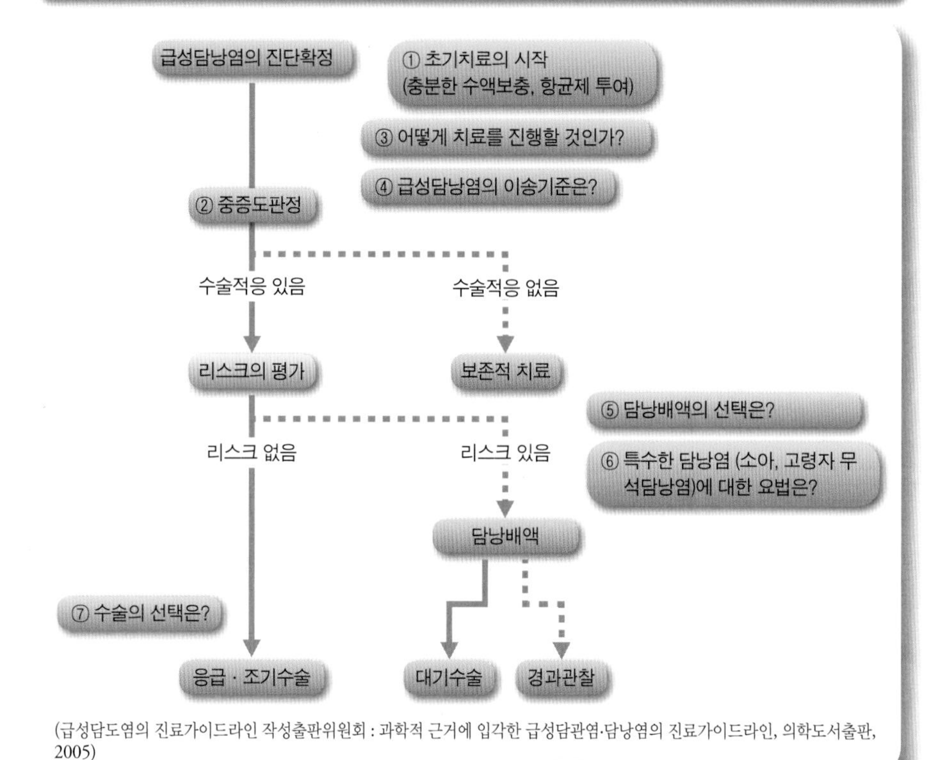

(급성담도염의 진료가이드라인 작성출판위원회 : 과학적 근거에 입각한 급성담관염·담낭염의 진료가이드라인, 의학도서출판, 2005)

(工藤 篤)

환자케어

무증상인 담낭결석의 경우 지방의 섭취를 삼가도록 지도한다. 총담관결석, 담낭염, 담관염에서는 중증도에 따라서 담도배액 · 담낭배액, 내시경치료, 담낭적출술 등이 행해지므로, 전신관리를 함과 동시에 그 경과에 따른 관리를 시행한다.

병기 · 병태 · 중증도에 따른 케어

【무증상인 담낭결석】 경과를 관찰하고, 지방의 섭취를 삼가도록 지도한다.
【무증상인 총담관결석】 내시경치료 또는 담낭적출술이 행해지므로, 그에 관한 관리를 시행한다.
【담낭염】 우계늑부통, 오한전율, 발열 등으로 발생한다. 전신관리를 하고, 담낭적출술의 주술기관리를 한다. 수술 위험이 높아서 조기에 수술을 할 수 없는 경우는 담낭배액을 관리한다.
【담관염】 전신관리를 실시하고, 담도배액을 관리한다. 그 후는 총담관결석 케어와 같다.
【술전】 증상을 관리하고, 복강경 또는 개복에 의한 담낭적출술을 안전하게 받을 수 있도록 한다.
【술중】 복강경하수술인 경우는 복강내 공기주입 조작에 수반하는 호흡순환기능의 변화, 특수기구의 사용에 수반하는 조직손상의 조기발견에 힘쓴다.
【술후】 술후 침습을 조기에 회복하도록 지지하고, 합병증의 조기발견에 힘쓰며, 담낭적출에 의한 생활상의 주의점을 지도한다.

케어의 포인트

- 산통발작이 있고 염증이 심한 경우는 금식하고, 진통제, 항균제를 투여하며, 수액관리를 실시한다.
- 통증을 비롯한 고통증상의 호소를 잘 듣고, 고통을 이해하고 있다는 점을 전달한다.
- 담도배액 · 담낭배액이 행해지는 경우는 합병증 (출혈, 췌장염, 기흉, 담즙성 복막염 등)에 주의한다. 배액 중에는 배액병이 삽입부보다 낮은 위치에 있는 것을 확인하고, 튜브의 이탈이나 폐쇄에 주의한다.
- 내시경치료가 행해지는 경우에는 합병증 (췌장염, 담관염, 출혈, 소화관천공 등)에 주의한다.
- 복강경하담낭적출술의 방법, 장 · 단점을 이해하고, 주술기간호를 실시한다.
- 술후는 호흡기능이 조기에 개선되도록 심호흡이나 객담배출, 조기이상을 촉구한다.
- 조직손상에 수반되는 이상징후, 합병증을 조기에 발견할 수 있도록 창부와 배액상태를 관찰한다.
- 하지정맥혈전증, 폐색전증을 예방하기 위하여 압박스타킹이나 공기식 압박장치를 사용하여 하지운동, 조기이상을 촉구한다.

퇴원지도 · 요양지도

- 담석증에 의한 복통이나 담석의 생성을 예방하기 위하여, 규칙적인 식사, 지방섭취의 제한, 섬유질의 섭취를 유의하도록 설명한다.
- 담낭적출술후 증후군 (복통, 오심, 구토 등을 호소한다)의 증상을 설명하고, 이상을 느끼면 진찰받도록 설명한다.
- 담낭적출 후에 식사는 제한할 필요가 없지만, 가슴쓰림이나 설사 등 지방의 소화흡수장애라고 생각되는 증상이 있는 경우는 지방을 많이 함유한 식품의 섭취를 삼갈 것을 지도한다.

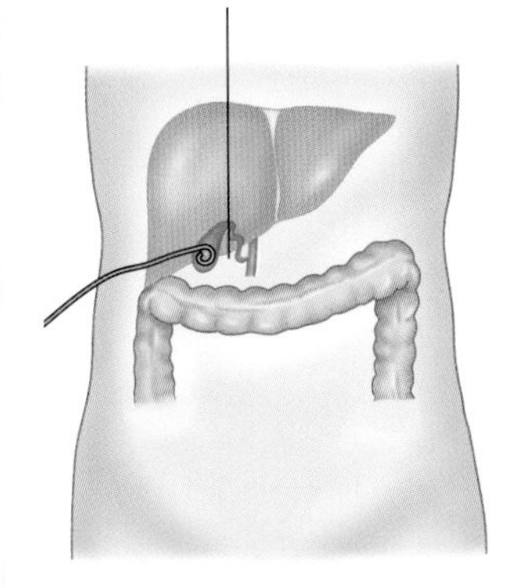

천자부위, 배액부위는 초음파가이드하 또는 X선투시하에서 선정한다
적응 : 초음파소견에서 본 담낭주사시 압통, 담낭팽만, 담낭주위농양, 간농양, 담관확장, 담관결석감돈 등

■ 그림 13-3 경피경간담낭배액

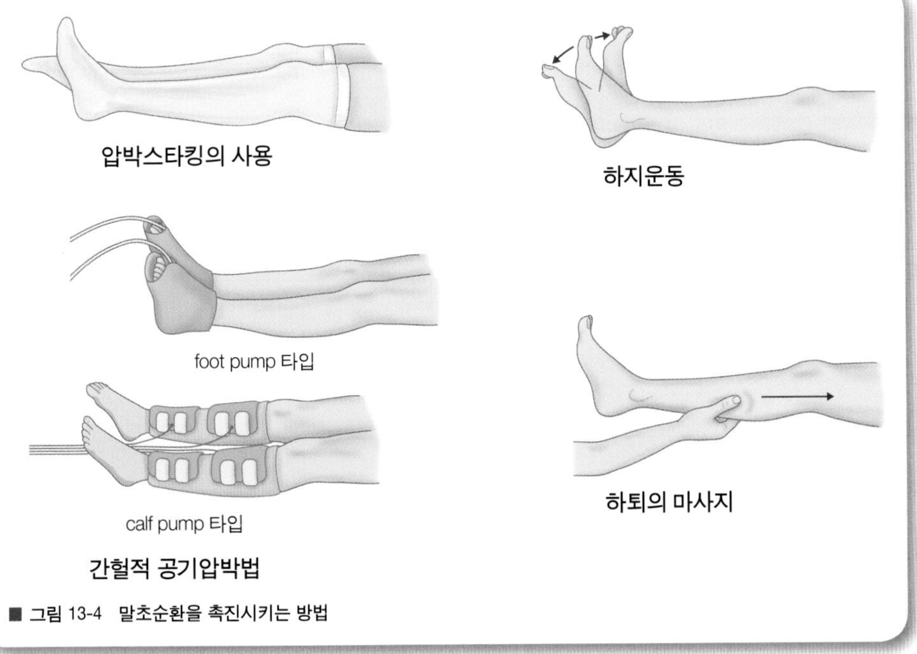

■ 그림 13-4 말초순환을 촉진시키는 방법

(明石惠子)

Memo

14 췌장염 (pancreatitis)

宮坂京子・船越顯博/明石惠子

전체map

병인

- 남성은 급성·만성췌장염 모두 알콜과음인 경우가 많고, 여성은 급성은 담석인 경우가, 만성은 특발성인 경우가 많다.
- 자가면역성췌장염은 자가면역양식이 관여된다고 여겨진다.

[악화인자] 담석의 존재, 음주

역학

- 연간 10만명당 발생빈도는 급성췌장염이 27.7명, 만성췌장염이 35.5명이다.
- 급성췌장염의 남녀비는 2 : 1이다.
- 장기 만성췌장염은 췌장암일 위험이 높다.

[예후] 중증 급성췌장염의 치사율은 20~30%이다.

병태생리

- 이소성으로 췌장효소가 활성화되어 일어나는 췌장의 염증성 질환으로, 급성췌장염, 만성췌장염의 발생빈도가 높으며, 자가면역성췌장염의 빈도는 낮다.
- 급성췌장염의 10~20%는 전신성염증반응증후군을 일으켜서 중증화된다 (중증급성췌장염).
- 만성췌장염은 췌장에 불규칙한 섬유화를 일으켜서, 췌내외분비기능저하를 일으킨다. 대상기, 이행기, 비대상기의 경과를 밟는다.

증상

증상 map p.112

- 급성췌장염 : 복통, 오심·구토, 등통증, 식욕부진, 발열, 장잡음의 감약
- 만성췌장염 : 대상기는 복통이, 비대상기는 췌내외분비기능부전 증상 (당뇨병, 소화흡수부전)이 나타나고, 이행기는 양자의 증상이 중복된다.

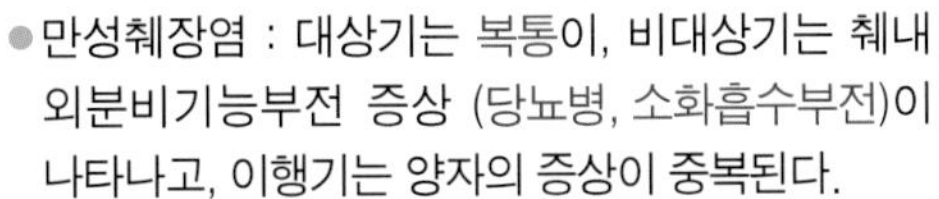

- 자가면역성췌장염 : 상복부불쾌감, 폐색성 황달, 당뇨병

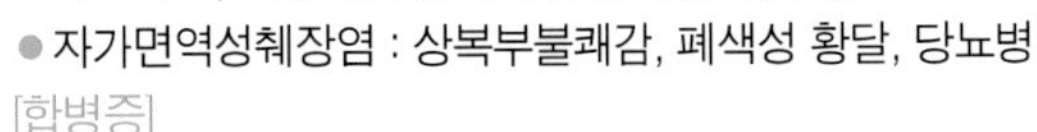

[합병증]

- 중증 급성췌장염 : 감염성 췌장괴사, 췌낭포, 췌가성낭포
- 담석성췌장염 : 급성담관염
- 만성췌장염 : 황달, 췌낭포, 췌석, 내당능이상
- 자가면역성췌장염 : 췌석, 경화성담관염

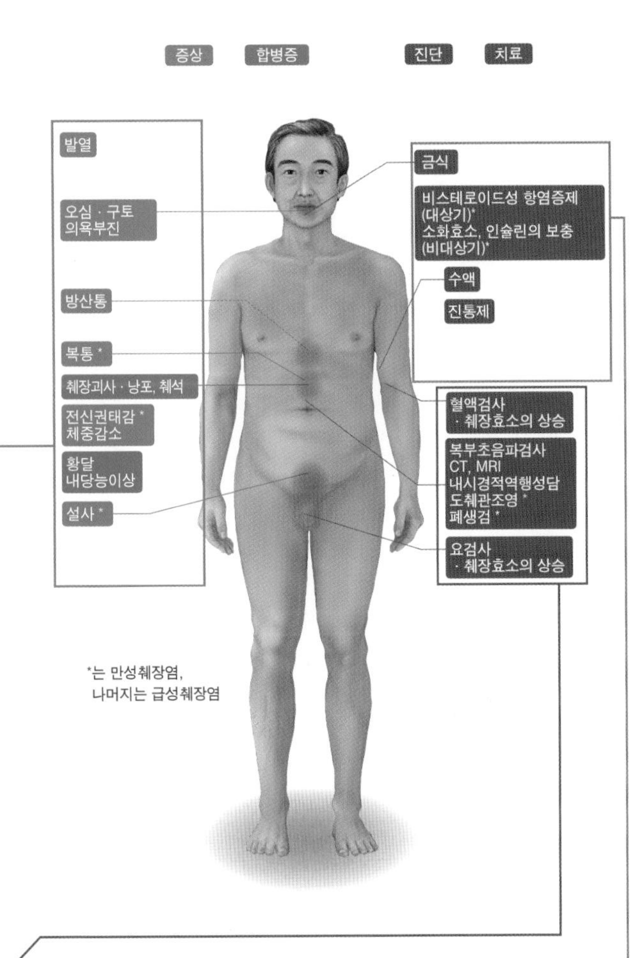

진단

- 급성췌장염 : ① 상복부에 급성복통발작과 압통, ② 혈중 또는 요중의 췌장효소 상승, ③ 초음파, CT 또는 MRI로 급성췌장염을 나타내는 이상소견 중 2가지 이상 충족시키고 타질환을 제외하면 진단을 확정할 수 있다. 원칙적으로 입원 48시간 이내에 중증도를 판정한다.
- 만성췌장염 : 진단순서는 확진례인지 준확진례인지 여부에 따라서 달라진다. 확진례는 초음파, CT, 내시경적역행성담도췌관조영 (ERCP), 췌장생검을 시행한다.
- 자가면역성췌장염 : 췌장영상 소견에 추가하여, 혈액검사소견 또는 병리조직소견 중 어느 하나를 충족시키는 것이다.
- 혈액검사 : 급성췌장염에서는 아밀라제, 리파아제 상승을, 자가면역성췌장염에서는 고감마글로불린혈증, 고IgG혈증, 고IgG4혈증, 자가항체를 확인한다.

치료

치료 map p.114

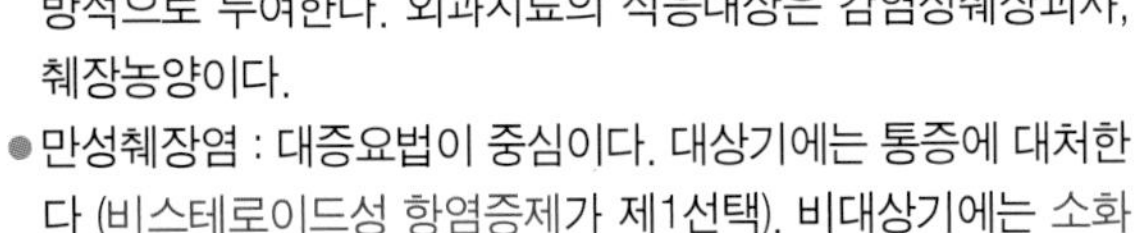

- 급성췌장염 : 입원치료가 원칙이다. 초기치료는 금식+수액투여이다. 중증이라고 판정된 경우에는 3차의료기관으로 이송한다. 복통에는 진통제를 투여한다. 중증례에서는 조기부터 항균제를 예방적으로 투여한다. 외과치료의 적응대상은 감염성췌장괴사, 췌장농양이다.
- 만성췌장염 : 대증요법이 중심이다. 대상기에는 통증에 대처한다 (비스테로이드성 항염증제가 제1선택). 비대상기에는 소화효소, 인슐린을 보충한다.
- 자가면역성췌장염 : 스테로이드치료가 효과적이다.

병태생리map

비교적 발생빈도가 높은 췌장염에는 급성췌장염, 만성췌장염이 있으며, 자가면역성췌장염은 빈도가 낮다.

- 급성췌장염
- 췌장에서 합성되는 각종 소화효소는 비활성형 전구체로 저장되는데, 어떤 원인에 의해 이소성으로 효소가 활성화됨으로써 췌장염이 발생한다.
- 급성췌장염은 췌장에 발생하는 급성 염증성 질환이지만, 인접하는 다른 장기나 원격장기에도 영향을 미칠 수 있다.
- 급성췌장염의 10~20%는 활성화된 췌장효소나 사이토카인의 췌외일탈로 전신성염증반응증후군이 발생하여, 중증화되기도 한다(중증 급성췌장염).
- 중증 급성췌장염의 치사율은 20~30%이며, 중증도 판정(진단항목)과 적절한 치료의 선택이 중요하다.
- 만성췌장염
- 만성췌장염은 췌장에서 불규칙한 섬유화, 세포침윤, 실질의 탈락, 육아조직 등의 만성변화를 일으키고, 서서히 진행되어 췌내외분비 기능저하를 수반하게 된다.
- 만성췌장염 급성악화의 병태는 그것을 일으킨 성인별 (알콜성, 담석성 등) 급성췌장염과 똑같다.
- 자가면역성췌장염
- 자가면역성췌장염은 그 발증에 자가면역 메커니즘의 관여가 의심스러운 췌장염으로, 스테로이드치료가 효과적이다.

병인 · 악화인자

- 급성췌장염
- 급성췌장염의 원인으로는 알콜과음 (37%), 담석 (23%)이 많다. 단 원인에는 성별차가 있어서, 남성은 알콜, 여성은 담석인 경우가 많다 (그림14-1). 또 여성에게는 원인을 특정할 수 없는 특발성도 많다. 알콜에 의한 급성췌장염의 발생에 이르는 분자메커니즘은 현재도 확실하지 않지만 염증매개물질 생산에 관여하는 전사인자 NF-κB의 활성화에 영향을 미칠 가능성이 있음이 보고되고 있다.
- 담석의 존재는 급성췌장염의 재발 위험요소이다. 최소 담석이 5mm 이하인 경우에는 급성췌장염의 발생률이 4배 이상이 된다.
- 만성췌장염
- 만성췌장염의 원인도 급성췌장염과 유사한 경향을 보인다(그림14-2).
- 급성췌장염, 만성췌장염 모두에서 음주는 악화인자이다. 알콜과 그 중간대사산물인 아세트알데히드는 췌장염의 섬유화를 촉진한다.

역학 · 예후

- 급성췌장염
- 급성췌장염의 발생빈도는 27.7명/10만명/연 이고, 남성이 여성의 2배 가량 발생하며, 남성은 50~60세, 여성은 60~70세에 가장 높게 나타난다.
- 재발률은 알콜성일 경우 46%로 높다. 담석성 췌장염에서는 첫 회에 담석을 처치하지 않으면 32~61%로 재발한다.
- 전체 사망률은 2.9~7.4%이지만, 10~20%는 중증화된다. 중증 급성췌장염의 치사율은 20~30%이다.
- 장기예후로는 30~50%에서 내분비 (당뇨병) 또는 외분비기능장애 (지방변 등)가 남는다.
- 만성췌장염
- 만성췌장염의 발생빈도는 35.5명/10만명/연 이고, 금주나 담석치료가 적절히 행해지지 않은 경우, 이환기간이 길수록 췌장암의 발생빈도가 상승한다.
- 자가면역성췌장염
- 자가면역성췌장염은 중년 · 고령의 남성에게 많고, 장기예후는 현재 불분명하다.

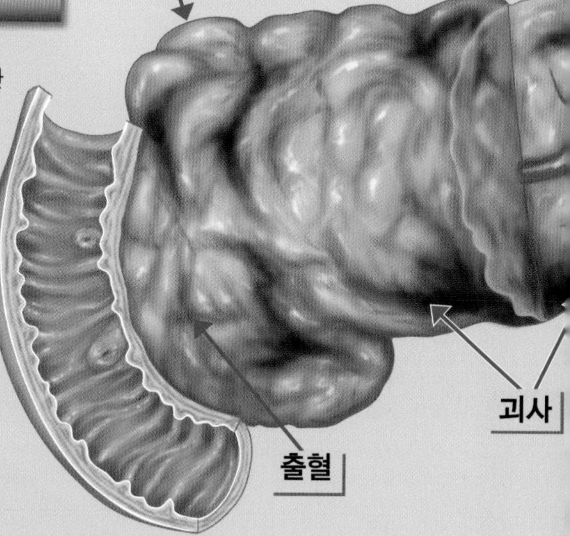

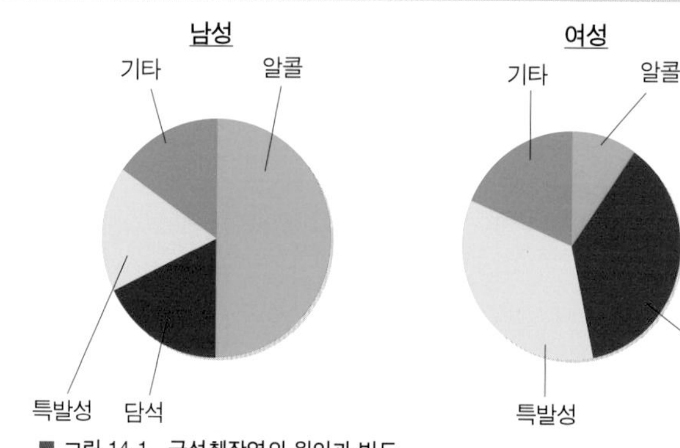

■ 그림 14-1 급성췌장염의 원인과 빈도
(大槻 眞 : 후생노동과학연구비 보조금 난치성 췌장질환극복연구사업 난치성 췌장질환에 관한 조사연구, 2004년도 총괄·분담연구보고서, p.56-62, 2004)

남성 / 여성 (기타, 알콜, 담석, 특발성)

■ 그림 14-2 만성췌장염의 원인과 빈도
(大槻 眞 : 후생노동과학연구비 보조금 난치성 췌장질환극복연구사업 난치성 췌장질환에 관한 조사연구, 2004년도 총괄·분담연구보고서, p.56-62, 2004)

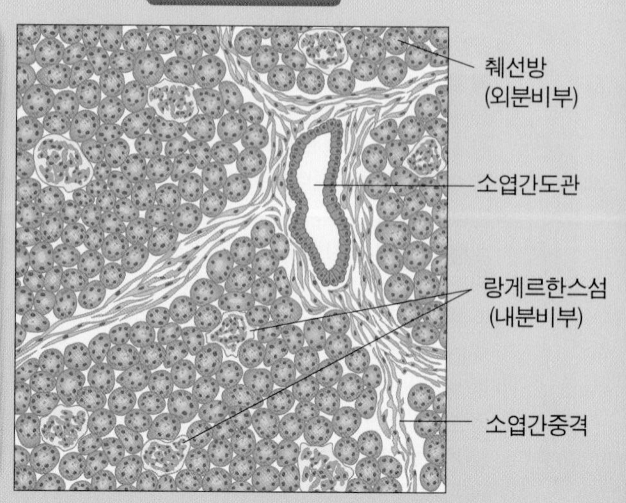

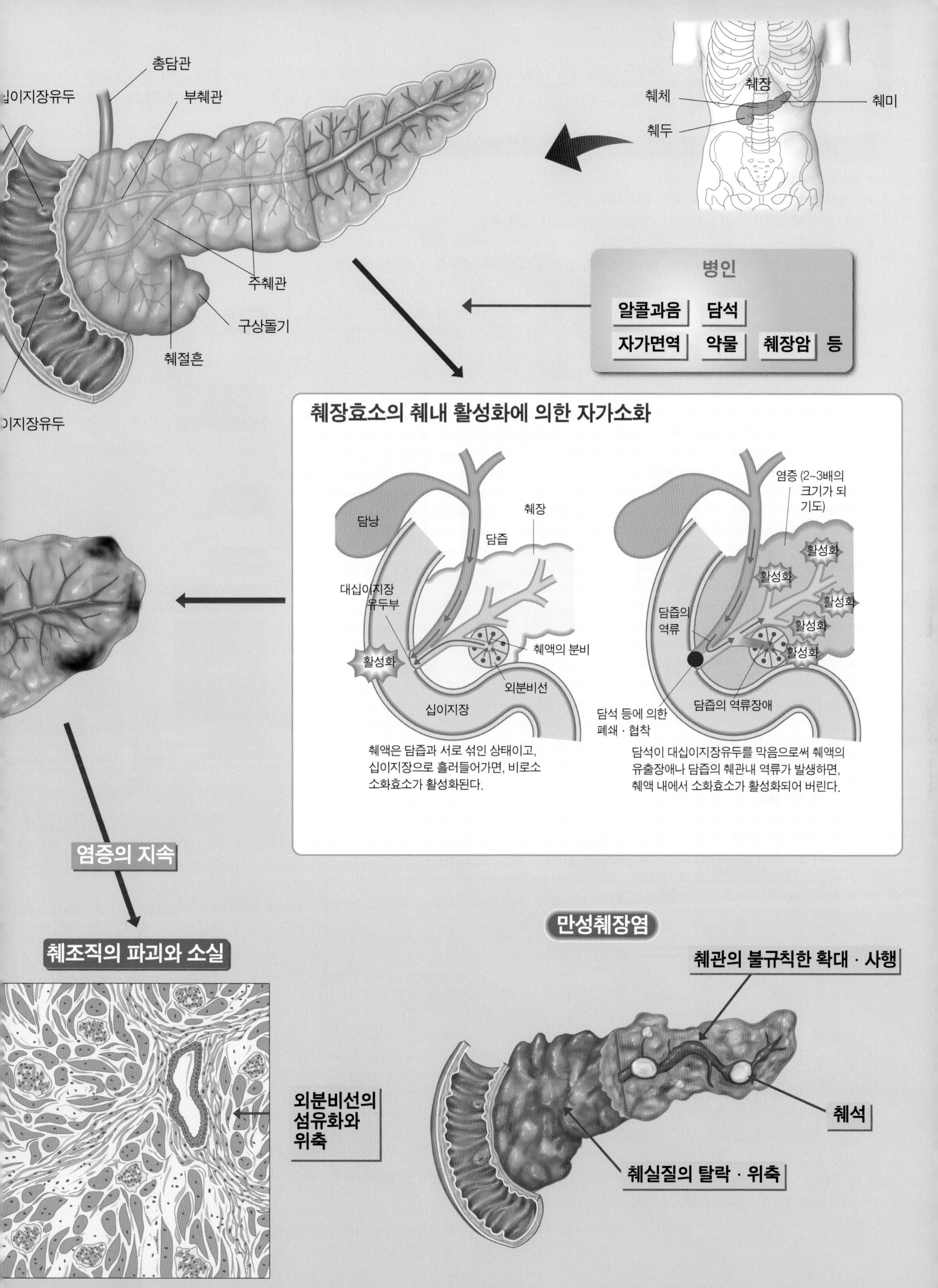
총담관
십이지장유두
부췌관
주췌관
구상돌기
췌절흔
이지장유두
췌장
췌체
췌미
췌두
병인
알콜과음
담석
자가면역
약물
췌장암
등
췌장효소의 췌내 활성화에 의한 자가소화
담낭
췌장
담즙
대십이지장
유두부
활성화
췌액의 분비
외분비선
십이지장
췌액은 담즙과 서로 섞인 상태이고,
십이지장으로 흘러들어가면, 비로소
소화효소가 활성화된다.
염증 (2~3배의
크기가 되
기도)
활성화
담즙의
역류
담석 등에 의한
폐쇄 · 협착
담즙의 역류장애
담석이 대십이지장유두를 막음으로써 췌액의
유출장애나 담즙의 췌관내 역류가 발생하면,
췌액 내에서 소화효소가 활성화되어 버린다.
염증의 지속
췌조직의 파괴와 소실
외분비선의
섬유화와
위축
만성췌장염
췌관의 불규칙한 확대 · 사행
췌석
췌실질의 탈락 · 위축

증상map

급성췌장염에서는 복통, 등통증, 발열, 오심 · 구토, 식욕부진, 장잡음의 감약 등이 나타나고, 만성췌장염은 복통에서 내외분비기능부전 증상 (당뇨병, 소화흡수부전)으로 이행된다.

증상

- 급성췌장염
- 급성췌장염의 임상증상으로는 복통, 복부로의 방산통, 식욕부진, 발열, 오심 · 구토, 장잡음의 감약 등이 보이기에, 다른 급성복증과의 감별이 필요하다 (그림14-3).
- 만성췌장염
- 만성췌장염은 대상기, 이행기, 비대상기의 경과를 밟는다. 대상기에는 복통이 주증상이다. 비대상기에는 췌장의 내외분비기능부전 증상 (당뇨병, 소화흡수부전)이 주가 된다. 이행기에는 양자의 증상이 중복된다(그림 14-4). 경과중 약 80%에서 복통이 나타나며, 발생빈도가 높은 순으로 복통, 등통증, 식욕저하, 전신권태감, 체중감소, 오심 · 구토, 설사 등이다(그림 14-3).
- 자가면역성췌장염
- 상복부 불쾌감, 담관협착으로 인한 폐색성 황달, 당뇨병을 확인하는 경우가 많다.

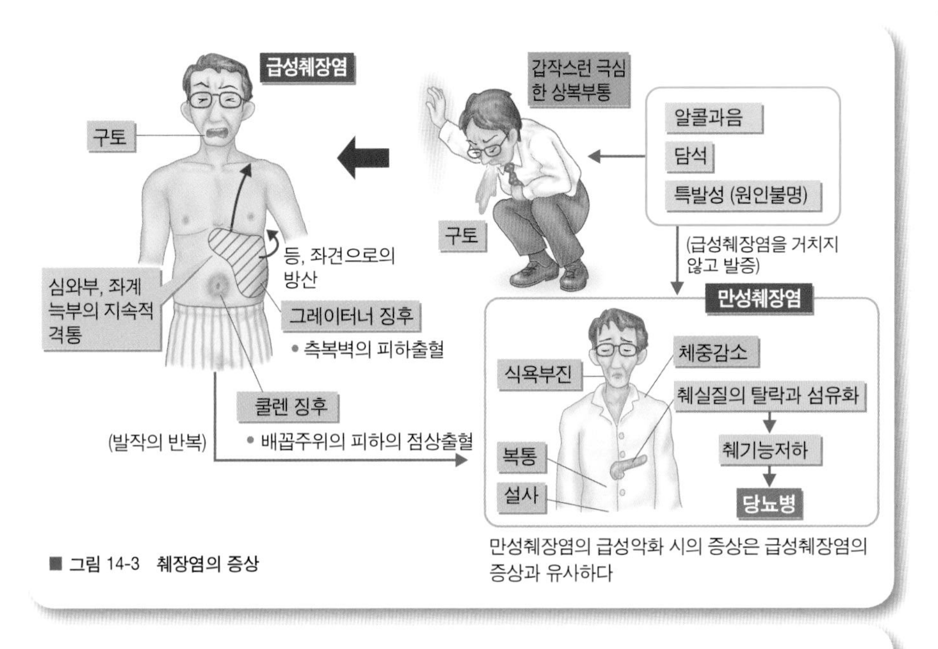

■ 그림 14-3 췌장염의 증상

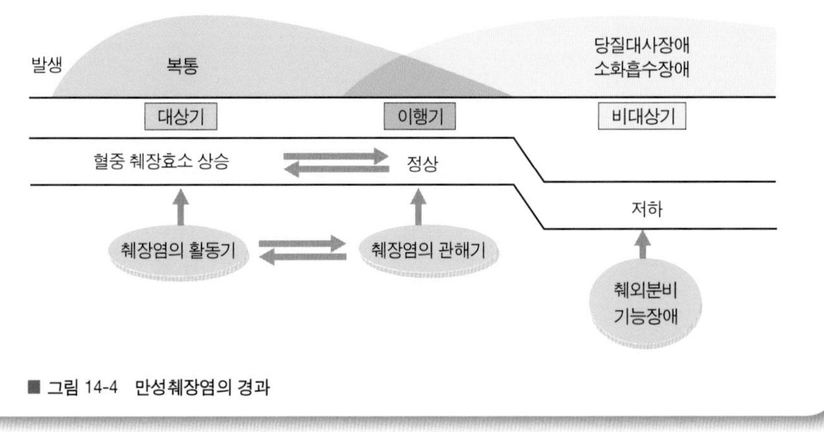

■ 그림 14-4 만성췌장염의 경과

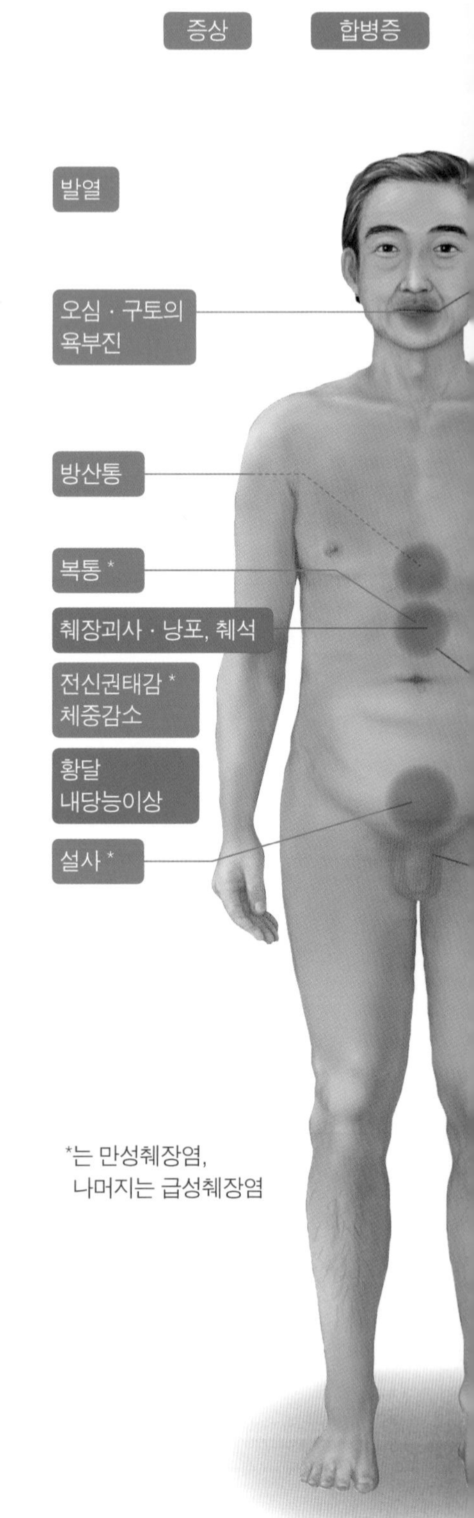

합병증

- 중증 급성췌장염에는 감염성췌장괴사, 췌낭포, 췌가성낭포 등이 합병증이 된다.
- 담석성췌장염에서는 급성담관염이 병존하면 중증화된다.
- 만성췌장염에서는 황달, 췌낭포, 췌석을 수반하거나 내당능이상이 생기는 수가 있다.
- 자가면역성췌장염에서는 췌석이나 체외병변으로 경화성담관염, 경화성타액선염, 후복막섬유증 등이 수반되기도 하지만, 질환 그 자체의 발생빈도가 낮다.

원칙적으로 입원 48시간 이내에 판정하고, 이후 시간의 경과를 두고 파악한다.

진단　치료

금식

비스테로이드성 항염증제 (대상기)*
소화효소 , 인슐린의 보충 (비대상기)*

수액

진통제

혈액검사
· 췌장효소의 상승

복부초음파검사
CT, MRI
내시경적역행성 담도 췌관조영 *
췌생검 *

요검사
· 췌장효소의 상승

진단 · 검사치

- 급성췌장염의 진단기준과 중증도 판정을 표 14-1~4에, 만성췌장염과 자가면역성췌장염의 진단기준을 각각 표14-5, 6에 나타냈다.
- 검사치
- 급성췌장염에서는 혈중 또는 요중의 췌장효소 상승을 확인한다. 아밀라아제 (+아밀라아제 동질효소)의 측정이 가장 일반적이지만, 리파아제, 엘라스타제1, 트립신, 포스포리파아제A2의 측정도 행해지고 있다.
- 만성췌장염의 급성악화 시는 급성췌장염에 준한다. 진행되어 증상이 비대상기가 되면 내당능이상이나 지방변이 출현한다.
- 자가면역성췌장염에서는 췌장효소나 담도계 효소의 상승, 고 γ 글로불린혈증, 고IgG혈증, 고IgG4혈증 자가항체의 존재 등이 확인된다.

■ 표 14-1　급성췌장염의 임상진단기준

1. 상복부에 급성복통발작과 압통이 있다. 2. 혈중 또는 요중에 췌장효소의 상승이 있다. 3. US, CT 또는 MRI로 췌장에 급성췌장염을 나타내는 이상소견이 있다.
상기 3항목 중 2항목 이상을 충족시키면서, 다른 췌질환 및 급성복증을 제외한 것을 급성췌장염이라고 진단한다. 단, 만성췌장염의 급성악화는 급성췌장염에 포함된다.

주 : 췌장효소는 췌장 특이성이 높은 것 (췌장아밀라아제, 리파아제 등) 을 측정하는 것이 바람직하다.

(후생노동성 난치성 췌질환조사연구반, 2008)

■ 표 14-2　급성췌장염의 중증도 판정기준 -A　예후인자

· 원칙적으로 증상발생 후 48시간 이내에 판정하기로 하고, 다음 항목을 각 1점으로, 합계한 것을 예후인자의 점수로 한다. · 예후인자가 3점 이상인 것을 중증, 2점 이하인 것을 경증이라고 한다.
1. BE≦-3mEq 또는 쇼크 2. Pa_{O_2}≦60mmHg (room air) 또는 호흡부전 3. BUN≧40mg/dL (또는 Cr≧2.0mg/dL) 또는 핍뇨 4. LDH≧기준치상한의 2배 5. 혈소판수≦10만/㎣ 6. 총Ca치≦7.5mg/dL 7. CRP≧15mg/dL 8. SIRS 진단기준에서의 양성 항목수≧3 9. 연령≧70세
임상징후는 다음을 기준으로 한다. · 쇼크 : 수축기혈압이 80mmHg 이하 · 호흡부전 : 인공호흡관리를 필요로 하는 것 · 핍뇨 : 수액 투여후에도 1일 요량이 400mL이하인 것 SIRS 진단기준 항목 : (1) 체온〉38℃ 또는 〈36℃ (2) 맥박〉90회/분 (3) 호흡수〉20회/분 또는 Paco2〈32torr (4) 백혈구수〉12,000㎣나 〈4,000/㎣ 또는 10% 유약구 출현

(후생노동성 난치성 췌질환조사연구반, 2008)

■ 표 14-3　급성췌장염 중증도 판정기준 -B　조영 CT Grade

· 원칙적으로 증상발생 후 48시간 이내에 판정한다. · 염증의 췌외진전도와 췌장의 조영불량역의 점수가 합계 1점 이하를 Grade 1, 2점을 Grade 2, 3점을 Grade 3이라고 한다. · 조영CT Grade 2 이상을 중증, Grade 1 이하를 경증이라고 한다.
1. 염증의 췌외진전도 (1) 전신방강　: 0점 (2) 결장간막근부 : 1점 (3) 신하극이원　: 2점 2. 췌장의 조영불량역 : 췌장을 편의적으로 췌두부, 췌체부, 췌미부의 3가지 구역으로 분류한다. (1) 각 구역에 국한되어 있는 경우, 또는 췌장 주변 뿐인 경우 : 0점 (2) 2개의 구역에 걸리는 경우　: 1점 (3) 2개의 구역 전체를 차지하거나 그 이상인 경우　: 2점

(후생노동성 난치성 췌질환조사연구반, 2008)

■ 표 14-4　급성췌장염 중증도 판정

중증 급성췌장염 : 예후인자 3점 이상 또는 조영CT　Grade 2 이상 경증 급성췌장염 : 예후인자 2점 이하 및 조영CT Grade 1 이하

(후생노동성 난치성 췌질환조사연구반, 2008)

염증의 췌외진전도

췌조영불량역	전신방강	결장간막근부	신하극이원
〈1/3			
1/3-1/2			
1/2〈			

CT Grade 1　CT Grade 2　CT Grade 3

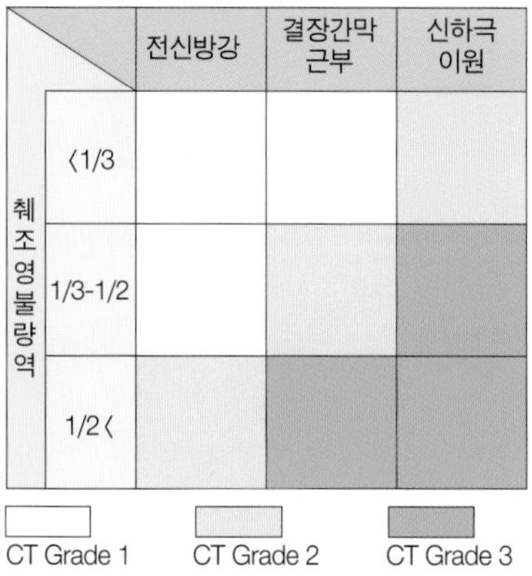

부종성췌장염은 조영불량역〈1/3으로 한다.
원칙적으로 증상발생 후 48시간 이내에 판정한다.
조영CT Grade≧2이면, score에 상관없이 중증으로 분류한다.

■ 그림14-5　조영CT를 이용한 CT Grade분류
(후생노동성 난치성 췌질환조사연구반, 2008)

■ 표 14-5 **만성췌장염 임상진단기준 2009 (후생노동성 난치성 췌질환에 관한 조사연구반 , 일본췌장학회 , 일본소화기병학회)**

만성췌장염의 진단항목

① 특징적인 영상소견
② 특징적인 조직소견
③ 반복되는 상복부통발작
④ 혈중 또는 요중 췌장효소치의 이상
⑤ 췌외분비장애
⑥ 1일 80g 이상 (순에탄올 환산)의 지속적인 음주

만성췌장염 확진 : a, b 중 어느 것인가를 확인한다.
a. ① 또는 ② 의 확진소견.
b. ① 또는 ② 의 준확진소견과 ③, ④, ⑤ 중 2항목 이상
만성췌장염 준확진 :
① 또는 ②의 준확진소견이 확인된다.
조기 만성췌장염 :
③~⑥ 중 2항목 이상으로 조기 만성췌장염의 영상소견이 확인된다.

주 2 : ① , ②의 어느 것도 확인되지 않고 , ③ ~ ⑥ 중 2 항목 이상이 있는 증례 중 , 다른 질환이 제외되는 것을 만성췌장염 의심진단례라고 한다 . 의심진단례에는 3 개월 이내에 EUS 를 포함한 영상진단을 내리는 것이 바람직하다 .
주 3 : ③ 또는 ④의 1 항목만 있고 조기 만성췌장염의 영상소견을 나타내는 증례 중 , 다른 질환이 부정되는 것은 조기 만성췌장염이 의심되므로 , 주의 깊은 경과관찰이 필요하다 .
부기 : 조기 만성췌장염의 실태에 관해서는 장기예후를 추적할 필요가 있다 .

만성췌장염의 진단항목에 관하여

① 특징적 영상소견
확진소견 : 다음 중에서 확인된다.
a. 췌관내의 결석.
b. 췌장 전체에 분포하는 복수 내지 미만성인 석회화.
c. ERCP상에서 췌장 전체에 나타나는 주췌관의 불규칙적인 확장과 불균등하게 분포하는 불균일[*1] 하고 불규칙[*2] 한 분지췌관의 확장.
d. ERCP상에서 주췌관이 췌석, 단백전 등으로 폐색 또는 협착되어 있을 때는 유두측 주췌관과 분지췌관의 불규칙한 확장.
준확진소견 : 다음 중에서 확인된다.
a. MRCP에서 주췌관의 불규칙적인 확장과 더불어 췌장 전체에 불균일하게 분포하는 분지췌관의 불규칙한 확장.
b. ERCP상에서 췌장 전체에 분포하는 미만성 분지췌관의 불규칙한 확장, 주췌관만의 불규칙한 확장, 단백전 중 하나.
c. CT에서 주췌관의 불규칙한 미만성 확장과 더불어 췌변연이 불규칙한 요철을 나타내는 췌장의 분명한 변형.
d. US (EUS) 에서 췌내의 결석 또는 단백전이라고 생각되는 고에코 또는 췌관의 불규칙한 확장을 수반하는 변연이 불규칙한 요철을 나타내는 췌장의 분명한 변형.
② 특징적인 조직소견
확진소견 : 췌실질의 탈락과 섬유화가 관찰된다. 췌섬유화는 주로 소엽간에 관찰되고, 소엽이 결절상, 이른바 경변양을 이룬다.
준확진소견 : 췌실질이 탈락하고, 섬유화가 소엽간 또는 소엽간 · 소엽내에서 관찰된다.
③ 혈중 또는 요중 췌장효소치의 이상
다음 중에서 확인된다.
a. 혈중 췌장효소[*3]가 연속하여 여러 차례에 걸쳐서 정상범위를 넘어서 상승 또는 정상하한 미만으로 저하된다.
b. 요중 췌장효소가 연속하여 여러 차례에 걸쳐서 정상범위를 넘어서 상승한다.
④ 체외분비장애
BT-PABA시험에서 분명한 저하[*4]가 여러 차례 확인된다.

조기 만성췌장염의 영상소견
a, b 중에서 확인한다.
a. 다음에 나타내는 EUS소견 7항목 중, (1)~(4) 중에서 2항목 이상이 확인된다.
(1)봉소상 분엽에코 (Lobularity, honeycombing type)
(2)불연속 분엽에코 (Nonhoneycombing lobularity)
(3)점상 고에코 (Hyperechoic foci ; non-shadowing)
(4)삭상 고에코 (Stranding)
(5)낭포 (Cysts)
(6)분지췌관확장 (Dilated side branches)
(7)췌관변연 고에코 (Hyperechoic MPD margin)
b. ERCP상에서 3줄 이상의 분지췌관에서 불규칙한 확장이 확인된다.

해설 1 : US 또는 CT 에 의해서 확인되는 ① 뇌낭포 , ② 췌종류 내지 종대 , 및 ③ 췌관확장 (내강이 2mm 를 넘고 , 불규칙한 확장 이외) 은 췌병변의 검출지표로 중요하다 . 그러나 만성췌장염의 진단지표로서 특이성이 떨어진다 . 따라서 ① , ② , ③의 소견을 확인한 경우에는 영상검사를 중심으로 한 각종 검사를 이용하여 진단 확정에 힘쓴다 .
해설 2 : [*1] "불균일" 이란 부위에 따라서 소견의 정도에 차이가 있는 것을 말한다 .
[*2] "불규칙" 이란 췌관경이나 췌관벽의 평활한 연속성이 상실되는 것을 말한다 .
[*3] "혈중 췌장효소" 의 측정에는 췌장아밀라아제 , 리파아제 , 엘라스타아제 1 등 췌장 특이성이 높은 것을 사용한다 .
[*4] "BT-PABA 시험 (PFD 시험) 에서 요중 PABA 배설률의 저하" 란 6 시간배설률 70% 이하를 말한다 .
해설 3 : MRCP 에 관해서는
1) 자장강도 1.0 스텔라 (T) 이상 , 경사자장강도 15mT/m 이상 싱글샷 고속 SE 법으로 촬영한다 .
2) 상기 조건이 만족되지 않을 때는 배경신호를 경구 음성조영제의 복용으로 억제하고 , 췌관을 나타내기 위해서 호흡동기촬영을 한다 .

■ 표 14-6 **자가면역성췌장염 임상진단기준 2006**

1. 췌장 영상검사에서 특징적인 주췌관 협세상과 췌종대를 확인한다.
2. 혈액검사에서 고γ글로불린혈증, 고IgG혈증, 고IgG4혈증, 자가항체 중에서 확인한다.
3. 병리조직학적 소견으로 췌장에 림프구, 형질세포를 주로 하는 현저한 세포침윤과 섬유화를 확인한다.

상기의 1을 포함하여 2항목 이상을 충족시키는 증례를 자가면역성췌장염이라고 진단한다.
단, 췌장암 · 담관암 등의 악성질환을 제외해야 한다.

(후생노동성 난치성 췌질환에 관한 조사연구반·일본췌장학회)

치료map

급성췌장염은 입원이 원칙이고 초기치료에서 대부분이 완화된다. 만성췌장염은 대증요법이 중심이다.

급성췌장염

- 입원치료가 원칙이다. 급성췌장염의 초기치료는 금식+적절한 수액투여로서 초기에 치유하면 대부분이 완화된다.
- 중증 급성췌장염은 사망률이 높다는 점에서 중증도 판정을 먼저 하여 중증도에 입각해 치료하는 것이 바람직하다 (치료흐름도를 참조), 중증 급성췌장염이나 장기장애가 나타내는 증례에는 3차의료시설 (집중치료, 내시경적치료, interventional radiology : IVR), 담췌영역 전문의가 상근하는 시설) 로 이송이 권장되고 있다.
- 진통제로 부프레노르핀염산염 (레페탄, 첫 회투여 0.3mg정주, 2.4mg/일의 지속정맥내 투여), 또는 염산펜타조신 (Sosegon, 펜타진, 30mg, 6시간마다, 정맥내투여)을 투여한다.
- 경증례에서는 예방적 항균제 투여는 불필요하다. 중증 급성췌장염에서는 췌조직으로의 이행성이 좋은 카르바페넴계, 뉴퀴놀론계 항균제를 예방적으로 투여한다.
- 단백분해효소저해제인 가벡세이트메실산염 (주사용 FOY) 투여 시에 보험진료에서 인정되고 있는 양은 600mg/일 (점적정주) 이다. 유효성이나 투여량에 관해서는 이견이 있어서, 현재도 검토가 필요하다.

Key word

- Interventional radiology

영상유도하에 바늘이나 카테터를 이용하는 경피적인 진단 · 치료법의 총칭으로, CT가이드하의 카테터치료, 혈관색전술 등이 여기에 포함된다.

외과치료

- 중증화되어 감염성췌장괴사, 췌장농양 등의 감염증이 합병될 때는 외과치료를 반드시 적응하여 괴사조직을 절제한다.
- 췌가성낭포 : 6주 정도 경과관찰한 후 소실되지 않는 경우에 적응한다.
- 담석성췌장염에서는 내시경적유두절개에 의한 총담관내결석제법을 시행하는 외에, 담낭내결석을 정밀검사한다 (치료흐름도 참조).

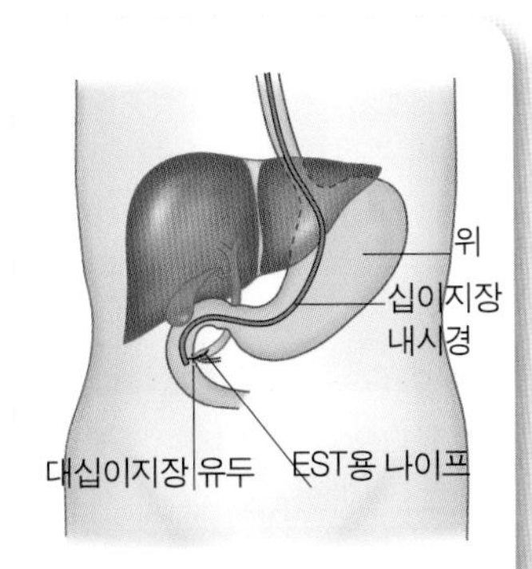

목적 : 카테터나 내시경, 스텐트 등의 삽입, 담석이나 담즙의 배출, 대십이지장유두의 개구부 확보 등이다.

■ 그림 14-6 내시경적유두괄약근 절개술 (EST)

만성췌장염

- 만성췌장염에서는 증상에 대한 대증요법이 중심이다. 알콜성만성췌장염에서는 금주가 최우선순위에 놓이는데, 알콜의존증이 배경에 있는 경우도 많으므로, 정신과 · 정신건강의학과의 협진이 필요한 경우도 있다.
- 대상기에는 식사섭취 시에 나타나는 복통의 출현에 대한 통증대책이 중심이다. 1일 지방섭취량은 30~40g으로 하고, 단백질은 60~80g을 목표로 한다 (中村雄太, 외 : 만성췌장염의 치료, 치료학 40 : 1085~1088, 2006).
- 주췌관 확장을 일으키는 협착이나 췌석이 있는 경우 등, 통증의 원인은 췌액의 유출이 방해를 받음으로써 일어나는 경우가 많기 때문에, 내시경적 처치로 췌액의 흐름을 개선하거나 충격파결석파쇄, 또 췌관과 장을 문합하는 외과수술을 시행하기도 한다.
- 진통제 선택 시에는 비스테로이드성 항염증제를 제1선택제로 한다. 효과가 없는 경우에는 비마약성 진통제를 사용한다. 항불안제, 항우울제를 사용하는 경우도 있다.
- 비대상기에서 통증이 경감되어 있는 경우가 많으며, 소화효소, 인슐린을 보충한다.

■ 그림 14-7 췌장염의 주요 치료제

분류	일반명	주요 상품명	약효발현의 메커니즘	주요 부작용
항콜린제	부트로피움취화물	Coliopan, Butropan	콜린작동성자극에 길항	소화기증상
	부틸스코폴라민취하물	부스코판	콜린작동성 자극에 길항	쇼크, 아나필락시스양 증상
진경제	플로프로피온	Cospanon	오디괄약근 이완작용	마그네슘중독
단백분해효소 저해제	카모스타트메실산염	Foipan	트리푸신 등을 억제	쇼크, 아나필락시스양 증상
소화효소제	종합소화효소	Berizym	소화효소	과민증
H_2수용체길항제	파모티딘	가스터	벽세포의 H_2수용체를 차단하여 위산분비를 억제	쇼크, 아나필락시스양 증상
	라니티딘염산염	잔탁		
	시메티딘	타가메트, Cylock, Create		
비스테로이드성 항염증제	인도메타신나트륨, 인도메타신	인도신, Inteban	프로스타글란딘의 합성효소 시클로옥시게나제 (COX)를 저해함으로써 염증, 통증을 억제	
비마약성 진통제	염산펜타조신	Peltazon, Sosegon, 펜타진	중추에 작용하여 진통효과를 발현	
	펜타조신	Sosegon, 펜타진		
설포닐요소제	글리벤크라미마이드	유글루콘, 다오닐	인슐린분비를 촉진	저혈당증상
α 글루코시다아제 저해제	보글리보스	베이슨	글루코옥시다아제를 억제함으로써 혈당상승을 방지	
	아칼보스	글루코바이		

Px 처방례 췌장염의 활동기에서 비교적 통증이 가벼운 경우, 다음을 조합하여 사용한다.
- Coliopan정 (10mg) 6정 分 3 (매식후) ← 항콜린제
- Foipan정 (100mg) 6정 分 3 (매식후) ← 단백분해효소억제제
- Cospanon정 (40mg) 3정 分 3 (매식후) ← 진경제
- 가스터정 (20mg) 2정 分 2 (아침 · 저녁후) ← H_2수용체길항제

Px 처방례 췌장염의 활동기에 통증이 극심한 경우, 상기 처방에 다음을 적절히 병용한다.
- 인도신좌약 (50mg) 1회 1개 1일 1~3회 직장내삽입 ← 비스테로이드성 항염증제
- Peltazon정 (25mg) 1회1정 1일 1~3회 통증시 ← 비마취성 진통제
- 부스코판주 (20mg) 1회 20mg 1일 1~2회 근주 ← 항콜린제
- Sosegon주 (15mg) 1회 15mg 1일1~2회 근주 ← 비마약성 진통제

Px 처방례 췌장염의 관해기
- Berizym과립 3~12g 分 3 (매식후) ← 소화효소
- 가스터정 (20mg) 2정 分 2 (아침 · 저녁식후) ← H_2수용체길항제

Px 처방례 췌장염의 비대상기 (췌외분비기능장애)
- Berizym과립 3~12g 分 3 (매식후) ← 소화효소
- 가스터정 (20mg) 2정 分 2 (아침 · 저녁식후) ← H_2수용체길항제

Px 처방례 췌장염의 비대상기 (췌장성당뇨병을 수반할 때)

※인슐린분비 뿐 아니라 글루카곤분비도 저하되어 있으므로 저혈당이 초래되는 경우가 많다. 따라서 HbA1c 7.0 정도 (JDS치)를 유지하는 것을 목표로 한다.
- 유글루콘정 (2.5mg) 1~2정 分 1 (조식직전) ← 경구혈당강하제
- 베이슨정 (0.3mg) 3정 分 3 (매식직전) ← α 글루코시다아제억제제
- 펜필 30R 주 1일 2~3회 아침 · 저녁식전 또는 매식직전 피하주 (투여량은 증례에 따라서 다르다) ← 인슐린제

자가면역성췌장염

- 자가면역성췌장염에서는 스테로이드를 이용한다. 초기에 30~40mg/일을 1~2주 투여하고, 그 후 1~2주마다 5mg 씩 감량하여 유지량 (2.5~10mg/일) 으로 투여한다.

담석성 췌장염의 병기 · 병태 · 중증도별로 치료흐름도

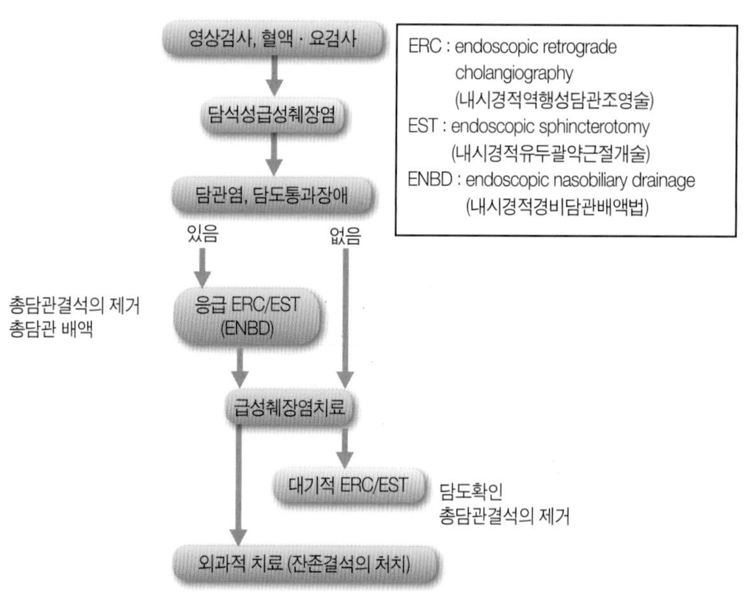

경증 췌장염례에서는 증상경감 후 신속히, 중증례에서도 췌장염을 진정시킨 후 동일 입원기간 내에 담낭적출술을 시행한다. 필요에 따라서 총담관절개술을 시행한다.

(급성췌장염의 진료가이드라인 제2판 작성출판위원회편 : 증거에 입각한 급성췌장염의 진료가이드라인 제2판, 금원출판, 2007)

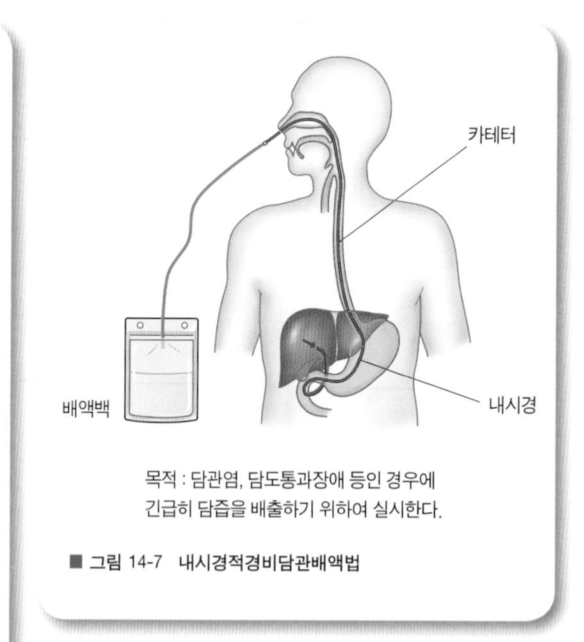

목적 : 담관염, 담도통과장애 등인 경우에 긴급히 담즙을 배출하기 위하여 실시한다.

■ 그림 14-7 내시경적경비담관배액법

급성췌장염의 병기 · 병태 · 중증도별로 본 치료흐름도

■ 급성췌장염의 초기치료 지침

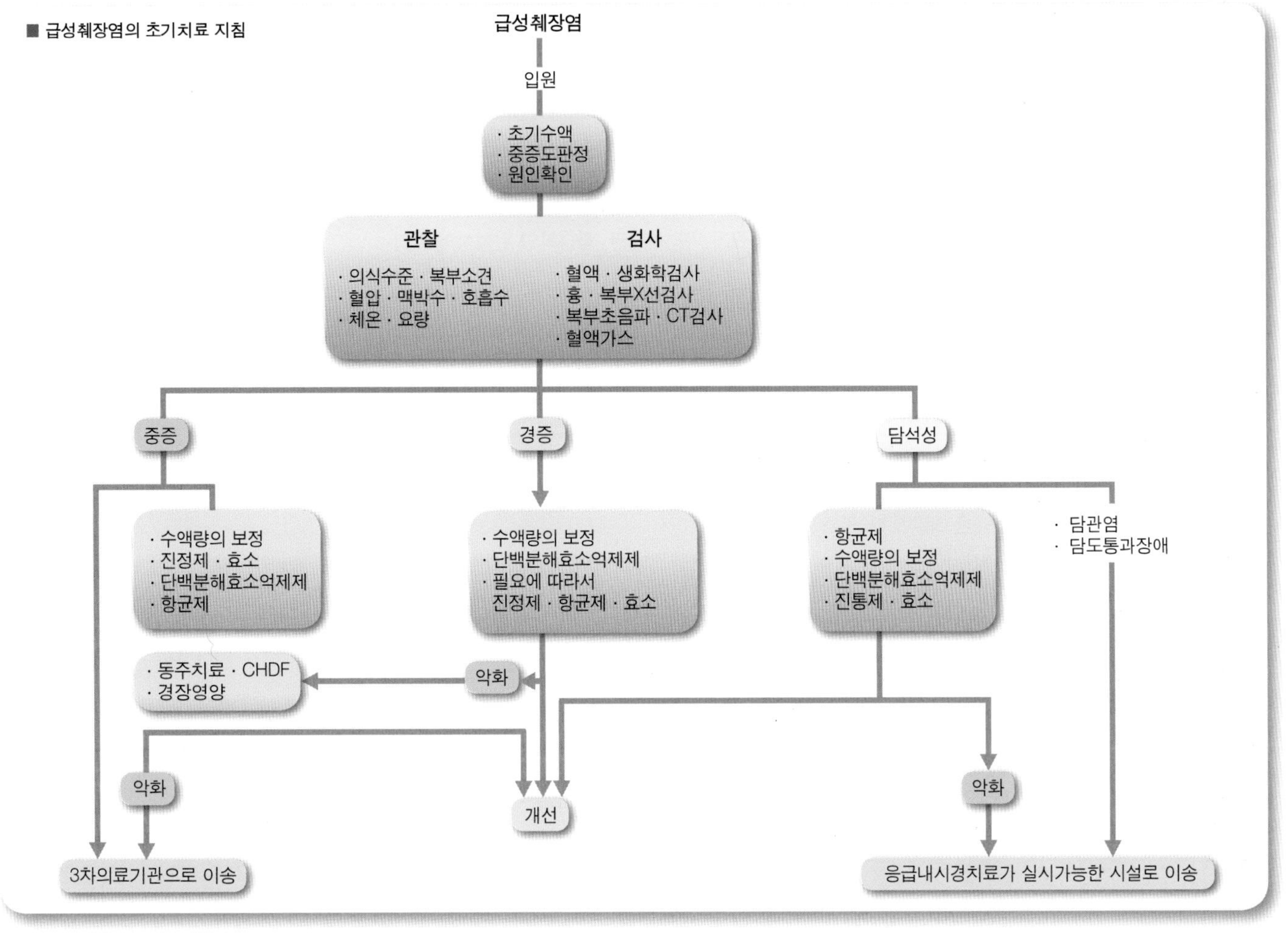

(宮坂京子·船越顕博)

환자케어

중증 급성췌장염, 만성췌장염의 급성악화기에는 증상에 대한 간호와 합병증 예방이 중심이 된다. 급성악화기를 제외한 만성췌장염에서는 생활습관개선의 지도 및 악화방지가 중심이 된다.

병기 · 병태 · 중증도에 따른 케어

【중증 급성췌장염】 상복부의 격통으로 발생하여, 등통증, 오심 · 구토, 식욕부진, 발열, 복부팽만 등이 수반되므로, 증상을 완화시키는 간호를 제공하여 고통을 경감시킨다. 급성췌장염은 그 진단과 원인파악, 중증도 판정이 중요하므로, 전신을 관찰하고 혈액검사, 요검사, 영상검사 등이 원활하게 이루어지도록 지지한다. 불안의 완화도 중요한 부분이다.

【경증 급성췌장염】 금식과 수액, 활력징후의 모니터링으로 치료가 가능하지만, 중증화의 위험성이 있다는 점을 인식해 둔다.

【만성췌장염 · 대상기 · 급성악화기】 급성췌장염 시와 동일한 간호를 제공한다.

【만성췌장염 · 대상기 · 간헐기】 급성악화 예방을 위해서 금주나 식사제한, 복용 등에 대하여 지도한다.

【만성췌장염 · 비대상기】 췌외분비기능부전, 내분비기능부전에 의한 증상을 파악하고, 생활지도를 실시한다.

케어의 포인트

중증 급성췌장염, 만성췌장염 급성악화기

- 신체적 · 심리적 고통의 완화, 합병증 예방에 힘쓴다.
- 금식상태에서 안정을 유지하도록 지도한다.
- 지시받은 약물 (진통제, 항균제, 단백분해효소억제제 등)를 정확하게 투여한다.
- 순환혈액량감소성쇼크에 대량의 수액을 투여하므로, 체액균형에 유의한다.
- 급성폐장애나 폐수종에 인공호흡이 행해지는 경우는 호흡상태에 유의하면서 호흡관리를 실시한다.
- 침습적 치료 [지속동주요법, 지속적 혈액여과투석 · 복막관류, 내시경적유두괄약근절개술, 괴사조직의 제거 (necrosectomy), 경피적 배액 등] 이 행해지는 경우는 그에 대한 관리를 실시하고, 치료에 수반하는 환자의 고통이 최소한이 되도록 지지한다.
- 마비성일레우스나 소화관출혈이 없으면 경장영양을 시작하므로, 그에 대한 관리를 실시한다.
- 감염방지에 유의함과 동시에, 췌장감염, 복강내감염의 징후를 간과하지 않는다.
- 내당능이상이 있는 경우는 인슐린을 이용하여 혈당을 관리해야 한다.
- 통증을 비롯한 고통증상의 호소를 잘 듣고, 고통을 이해하고 있음을 전달한다.
- 환자자신의 이해나 행동을 지지하고, 배려하는 태도로 대한다.
- 감정이나 지각, 공포를 말로 표현할 수 있도록 한다.

만성췌장염 : 생활습관 개선의 지도에 관한 췌장염의 악화방지

- 환자 · 가족의 췌장염에 대한 인식, 지도에 대한 반응 등을 파악한다.
- 환자자신이 자신의 생활을 뒤돌아보고, 생활상의 개선점을 발견할 수 있도록 한다.
- 환자가 받는 스트레스를 파악하고, 스트레스 대처방법을 지도한다.
- 가족의 협력을 구한다.

퇴원지도 · 요양지도

- 정기진찰을 촉구함과 더불어, 췌장염의 증상 (상복부통, 등의 강한 통증, 오심 · 구토, 지방변, 구갈, 과음, 발열, 체중감소 등)이 있으면, 바로 진찰 받도록 설명한다.
- 복통의 원인 (음주, 폭음폭식, 고지방식의 섭취) 을 설명하여 삼가도록 지도한다.
- 식사는 저지방 · 저단백식으로 하고, 자극물을 삼갈 것, 지용성 비타민을 포함한 식품을 섭취할 것을 지도한다.
- 복용에 대한 지도를 실시한다.
- 중증 급성췌장염은 특정질환 치료연구사업의 대상질환이므로, 기준을 충족시킨다면 필요한 서류를 제출하여 의료비의 공적부담을 받을 수 있는 점을 설명한다.

(明石惠子)

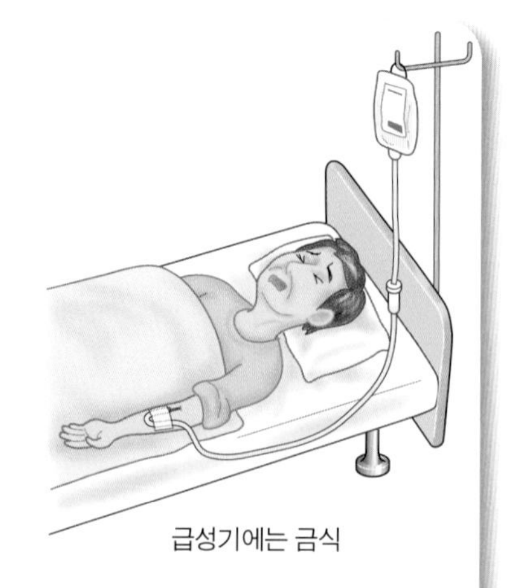

지질은 특히 췌액분비를 자극하므로 최대한 제한한다. 지질제한으로 지용성비타민 (A · D · E 등)이 결핍되므로, 이를 보충하는 식사를 하도록 한다.

■ 그림 14-8 췌장염의 영양식사요법

15 췌장암 (pancreatic cancer)

中村典明 · 有井滋樹/小西美ゆき

전체map

병인

- 원인은 불분명하다.
- 급성 · 만성췌장염, 췌낭포, 담석증, 당뇨병이 위험인자라고 생각되고 있다.

[악화인자] 생활습관 (흡연, 음주, 육식, 고지방식, 고칼로리식, 운동부족)

역학

- 증가경향에 있지만 2000년 이후로는 거의 변함이 없다.
- 고령자에게 많으며, 60대에 최다 발생한다. 성별로는 남성에게 약간 많다.

[예후] 5년 생존율이 10%에 미치지 못하여, 예후가 매우 불량하다.

병태생리

병태생리 map p.120

- 췌장암에 발생하는 악성종양이다.
- 유래세포에 의한 분류 : 외분비계 종양 (췌관상피에서 유래하는 췌관암) 과 내분비계 종양 (랑게르한스섬에서 유래하여 다양한 호르몬을 생산하는 종양)으로 나뉜다. 췌장암의 대부분이 췌관암이다.
- 발생부위에 따른 분류 : 췌두부암과 췌체미부암으로 분류된다.

증상

증상 map p.122

- 황달, 통증, 체중감소가 주증상이다.
- 증상을 통한 조기발견이 어렵다.

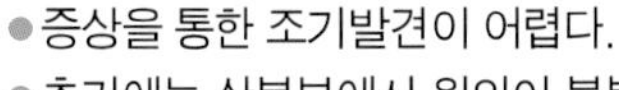

- 초기에는 상복부에서 원인이 불분명한 불쾌감이 나타나고, 서서히 심와부통에서 등으로 통증이 퍼지면서 지속성 격통이 발생한다.
- 췌두부암 : 폐색성황달, 담낭종대가 발생한다.
- 췌체미부암 : 황달 등의 증상이 출현하는 경우는 적고, 진행된 후에야 발견되는 경우가 많다.

[합병증]

- 외분비기능저하로 인한 호흡불량, 저영양상태가 나타난다.
- 폐색성황달례에서는 간기능이상, 비장정맥폐색으로 인한 비종 · 문맥압항진, 측부혈행로의 발달이 출현한다.

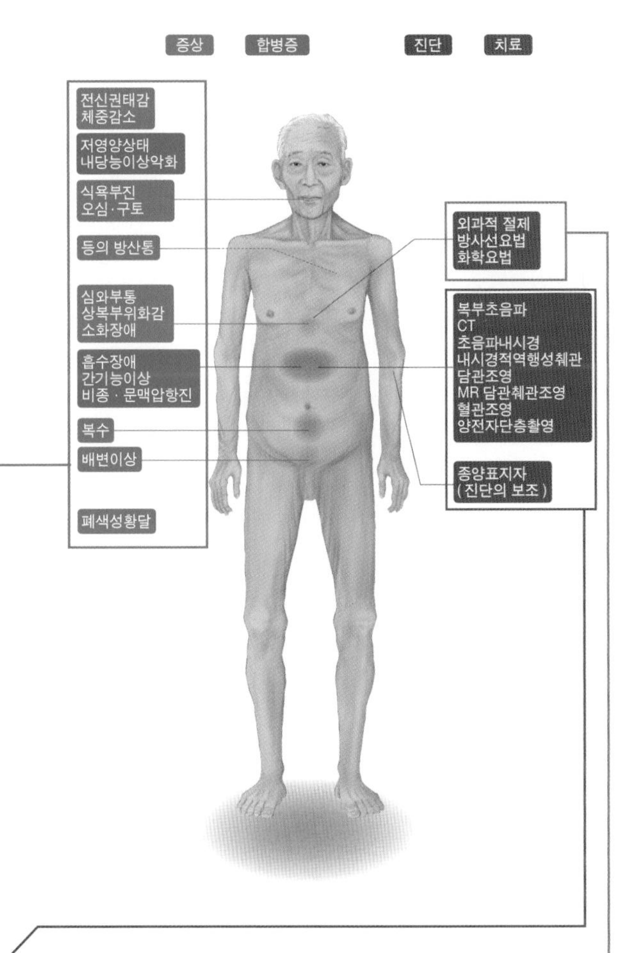

진단

진단 map p.123

- 생검을 시행하기 어려우므로, 증례에 따라서 영상검사 [복부초음파, CT, 초음파내시경 (EUS), 내시경적역행성췌관담관조영 (ERCP), MR담관췌관조영 (MRCP), 혈관조영, 양전자단층촬영 (FDG-PET)] 을 조합하여 시행하여, 종합적으로 판단한다.
- 복부초음파, 조영CT : 췌장암의 스크리닝에 유용하다.
- MRCP, ERCP : 주췌관의 정보를 얻을 수 있다.
- 혈관조영 : 진행도의 판정, 수술시 혈관주행의 동정에 유용하다.
- FDG-PET : 췌장암, 전이소의 진단에 사용한다.

치료

치료 map p.124

- 유일한 근치적 치료는 외과적 절제인데, 그마저 절제율이 낮다.
- 외과치료 : 근치수술 (췌장절제술)과 고식수술 (위-공장문합술, 담관-공장문합술)이 있다. 황달을 수반하는 증례에서는 경피경간담도배액 (PTCD)로 황달증상을 감소시킨 후에 수술한다.
- 방사선요법 : 술중조사와 체외조사가 있다.
- 화학요법 : 항암제 (젬시타빈염산염, 테가푸르 · 기메라실 · 오테라실칼륨합제)가 사용된다.

병태생리map

췌장암은 췌장에 발생하는 악성종양으로서, 외분비조직 (주로 췌관상피세포, 선방세포 등) 에서 유래한 것이 많으며, 일반적으로 췌장암이라고 칭하는 대부분은 '췌관암' 이다.

- 췌장에 발생하는 종양은 '외분비계 세포에서 유래하는 종양' 과 '내분비계 세포에서 유래하는 종양' 으로 나뉜다.
- 외분비계 종양에서는 대부분은 췌관상피에서 유래하는 췌관암으로, 췌장암의 대부분을 차지한다. 또 낭포상의 형태를 나타내는 선암 등을 소수 확인할 수 있는데, 양성종양인 경우는 드물다.
- 내분비계 종양은 랑게르한스섬 종양이라고도 하며, 여러 가지 호르몬 (인슐린이나 가스트린 등) 을 생산하는 종양으로서, 양성 및 악성종양으로 구분한다.

병인 · 악화인자

- 췌장암의 원인은 불분명하다. 급성췌장염, 만성췌장염, 췌낭포, 담석증, 당뇨병 등이 위험인자라고 생각되는데, 모두 확실한 것은 아니다. 또 국제적으로 지적되고 있는 생활습관 요인으로, 흡연, 음주습관, 육식, 고지방식, 고칼로리, 운동부족 등이 있다.
- 당뇨병 환자는 췌장암의 발생률이 높으며, 남성은 약 1.5배, 여성은 약 2배라고 보고되어 있다. 단, 췌장암 환자의 당뇨병이 췌장암 발생전부터 존재하는 것인지 아니면 췌장암에서 2차적으로 생긴 것인지가 문제시 된다. 또 급속히 진행되는 내당능장애, 가족력이 없는 당뇨병 환자의 경우 췌장암의 존재를 염두에 두어야 한다.
- 드물게 가족내에서 발생하는 유전성췌장암도 보고되고 있다.

역학 · 예후

- 췌장암은 증가경향에 있지만, 2000년 이후로는 거의 변함이 없다. 발생연령은 고령자에게 많은 경향이 있어서, 60대가 가장 많고, 이어서 70대, 50대로 이어지고 있다. 한편 40대의 증례도 전체의 약 10%를 차지한다. 또 성별차가 있어서 남성에게 약간 더 많다.
- 췌장암은 절제율이 낮아서, 근치절제가 가능한 증례가 적다. 또 근치수술을 시행한 증례에서도 5년생존율이 15% 정도에 불과하여 췌장암 전체에서는 5년 생존율이 10%에도 미치지 못한다. 일반적으로 예후가 매우 불량한 대표적인 질환이며, 질환 · 치료에 대한 환자의 불안에 충분한 대응이 요망된다.

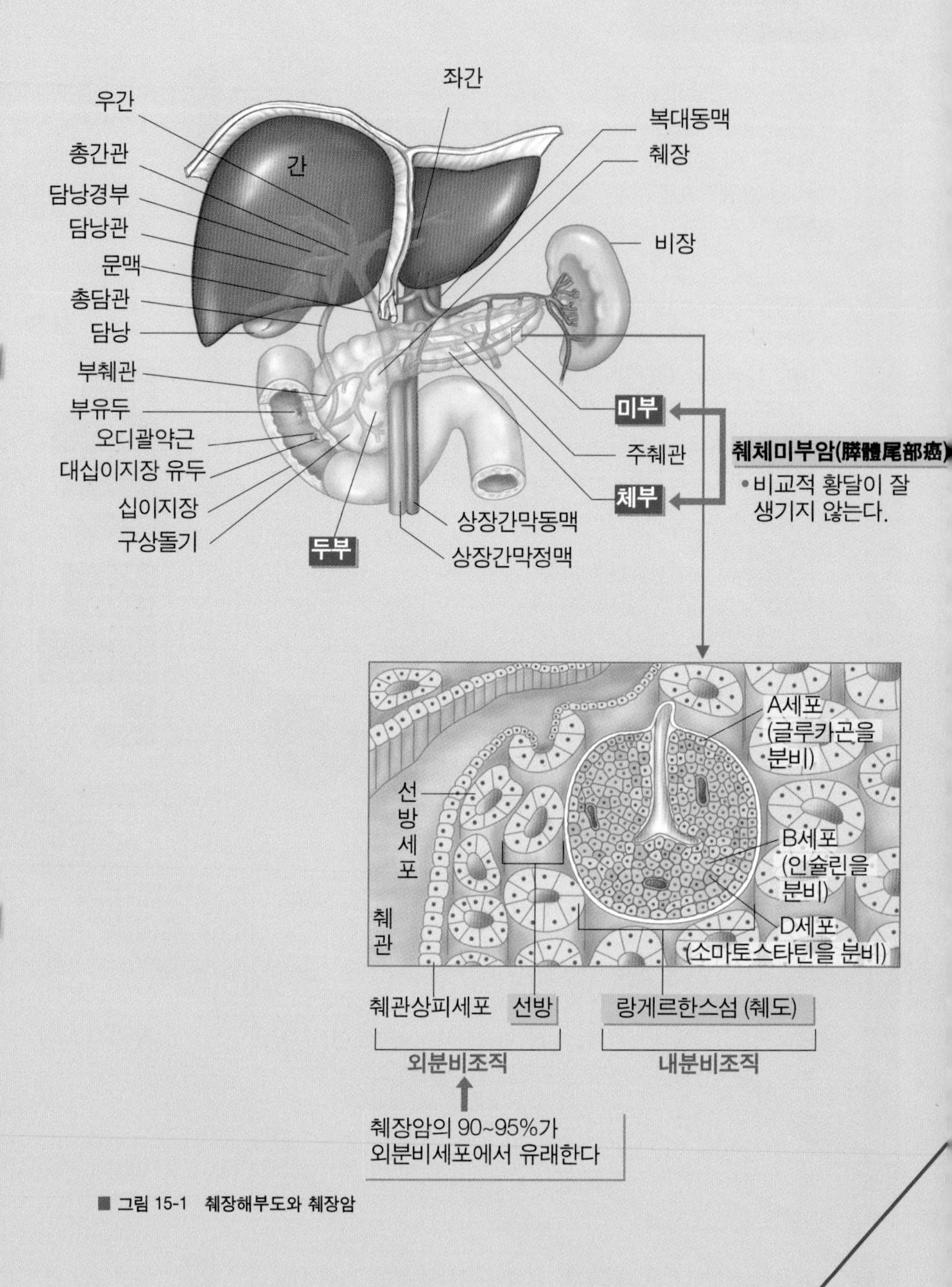

■ 그림 15-1 췌장해부도와 췌장암

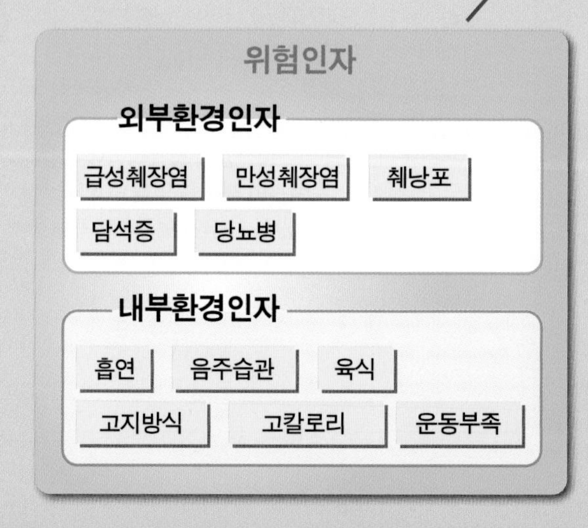

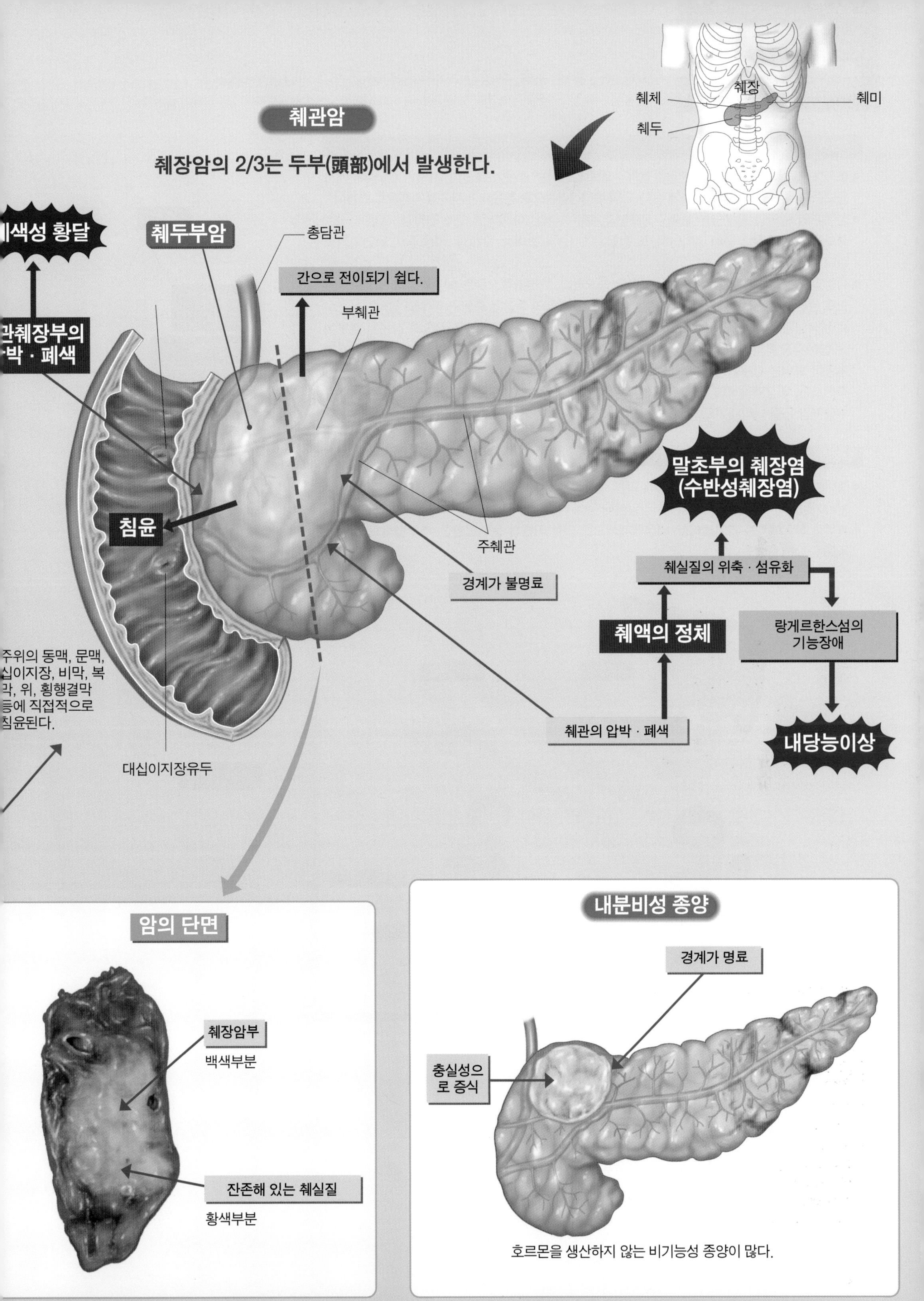
췌관암
췌장암의 2/3는 두부(頭部)에서 발생한다.
췌장
췌체
췌미
췌두
색성 황달
췌두부암
총담관
간으로 전이되기 쉽다.
부췌관
관췌장부의
박 · 폐색
침윤
주췌관
경계가 불명료
말초부의 췌장염
(수반성췌장염)
췌실질의 위축 · 섬유화
췌액의 정체
랑게르한스섬의
기능장애
췌관의 압박 · 폐색
내당능이상
주위의 동맥, 문맥,
십이지장, 비막, 복
막, 위, 횡행결막
등에 직접적으로
침윤된다.
대십이지장유두
암의 단면
췌장암부
백색부분
잔존해 있는 췌실질
황색부분
내분비성 종양
경계가 명료
충실성으
로 증식
호르몬을 생산하지 않는 비기능성 종양이 많다.

증상map

주요증상은 황달, 통증, 체중감소이며, 증상을 통한 조기발견은 어렵다.

증상

- 초기에는 상복부의 원인이 불분명한 불쾌감으로 발생하는 경우가 많은데, 서서히 심와부통에서 등으로 퍼지는 방산통을 호소하게 된다. 또 후복막신경총으로 침윤되면 지속성 격통으로 변한다.
- 상복부의 원인이 불분명한 불쾌감으로는 상복부위화감, 식욕부진, 전신권태감, 오심 · 구토, 소화장애, 체중감소 등이 나타난다. 또 진행기에서는 배변이상, 수척함, 복수 등이 확인되기도 한다.
- 췌장암의 발생부위에 따른 증상의 차이도 중요하다. 해부학적으로는 췌두부암과 췌체미부암으로 분류되며, 약 2/3이 췌두부에 발생한다. 췌두부암의 특징은 총담관 하부의 압박 · 침윤으로 폐색성황달 · 담낭종대 (쿠르바제징후)를 확인하기도 한다. 또 십이지장으로 침윤된 경우에는 십이지장 협착에 의한 통과장애나 소화관출혈이 나타날 가능성이 있다. 췌체미부암에서는 황달이 보이는 경우가 적으며, 진행된 후에야 진단되는 경우가 많다. 등으로의 방산통이 특징적이지만, 비정맥폐색에 의한 2차적인 문맥압항진증이나 소화관침윤에 의한 소화관출혈, 복부팽만감 등을 나타내기도 한다.

합병증

- 특이한 합병증은 없지만, 췌관폐색에 의한 췌장 미측의 수반성췌장염, 내당능이상의 악화, 외분비기능저하에 의한 흡수불량 · 저양양상태 등이 나타날 수 있다.
- 폐색성 황달에서는 간기능이상, 비정맥폐색으로 인한 비종과 문맥압항진, 측부혈행로의 발달 등도 중요한 합병증이다.

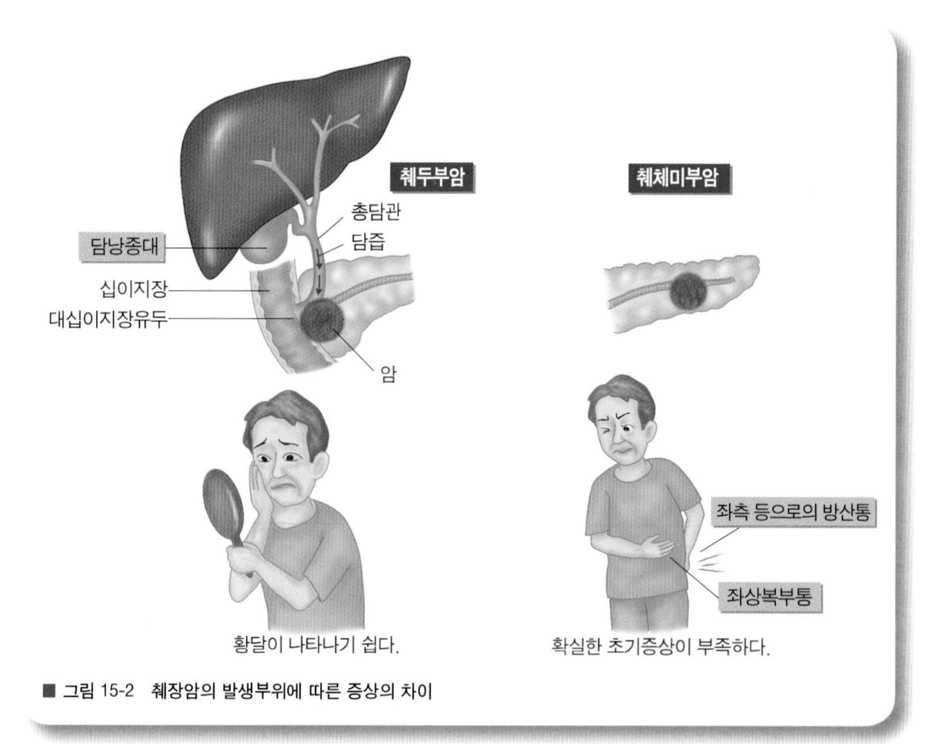

■ 그림 15-2 췌장암의 발생부위에 따른 증상의 차이

증상 / 합병증

- 전신권태감 체중감소
- 저영양상태 내당능이상악화
- 식욕부진 오심 ·구토
- 등의 방산통
- 심와부통 상복부위화감 소화장애
- 흡수장애 간기능이상 비종·문맥압항진
- 복수
- 배변이상
- 폐색성황달

Key word

● 쿠르바제징후 (Courvoisier sign)

쿠르바제징후 (Courvoisier sign)는 담즙정체에 의해 담낭종대가 발생하면서, 총담관말단부의 폐색, 특히 총담관암, 췌두암, 십이지장유두부암 등의 악성종양에 의한 폐색성황달 출현시에 나타난다. 우계늑부에서 구상(球狀)으로 표면이 평활한 무통성담낭이 촉지된다.

진단map

진단 시에는 생검 등이 시행되기 어려우므로, 영상진단을 종합적으로 판단하는 것이 중요하다.

진단　　치료

외과적절제
방사선요법
화학요법

복부초음파
CT
초음파내시경
내시경적역행성췌관
담관조영
MR 담관췌관조영
혈관조영
양전자단층촬영

종양표지자
(진단의 보조)

진단 · 검사치

- 복부초음파검사 (US), CT, 초음파내시경 (EUS), 내시경적역행성췌관담관조영 (ERCP), MR담관췌관조영 (MRCP), 혈관조영, 양전자단층촬영 (FDG-PET) 등의 검사를, 증례에 따라서 조합하여 종합적으로 판단한다 (그림15-3,4).
- 췌장암의 스크리닝검사로는 US가 일반적이다. 저에코의 종괴상과 종괴에서 미측췌관의 확장이 특징적 소견이다. 그러나 해부학적으로 장관가스에 가려지기 쉬워서, 췌장 전체 (특히 췌장 미측)를 나타내기 어려운 단점이 있다.
- CT는 초음파와 마찬가지로 스크리닝검사로서 비침습적이며, 췌장의 묘출도 US보다 뛰어나다. 특징적인 소견으로, 조영CT검사에서 췌장암은 조영되지 않는 종양으로 묘출됨과 동시에 주췌관의 확장, 주위 장기로의 침윤, 림프절전이 등을 진단하는 것이 가능하다.
- MRCP와 ERCP는 주췌관의 정보를 얻기 위하여 시행하는 검사이다. 췌장암의 대부분은 '췌관암' 이므로, 췌관의 두절상이나 미측췌관의 확장상 등이 중요한 소견이다. MRCP는 비침습적인 검사로 자주 이용되고 있다. ERCP에는 검사후 췌장염이 발생할 수 있는 점 등의 문제점도 있지만, 췌관의 묘출능이 뛰어나다는 점, 췌관의 생검이나 췌액의 채취가 가능한 점 등이 존재하므로 유용한 검사이다.
- 혈관조영은 췌장암 그 자체의 진단이라기보다, 그 진행도의 판정 (문맥이나 동맥계 등) 이나 수술 시에 필요한 혈관주행의 동정에 이용된다.
- FDG-PET는 근래 급속히 확대되고 있는 검사로, 췌장암의 진단에 추가하여, 전신의 전이소 진단에 이용된다. 단, 췌장암 환자는 당뇨병이 합병되어 있는 경우가 많아서, 내당능이상이 있는 경우에는 검사할 수 없다.
- 검사치
- 특이한 이상을 나타내는 혈액검사 소견은 없다. 종양표지자 (CEA, CA19-9 등)는 양성으로 나타나는 경우도 있어서 진단에 도움이 될 수 있다. 또 진단시 수치가 높았던 경우라면 치료효과 판정에 도움이 된다.

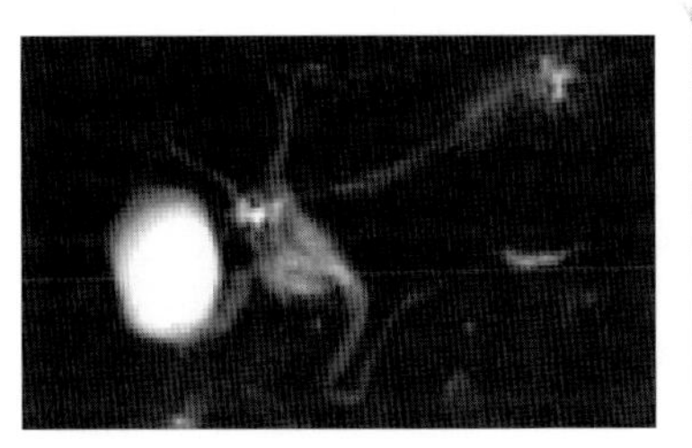

■ 그림 15-3　MRCP 검사 소견
증례 1 : 췌체부암의 증례 : 화살표 있는 곳에서 주췌관이 두절되고, 미측췌관이 확장되어 있다.

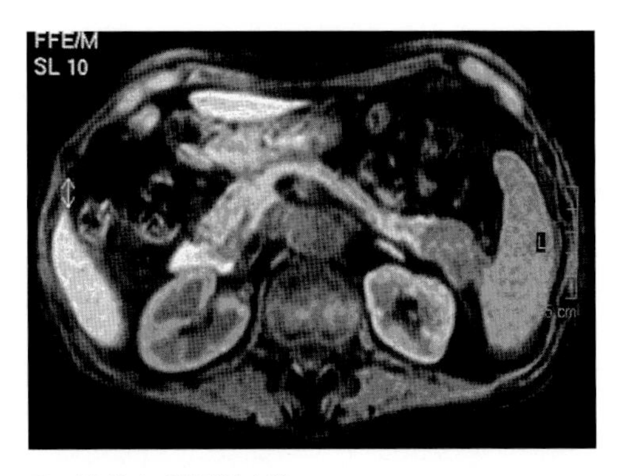

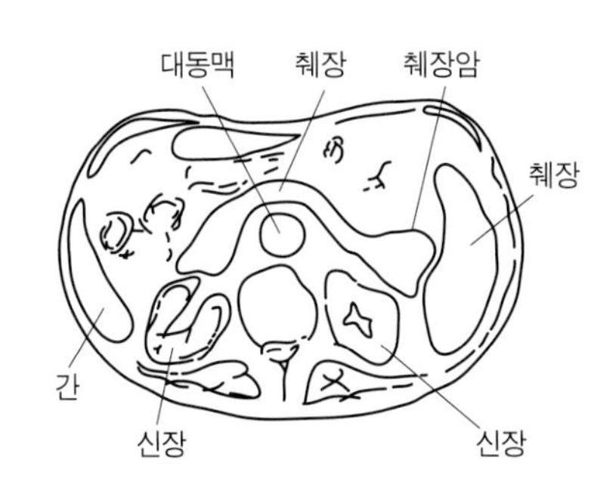

■ 그림 15-4　CT 검사 소견
증례 2 : 췌미부암의 증례 : 조영효과가 부족한 4cm 크기의 췌장암.

치료map

외과적 절제가 유일한 근치적 치료인데, 그나마도 절제율이 낮다.

치료방침

- 유일한 근치적 치료는 외과적 절제인데, 그나마도 절제율이 낮다. 화학요법·방사선치료도 중요한 치료법이다.

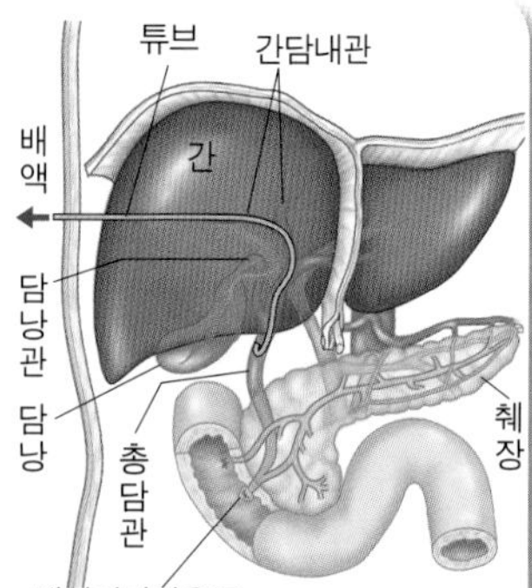

초음파가이드하에 경피경간적으로 간내담관을 천자하여, 담관 내에 카테터를 유치함으로써 담즙을 역류시켜서 배출한다.

■ 그림 15-5 경피적경간담도배액 (PTCD)

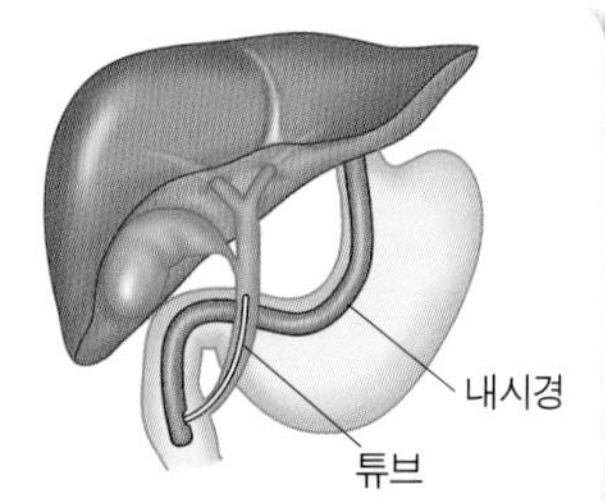

경구적으로 삽입하여 내시경으로부터 튜브를 담관 내에 삽입한다.

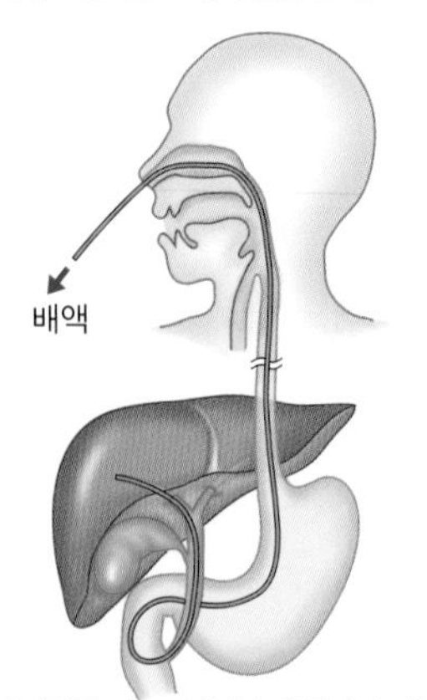

내시경을 빼고, 튜브를 경구에서 경비로 바꾸어 삽입해 담즙을 배출한다.

■ 그림 15-6 내시경적역행성담도배액 (ENBD)

■ 표 15-1 췌장암의 주요 치료제

분류	일반명	주요상품명	약효발현의 메커니즘	주요 부작용
항암제	젬시타빈염산염	젬자	대사길항제	골수억제, 간질성폐렴
	테가푸르· 기메라실· 오테라실칼륨합제	티에스원	대사길항제	골수억제, 소화기장애 (설사 등)

외과치료

- 외과치료는 근치수술 (췌절제술)과 고식수술로 분류된다. 또 황달을 수반하고 있는 증례에서는 경피적경간담도배액 (PTCD)이나 내시경적역행성담도배액 (ENBD)를 시행하여, 황달 증상을 감소시킨 후에 수술한다. 술후에 화학요법·방사선요법 등의 보조요법을 시행하기도 한다.
- 췌절제술은 췌두십이지장절제, 유문륜온존췌두십이지장절제, 췌전절제술, 췌체미부절제 등이 있다. 합병절제하는 장기, 절제후 재건방법 등 여러 방법이 있다.
- 고식수술에는 소화관의 통과장애를 해소하는 것 (위·공장문합술 등) 과 담도의 폐색을 해소하는 것 (담관·공장문합술 등)이 있다. 또 담도폐색에 대해서는 외과치료가 아니라, X선투시하에 금속 스텐트를 유치하는 것도 가능하다. 고식적 치료의 예후는 절제에 비해서 매우 불량하다.

방사선요법

- 방사선치료에는 술중조사와 체외조사가 있다.

화학요법

- 화학요법에서는 최근, 젬시타빈염산염 (젬자), 테가푸르·기메라실·오테라실칼륨합제 (티에스원) 등이 사용되고 있으며, 종래에 비해서 그 치료성적이 향상되고 있다.

Px 처방례 제1선택제

- 젬자주 (0.2·1g/V) 1회 1,000mg/m²를 30분 걸쳐서 점적정주 주1회로 3주연속투여, 4주째 휴약을 1단위로 해서 반복한다. ←항암제

※유의사항으로 골수억제, 간질성폐렴, 용혈성요독증후군 등이 있다.

※방사선조사와 병용하는 경우는 감량하는 등 주의를 요한다.

Px 처방례 제2선택제

- 티에스원캅셀 (20·25mg) 체표면적당 1.25~1.50m²까지 1회투여량 100mg 분2 4주연속투여, 2주휴약을 1단위로 반복한다. ←항암제

※유의사항으로 골수억제, 용혈성빈혈, 피부색소침착 등이 있다.

췌장암의 병기·병태·중증도별로 본 치료흐름도

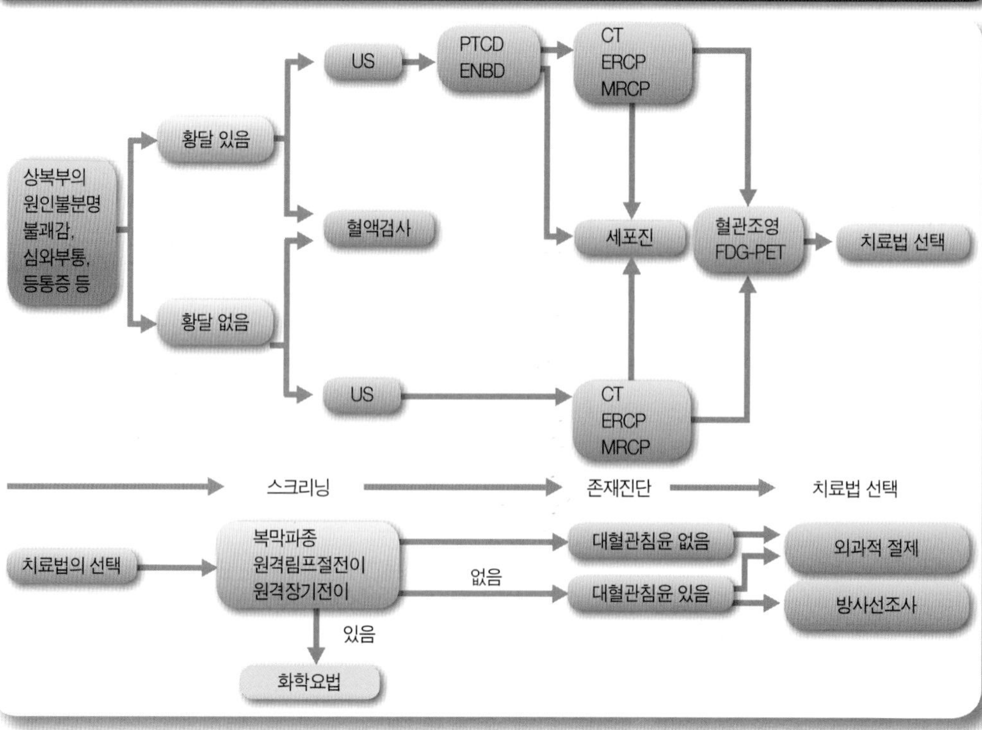

(中村典明·有井滋樹)

환자케어

혈당치가 변동되기 쉬워서, 술후에는 혈당관리가 필수적이다. 암성통증의 관리, 증상완화, 영양관리 등, 환자의 생활에 적합한 지지가 필요하다.

병기 · 병태 · 중증도에 따른 케어

【주술기】 혈당치가 변동되기 쉬워서, 혈당관리가 필수적이다. 췌두부암에 적용되는 췌두십이지장 절제술은 문합부위가 많아 봉합부전을 일으키면 중증화되기 쉬우므로, 봉합부전을 조기에 발견하기 위한 신중한 드레인관리를 필요로 한다. 또 침습이 크기 때문에 수술후 환자의 의욕을 높이고 회복을 촉진시키기 위한 지지도 중요하다.

【자택요양기】 혈당관리의 지속과 질환 · 절제 등으로 췌기능이 저하된 상태의 영양관리에 관하여 생활에 맞게 대응할 수 있도록 환자 · 가족과 함께 생각한다. 또 화학요법도 통원 · 단기입원치료로 행해지는 경우가 많으므로, 골수억제나 소화기증상 등의 유의사항에 환자가 대처할 수 있도록 충분한 지도가 필요하다.

【암진행기】 암성통증의 관리, 소화관협착에 대한 증상완화나 영양섭취방법의 검토 등, 환자의 QOL을 향상시키기 위한 지지가 필요하다.

케어의 포인트

(술후) 배액관리

- 봉합부전을 조기에 발견하기 위하여 배액의 성상과 양을 주의하여 관찰한다.
- 배액을 효과적 · 안전하게 행할 수 있도록 취급한다.
- 드레인류가 다수 삽입된 상태에서 환자의 신체 · 심리적 부담을 경감시킨다.

식사와 배설의 지지

- 혈당치의 변화, 소화 · 흡수저해, 설사 등 질환 · 치료에 수반하는 신체변화의 이해를 촉구한다.
- 적절한 식사요법을 할 수 있도록 환자에게 맞추어 지도한다.

퇴원지도 · 요양지도

- 담혈당 관리, 소화 · 흡수장애에 대한 대응, 설사의 완화 등 병태에 따라서 필요 · 유효한 식사요법을 지도한다.
- 혈당강하제를 투여하는 경우 확실한 투여의 필요성을, 투여해서는 안되는 경우 투여 후의 주의점 (저혈당 발작 등)에 관하여 설명한다.

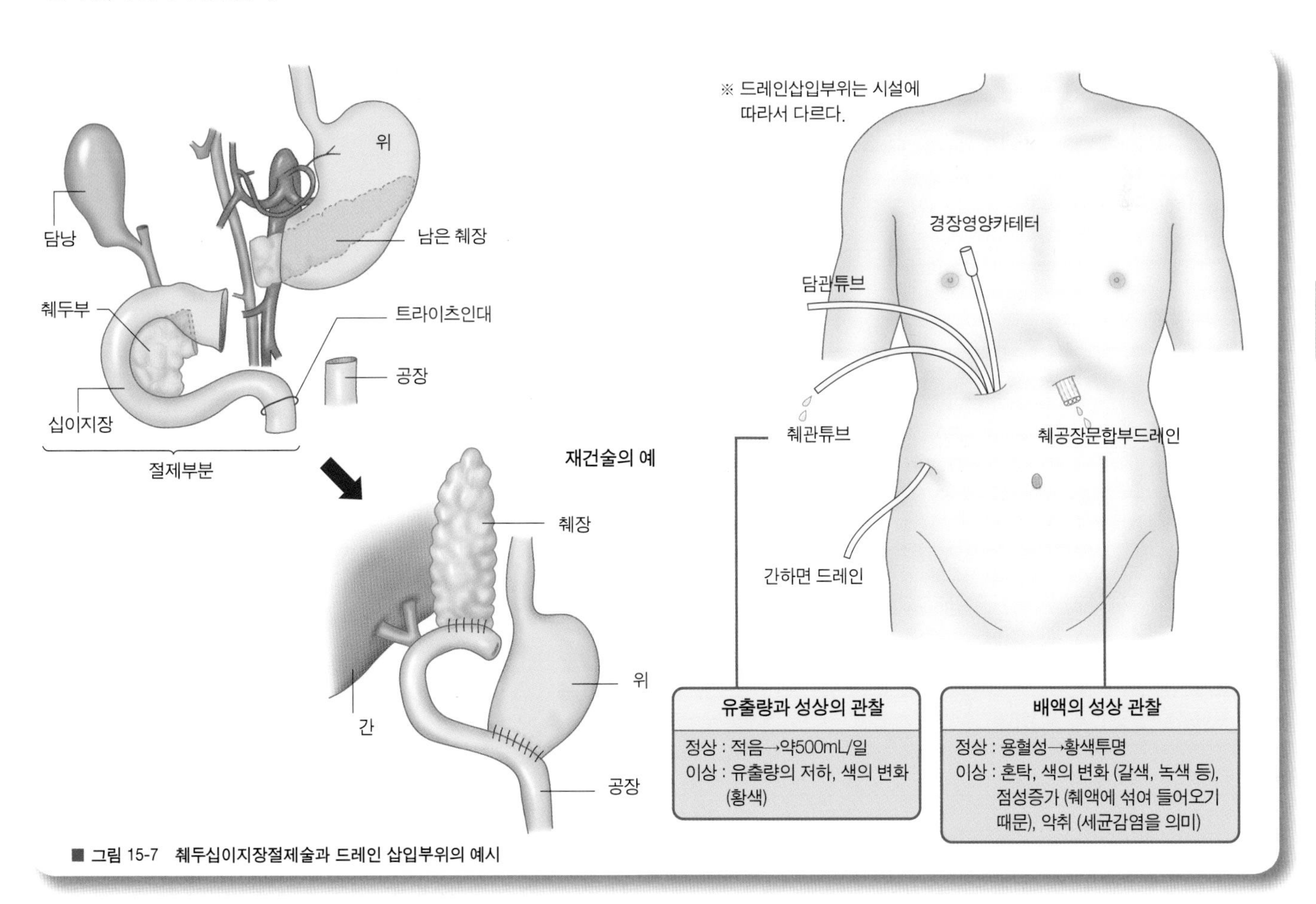

■ 그림 15-7 췌두십이지장절제술과 드레인 삽입부위의 예시

Memo

색인

영문

ㄱ

색인